Forschung zur Bibel Band 58

herausgegeben von
Rudolf Schnackenburg
Josef Schreiner
in den Verlagen Echter und Katholisches Bibelwerk

forschung zur bibel

Heinz Feltes

Die Gattung des Habakukkommentars von Qumran (1 QpHab)

Eine Studie zum frühen jüdischen Midrasch

Echter Verlag

Umschlag: Christoph Albrecht
Druck und buchbinderische Verarbeitung:
Echter Würzburg
Fränkische Gesellschaftsdruckerei und Verlag GmbH
ISBN 3-429-01051-9

Gewidmet meiner Mutter

Marie-Luise Feltes, geb. Rosprim

in tiefer Dankbarkeit

VORWORT

Die vorliegende Untersuchung wurde im Sommer 1984 von der Ruhr-Universität Bochum als Dissertation angenommen. Ist sie auch inhaltlich im wesentlichen unverändert, so hat sie doch eine ganze Reihe von hauptsächlich formalen Änderungen erfahren.

Zu danken habe ich verschiedenen Leuten: Zunächst meinem früheren Chef, Herrn Professor Dr. A. Schmitt, der mir in meiner Osnabrücker Assistentenzeit genügend Zeit zur Fertigstellung der ersten Fassung dieser Dissertation ließ. Nicht vergessen darf ich bei dieser Gelegenheit Herrn Professor Dr. K. H. Rengstorf, Universität Münster, der mir in manchen Diskussionen bei seinen Judaistik-Seminaren auch zu Qumran wertvolle Hinweise gab.

Ferner gilt mein herzlicher Dank Herrn cand. theol. Christoph Lienkamp für das aufmerksame Korrekturlesen des Typoskripts wie Frau Anna-Maria Rohjans, Freiburg, und Frau Marianne Kirchhofer, Freiburg, für das Erstellen desselben.

Wenn ich meinen Doktorvater und derzeitigen Chef, Herrn Professor Dr. Lothar Ruppert, zuletzt erwähne, so geschieht dies bewußt. Von Anfang dieser Dissertation an, d.h. seit Herbst 1980 in Bochum, über meine Osnabrücker Zeit hinweg bis hin zu meiner derzeitigen Assistententätigkeit an der Albert-Ludwigs-Universität in Freiburg hat er mir unermüdlich mit Hinweisen und Vorschlägen aller Art zur Seite gestanden. Ihm, sprich seinem Interesse und seinem Wohlwollen bin ich sicherlich zu größtem Dank verpflichtet.

Freiburg im Breisgau, im Dezember 1985.

INHALTSVERZEICHNIS

EINLEITUNG

HAUPTTEIL

ABKÜRZUNGSVERZEICHNIS

AGJU	Arbeiten zur Geschichte des antiken Judentums und des Urchristentums
APAT	Die Apokryphen und Pseudepigraphen des Alten Testaments
ATD	Altes Testament Deutsch
BA	Biblical Archeologist
BK	Biblischer Kommentar Altes Testament
BSOAS	Bulletin of the School of Oriental and African Studies
CBQ	Catholic Biblical Quarterly
CRB	Cahiers de la Revue Biblique
CSion	Cahiers Sioniens
DBS	Dictionnaire de la Bible Suppléments
DSH	Dead Sea Habakkuk
EHAT	Exegetisches Handbuch zum Alten Testament
EJ	Encyclopaedia Judaica
FJB	Frankfurter Judaistische Beiträge
GThT	Gereformeerd Theologisch Tijdschrift
HAT	Handbuch zum Alten Testament
HSAT	Die Heilige Schrift des Alten Testaments
HSM	Harvard Semitic Monographs
JBL	Journal of Biblical Literature
JJS	Journal of Jewish Studies
JQR	Jewish Quarterly Review
JSHRZ	Jüdische Schriften aus hellenistisch-römischer Zeit

LThK	Lexikon für Theologie und Kirche
MT	Massoretischer Text
OBO	Orbis Biblicus Orientalis
RB	Revue Biblique
RGG	Die Religion in Geschichte und Gegenwart
RHPQ	Revue d'Histoire et de Philosophie Religieuse
RQ	Revue de Qumran
RVV	Religionsgeschichtliche Versuche und Vorarbeiten
SBB	Stuttgarter biblische Beiträge
SBM	Stuttgarter biblische Monographien
SBS	Stuttgarter Bibelstudien
StDel	Studia Delitzschiana
StPB	Studia Post-Biblica
StTh	Studia Theologica
StUNT	Studien und Untersuchungen zum Neuen Testament
TEH	Theologische Existenz heute
ThLZ	Theologische Literaturzeitschrift
ThQ	Theologische Quartalschrift
ThW	Theologische Wissenschaft
TThZ	Trierer Theologische Zeitschrift
VT	Vetus Testamentum
VTS	Vetus Testamentum Supplements
WdF	Wege der Forschung
WUNT	Wissenschaftliche Untersuchungen zum Neuen Testament
ZAW	Zeitschrift für die Alttestamentliche Wissenschaft
ZNW	Zeitschrift für die Neutestamentliche Wissenschaft
ZThK	Zeitschrift für Theologie und Kirche

EINLEITUNG

1. Zur Methodik der Untersuchung

Diese Arbeit versucht, eine lang geführte Diskussion in monographischer Form zu entscheiden: Zu welchem literarischen Genus, zu welchem Texttypus (= "Gattung")[1] gehört der 1QpHab, und damit die anderen qumranischen Pescharim[2]? Der Zusatz "und damit die anderen Pescharim" impliziert dabei eine methodische Vorentscheidung: Da die Pescharim in etwa die gleiche literarische Struktur, aber verschiedene geschichtsanspielende Inhalte aufweisen, orientiert sich die vorliegende Untersuchung zunächst an der literarischen Struktur als wichtigstem Kriterium für eine literargenerische Zuordnung. Die Basisstruktur des 1QpHab, Bibelzitat und Auslegung desselben, läßt diesen als Auslegungsschrift erkennen. Sie ist somit vor dem Inhalt dieses bestimmten Peschers zur Lösung der gestellten Aufgabe heranzuziehen[3]. Wird dabei der Struktur der Vorrang vor dem Inhalt eingeräumt, so liegt dies im Gattungsbegriff selber begründet; denn die die Einzelformen (= einzelne Texte) prägende Größe "Gattung" wird durch einen Abstraktionsvorgang gewonnen[4], der sich seinerseits zum Zwecke der Durchführung an festen erkennbaren Größen orientieren muß. Diese festen erkennbaren Größen sind demnach erkenn- und unterscheidbare literarische Strukturen.

---

1 Vgl. Fohrer u.a., Exegese 84.

2 "Qumranische Pescharim" ist nicht als Tautologie zu verstehen: Es können ja auch noch Pescharim außerhalb Qumrans gefunden werden.

3 Gleichwohl werden die Inhalte des 1QpHab dem Kern der Arbeit vorangestellt, vgl. Kapitel 2.3.2. - 2.3.5.

4 Fohrer 84.

In einem zweiten Schritt wird aber, geradezu quer zur Unterscheidung Struktur - Inhalt, eine weitere Unterscheidung getroffen, die sowohl strukturelle wie inhaltliche Momente in sich aufnimmt: Auslegungs<u>voraussetzungen</u> und Auslegungs<u>methoden</u> des 1 QpHab. Mit ersteren sind theologische Denkvoraussetzungen des Pescherautors gemeint, mit letzteren Auslegungsverfahrensweisen in actu. Der Begriff der "Aktualisierung"[5] ist als Auslegungsmethode dabei eigentlich nur die praktische Ausführung des "eschatologisch-hermeneutischen Prinzips"[6]. - Die beiden Unterscheidungen besagen, daß der "fromme" Pescherautor inhaltliche Voraussetzungen für die mehr oder weniger strukturell-methodisch ausgeführte Auslegungsschrift hat, denen nachgegangen werden muß, wobei allerdings in der <u>wissenschaftlichen</u> Arbeit zuvor eine Verhältnisumkehrung notwendig ist: Die methodische Struktur muß vor dem Inhaltlichen erörtert werden, um überhaupt die Inhalte abstecken zu können[7].

Dennoch soll am Schluß der Arbeit (s. Kapitel 8.) anhand eines Beispiels aus dem 1QpHab nachgewiesen werden, daß in unserer Untersuchung der Struktur nicht durchgehend ein Primat vor dem Inhalt zukommt: Auch dieser kann jene beeinflussen, so daß Struktur und Inhalt nicht nur untrennbar sind, sondern dieser auch von gleichrangiger Bedeutung in der gattungsmäßigen Bestimmung des 1QpHab ist. Aber immer-

---

5 Siehe Kapitel 6.2.3.4.3.1.

6 Siehe kapitel 6.2.3.4.2.1. - Gleichwohl müssen Aktualisierung und Eschatologisierung natürlich nicht deckungsgleich sein. - Zur Problematik des Begriffs "Eschatologie" (und auch des Begriffs der "Apokalyptik" als "radikalisierter Eschatologie") siehe Kapitel 2.3.3.

7 Vgl. W. Richter, Exegese als Literaturwissenschaft. Entwurf einer alttestamentlichen Literaturtheorie und Methodologie, Göttingen 1971, 176 f.

hin wird die anfängliche Konzentration auf die literarische Struktur eine erste Richtung für die gattungsmäßige Einordnung des qumranischen Habakukkommentars geben können, die vom Inhalt her kaum möglich wäre, finden sich doch Eschatologie und Apokalyptik auch außerhalb, ja gerade nicht in midraschischen Schriften, denen der 1QpHab vermutlich zuzurechnen ist[8].

---

8 Genaueres zum 1QpHab als Midrasch s. in Kapitel 8.

2. Die bisherige Forschung zum 1QpHab[1]

2.1. Textausgaben

Eine Erstausgabe des Habakukkommentars hat M. BURROWS[2] 1950 vorgelegt. Der unpunktierte, in Quadratschrift gedruckte Text kann auf allen Seiten anhand der begleitenden Photographien kontrolliert werden. Zudem gibt Burrows eine kurze Einführung in den Habakukkommentar (19-23). Diese stellt zunächst die Grundintention der Habakukzitierung und der Auslegung dar (19): Die nationale und religiöse Situation des Kommentators und seiner Gemeinde ist als solche schon vom Propheten Habakuk vorausgesehen worden. Dabei kontrastiert der Kommentator deutlich den Lehrer der Gerechtigkeit (מורה הצדק) und den Frevelpriester (הכוהן הרשׁע). Zudem werden die Anhänger des Lehrers der Gerechtigkeit wie des Frevelpriesters beschrieben, bevor der Kommentar mit der Schilderung des Schicksals der götzenverehrenden Nationen schließt. Das 3. Habakukkapitel der uns heute vorliegenden Einteilung behandelt der Kommentar übrigens nicht. Die letzte Kolumne weist noch mehr als neun freie Zeilen auf, d.h. mit der geleisteten Arbeit ließ es der Sektenexeget[3] offenbar genügen. - Das Hebräisch der Auslegung ist

---

1 In diesem Abschnitt werden nicht behandelt: 1. Monographien und Zeitschriftenartikel, die unter anderem den 1QpHab erwähnen oder kurz behandeln, 2. die Qumraneinführungsliteratur, die sich mit dem 1QpHab allgemein und eben einführend befaßt.

2 M. Burrows (Hg.), The Dead Sea Scrolls of St. Mark's Monastery, New Haven [2]1950.

3 "Sekte" ist hier und auch sonst im freieren, weiteren Sinne verwendet. Im streng soziologischen Sinne ist die Qumrangemeinde keine Sekte, weil solche eigentlich nur in Universalreligionen vorkommen (vgl. G. Mensching, Art. Sekte, in: Handwörterbuch der Sozialwissenschaften, Bd. 9, Göttingen 1956, 216).

weitgehend biblisches Hebräisch, wenn auch schon einige Wörter nachbiblische Bedeutung aufweisen (20)[4]. Außerordentlich wichtig, nämlich für die Technik der Auslegung im Kommentar[5], ist Burrows' Feststellung, daß die das Bibelzitat interpretierenden Sätze einzelne Habakukworte anders lesen, gewissermaßen "umlesen": Das biblische Zitat erfährt also noch im Kommentar selbst eine Änderung. - Es folgen Beschreibungen des Schriftmaterials, der Art und der Ausmaße der Beschädigung der Rolle, und ihrer Maße. - Schließlich wird noch auf paläographische Besonderheiten einzelner Buchstaben im Vergleich zur vollständig erhaltenen Jesajarolle aufmerksam gemacht; auch wird die klare, regelmäßige und saubere Schreibweise gelobt, in der allerdings Waw und Yod allermeistens ununterscheidbar sind[5a]. Am auffälligsten ist die Schreibweise des Tetragrammatons in althebräischen Buchstaben 𐤉𐤄𐤅𐤄- vgl. 1QpHab 6,14; 10, 7.14; 11,10) aufgrund besonderer Ehrfurcht vor dem Gottesnamen. Bei der althebräischen Schreibweise sind Waw und Yod freilich klar unterscheidbar. In anderen Qumranschriften wird der Gottesname nur durch vier Punkte angedeutet.

---

4 Das Qumran-Hebräisch ist nämlich auch aramaisierend wie mischnaisierend; Mischna-Hebräisch war ein neben seinem talmudischen Gebrauch auch ein von anderen jüdischen Gruppierungen verwendetes literarisches Idiom. Vgl. M. Goshen-Gottstein, Text and Language in Bibel and Qumran, Jerusalem 1960, 105 und Ch. Rabin, The Historical Background of Qumran Hebrew, in: Aspects of the Dead Sea Scrolls (Scripta Hierosolymitana IV) Jerusalem 1965, 144.

5 Vgl. dazu Kapitel 6.2.3.4.3.2. und Kapitel 8.

5a Einen Erklärungsversuch zu dieser Ununterscheidbarkeit liefert R. Ratzaby, Remarks Concerning the Distruction between Waw and Yodh in the Habakkuk Scroll: JQR 41 (1950/51) 155-157.

Ein punktierter Text ohne begleitende Photographien wird von A.M. HABERMANN[6] vorgestellt. Der Autor weist darauf hin, daß seine Vokalisation nicht unbedingt der Originallesart des Textes entsprechen muß, er sogar in der Beachtung der matres lectionis von der herkömmlichen Vokalisation abgewichen ist (S. V). Die matres lectionis läßt er übrigens dort weg, wo er seine Vokalisation anbringt. - Habermann spricht einmal von den interpretierenden Schriften der Qumrangemeinde als einer "Art von Midraschim" ("kind of midrashim" - S. IX), die sich mit Situationsbeschreibungen oder Visionen befassen, ein andermal qualifiziert er den Habakukkommentar direkt als "apokalyptischen Midrasch"[7], wozu ihn wohl die "Visionen" als formales Kriterium der Apokalyptik gebracht haben mögen[8].

Als Kommentar bezeichnet wird die Habakukauslegung in E. LOHSEs Studienausgabe[9]. Nebst einer Beschreibung und einer Inhaltsangabe wird noch die Aussichtslosigkeit der Identifizierung des Gerechten Lehrers und des Frevelpriesters herausgestellt. Jedenfalls ginge aus der Rolle hervor, daß die Gemeinde ihren Anfang in Jerusalem genommen hätte[10].

---

6 Megilloth Midbar Yehuda. The Scrolls from the Judean Desert, Jerusalem 1959.

7 Habermann, ebd. X.

8 Zur Problematik der Bezeichnung des Habakukkommentars als "Midrasch" vgl. Kapitel 2.3.1. und 8.

9 E. Lohse (Hg.), Die Texte aus Qumran. Hebräisch und Deutsch. Mit masoretischer Punktation, Übersetzung, Einführung und Anmerkungen, Darmstadt 1981. - Als "Midrasch" bezeichnet Lohse den 1QpHab noch in der 1. Auflage von 1964, 227.

10 Dies ist keineswegs unumstritten. Zu diesem Problemfeld vgl. J. Murphy-O'Connor, The Essenes and their History: RB 81 (1974) 215-244, bes. 221f., worin er sich für eine Identifizierung der Essener mit den aus Babylon heimkehrenden Exulanten ausspricht. Eine ähnliche, aber eher spirituelle bzw. ideologische Selbstidentifizierung der

P. BOCCACCIO und G. BERARDI[11] liefern neben einem unpunktierten Kommentartext mit lateinischer Übersetzung einen biblischen Habakuktext mit griechischer, lateinischer und italienischer Übersetzung; der 1QpHab ist mit einem apparatus criticus versehen. Eine kurze, u.a. vor DUPONT-SOMMERs und DEL MEDICOs Auffassungen warnende Bibliographie nebst unpunktiertem Pescher zu Nahum und zu Psalm 37 schließt das Büchlein ab.

Aus jüngerer Zeit stammt eine Textausgabe zum 1QpHab von W. H. BROWNLEE[12] mit Übersetzung und ausführlichster Exegese, die praktisch die ganze Forschungsgeschichte wiedergibt. Der Leser kann sich über Texte und Primärquellen, Bibliographien, Umschrift und Vokalisation zum 1QpHab ins Bild setzen. Danach erst folgt eine Einleitung, welche die Qumranmanuskripte allgemein, Übersetzungsprobleme, den Bezug dieses wissenschaftlichen Kommentars zu anderen Studien und vor allem den Pescher an sich behandelt[13].

2.2. Zwei Gesamtstudien

Eine ausführliche Studie zur qumranischen Habakukauslegung liegt von K. ELLIGER[14] vor. Er behandelt die Rekonstruktion des Textes, von dem der Anfang und die jeweils letzten Kolumnenzeilen fehlen, die Textkritik, deren Ertrag für die

---

Gemeinde glaubt Sh. Talmon zu erkennen, vgl. Qumran und das Alte Testament, in: Frankfurter Universitätsreden 42 (1968) 87 und ders., Typen der Messiaserwartung um die Zeitenwende, in: H.W. Wolff (Hg.), Probleme biblischer Theologie (Festschrift für G.v. Rad), München 1971, 571-588, bes. 582.

11 Pšr Ḥbquq: Interpretatio Habacuc 1QpHab, Fano ³1955.

12 The Midrash Pesher of Habakkuk. Text, Translation, Exposition with an Introduction, Missoula (Montana) 1979.

13 Vgl. unten das Schlußkapitel (Kap. 8).

14 Studien zum Habakukkommentar vom Toten Meer (Beiträge zur historischen Theologie 15) Tübingen 1953.

Herstellung des Habakuktextes dürftig ist (S. 59), Aussprache wie Schreibweise des Kommentarhebräisch, schließlich Äußerlichkeiten der Handschrift. Desgleichen werden der zeitgeschichtliche Hintergrund und die Theologie des Kommentars besprochen sowie eine Übersetzung mit einem Kommentar erstellt. Besonders wichtig für unsere Thematik sind die Kapitel V und VI, die Sprache und Stil der in Prosa gehaltenen Auslegung wie vor allem deren Methode erörtern. So entspricht der Wortschatz des Kommentars fast gänzlich dem des AT (82). Biblische Wendungen und Anlehnungen an den Wortlaut bestimmter alttestamentlicher Stellen werden frei gebraucht; überhaupt ist der Stil von einer beachtenswerten Selbständigkeit (80), Nachahmung und Anlehnung an eine bestimmte Sprache ist nicht feststellbar (82). Die Konstruktion des kommentierenden Satzgefüges ist im Normalfall ganz einfach gehalten: Dem Hauptsatz oder dem von אשר abhängigen Obersatz wird nur ein Nebensatz untergeordnet, der immer das Ende des Satzgefüges bildet (99). Ab und zu lassen bestimmte Lieblingsausdrücke des Kommentators den Schluß auf die Verwendung einer Schulsprache zu (111). Fülle der Synonyma und Wechsel des Ausdrucks verschönern den Stil, der durch rhetorische Übung geprägt ist (113f.). Hinsichtlich der Auslegungsmethode des Kommentators stellt Elliger zunächst fest, daß sie die Behandlung der heiligen Schriften bei den jüngsten alttestamentlichen und neutestamentlichen wie spätjüdischen Schriftstellern verständlicher macht (118). In einer vorläufigen Zusammenfassung stellt Elliger selbst die ersten Ergebnisse seiner Untersuchung über die Auslegungsmethode des Kommentators zusammen (149 f.), bevor er sich dessen hermeneutischem Prinzip zuwendet: Der qumranische Verfasser stützt sich stark auf den Originalwortlaut; Wort für Wort und Satz für Satz bemüht er sich um die prophetische Verkündigung Habakuks. Allerdings beachtet er nicht die eigene Logik größerer Zusammenhänge, er löst diese vielmehr zeitweise völlig auf und bearbeitet sie als in sich geschlossene und selbständige Einheiten (sog. Atomisierung des Textes oder auch "Kontextsegmentierung"[15]). Hinzu kommen Allegorisierung (nicht im Sinne der spezifisch philonischen Allegorese!), Veränderung von Satzton und Wortsinn, Auslassung und Eintragung von Gedanken. Dazu wörtlich Elliger[16]: "Aufs Ganze gesehen behandelt er also den Text wie jemand, der ein Mosaik auseinandernimmt und die Steinchen neu zusammensetzt". - Die eigenwillige Gedankenführung des Kommentars und seine Freiheit gegenüber dem Text erklärt Elliger mit einem einheitlichen Bezugspunkt, auf den sich alle Gedanken des Textes konzentrieren (150). Dieser Bezugspunkt besteht in einem hermeneutischen Prinzip, das sich so wiedergeben läßt: "1. Prophetische Verkündigung hat zum Inhalt das Ende, und 2. Die Gegenwart ist die Endzeit" (150), d.h. sowohl werden die Verhältnisse der eigenen Gegenwart in den prophetischen Text projiziert, wie dieser auch die eigene Gegenwart des Kommentators erhellen soll. Daß Prophetie Eschatologie ist, hat der Kommentator einer von weither überkommenen, nämlich prophetischen Tradition entnommen, wie sich gerade im Habakuktext manifestiert (154). Daß die Gegenwart des qumranischen Auslegers die Endzeit ist, ergibt sich aus dem Kommentar selbst (2,8 und 2,2f.): Gott gab einen Priester, der alle prophetischen Worte deuten sollte (לפשור את כול דברי עבדיו הנביאים); das Wissen dazu bezieht der Priester, der Lehrer der Gerechtigkeit, aus dem Munde Gottes (דברי מורה הצדקה מפיא אל)[17]. Auch aus 7,4f. wird die Deutungskompetenz des Lehrers ersichtlich: "...bezieht sich seine Deutung auf den Lehrer

15 Diesen Ausdruck habe ich von P.-R. Berger, vormals Universität Münster, übernommen.

16 Studien 149.

17 Anstelle דברי setzt Habermann in die Textlücke פשר, was aber den grundsätzlichen Sinn der Passage nicht tangiert.

der Gerechtigkeit, dem Gott kundgetan hat alle Geheimnisse der Worte seiner Knechte, der Propheten." (פשׂרו על מורה הצדק אשׂר הודיעו אל את כול רזי דברי עבדיו הנביאים)[18], wohl als Anspielung zu verstehen auf Am 3,7, wo Gott seine Absicht vor ihrer Verwirklichung seinen Propheten mitteilt (כי לא יעשׂה אדני יהוה דבר כי אם גלה סודו אל עבדיו הנביאים). Das Wissen des Lehrers übertrifft noch das seiner Vorgänger, der Propheten; er ist im Besitz einer besonderen Erleuchtung, einer besonderen Offenbarung (155). Für den Ausleger "hat sich die Offenbarung seines Lehrers bereits zu einer auch inhaltlich scharf umrissenen Tradition verfestigt, die nun neben dem Text steht" (155; Sperrung bei Elliger). Gegenüber der klassischen Zeit des AT stellt dies eine neue Art göttlichen Beistandes dar. Andererseits ist die Offenbarung auch insofern von der früheren verschieden, als sie "es nicht mehr wagt, sich völlig auf eigene Füße zu stellen und neues prophetisches Wort zu formulieren - weil sie auch das Wesen der alten Prophetie nicht mehr versteht -, sondern sich in den Schutz der alten Propheten begibt, indem sie deren Worte nach ihrem vollen, nur bisher unbekannt gebliebenen Gehalt auszulegen behauptet" (156).
Eine gleiche Art von Offenbarung, nämlich in Begründung und Methode wie in Stil und Inhalt der Auslegung, findet Elliger im Buch Daniel (156f.). Allerdings wird anstelle alter Prophetie bei Daniel zweimal ein Traum (Dan 2 und 4), einmal eine Schrift (Dan 5) und schließlich eine Vision (Dan 7) ausgelegt. Dabei wird eine Anfangsoffenbarung durch eine weitere, eigentliche Schlüsseloffenbarung gedeutet, wobei auch der Ausdruck פשׂר gebraucht wird. Auch wird die Allegorese angewendet, die Stück für Stück Bild und Schrift deutet. Des weiteren finden wir hier das Wort רז neunmal.
Wichtiger noch ist, daß Daniel ebenfalls eine besondere Of-

18 Die Übersetzungen zu 1QpHab sind, soweit nicht anders angegeben, von Lohse, Texte übernommen.

fenbarung erhält (2,19): In einer Nachtvision wird ihm das Geheimnis zuteil (לדניאל בחזוא די ליליא רזה גלי). Die Weisen Babels wissen von göttlicher Weisheit in Daniel (5,11 f.: איתי גבר במלכותך די רוח אלהין קדישׂין בה.. וחכמה כחכמת אלהין השׂתכחת בה... (12) כל קבל די רוח יתירה ומנדע ושׂכלתנו מפשׂר חלמין ואחוית אחידן ומשׂרא קטרין השׂתכחת בה... . - Brownlees Versuch, mit 13 hermeneutischen Grundsätzen nachzuweisen, daß der 1QpHab in die Nähe der spezifisch rabbinischen Literatur der Midraschim zu rücken ist, stößt bei Elliger auf Ablehnung (157)[19]. Er führt dazu mehrere besondere (158 -162) wie allgemeinere (162-164) Gründe an, weswegen er Brownlees Auslegungsanalyse, die sich u.a. auf minutiöse Arbeit am Buchstaben konzentriert, nicht folgen will. Ohne jetzt die komplizierten Einzelwortanalysen vorwegnehmend referieren zu wollen, seien der Übersicht halber hier nur die Gründe allgemeinerer Art wiedergegeben. Brownlee selbst, so Elliger, bemerke die "fundamentalen Unterschiede des literarischen Stils zwischen HK und den rabbinischen Midraschim" (162). So lassen die Rabbinen die Grundsätze ihrer Auslegungsmethode unmittelbar sichtbar werden. Wenn aber der Habakukkommentator dies nur mittelbar tut, so daß ein skrupulöses Studium zur Erkenntnis dieser Auslegungsmethode aufgewendet werden muß, würde er sich noch rabbinischer als die Rabbinen gebärden. Hier handelt es sich nach Elliger um eine Unterschiebung rabbinischer Grundsätze der Auslegung, deren sich der Verfasser aus Qumran nicht bewußt war. Weiterhin ist dessen Art des Umgangs mit Zitaten kaum vereinbar mit der rabbinischen Methode, die gerade anhand des unverfälschten Wortlauts ihre verschiedenen Auslegungsprinzipien destilliert (163). Im Gegensatz dazu weist der Habakukpescher eine gröbere, großzügigere, nicht so detaillierte und ausgebildete Interpretationsmethode auf wie die rabbinische. Einzelne Worte lassen dem Ausleger wichtige Ge-

19 Vgl. dazu unten Kapitel 6.2.3.4.3.2.

danken aufkommen, die im Text festgemacht werden sollen, was aber nur mit den alten, verhältnismäßig einfachen Mitteln der Textatomisierung und Allegorese bzw. der Weglassung von Nichtverwendbarem realisierbar ist. Auch - und dies erscheint Elliger wichtig - basiert die rabbinische Auslegung nicht auf einer besonderen Offenbarung. Somit kommt die rabbinische Methode einer säkularen Wissenschaft gleich, wohingegen in Qumran sich die Methode der Auslegung inspiriert weiß. Der - tatsächlich erbauliche - Habakukkommentar ist deshalb dem Danielbuch näher zuzurechnen, als daß er eine echte Midrasch-Methode aufweist. -

Eine Einführung in den 1QpHab für den nicht unbedingt auf qumranische Angelegenheiten spezialisierten Leser stellt J.G. HARRIS[20] vor. Einleitend behandelt er den Propheten Habakuk selbst und die Entdeckungen vom Toten Meer (1-6). Sodann geht er näher auf Form und Paläographie der Rolle - die Paläographie datiert den 1QpHab ins 2/1. vorchristliche Jahrhundert - und auf die Identität der Sekte ein, die Harris als essenisch nahelegt, sowie auf den Platz der Rolle innerhalb des klassisch-jüdischen Schrifttums (13-21). Es folgt eine Untersuchung des Prophetentextes des Kommentars und ein Vergleich mit der Massorah; eine paraphrasierende Übersetzung schließt sich an. - Harris' Ausführungen zu Interpretationsmethode und Inhalt des Kommentars verdienen eine eingehendere Wiedergabe. Harris ruft zunächst mehrere klassische Auslegungsmethoden ins Gedächtnis: Um das Jahr 30 v. Chr. formulierte der Pharisäer Hillel sieben Auslegungsregeln für biblische Schriften (43)[21]. Älter als diese sind exegetische Methoden im Midrasch und in der Misch-

---

20 The Qumran Commentary on Habakuk, London 1966.

21 Zu diesen Regeln vgl. unten Kapitel 6.5.2.

nah (44): War jener zunächst eine mündliche Auslegung der schriftlichen Tora, so war diese eine ausschließlich mündliche Form des Lehrens, unabhängig davon, ob die Lehre vorher schriftlich fixiert war oder nicht. Daneben trat später der Talmud, in dem schriftliche Bibelauslegungen mit Lehraussagen rabbinischer Schriftgelehrter vereint sind. Im Talmud treffen sich pragmatische, spekulative wie mystische Versuche der Schriftauslegung. Der mystische Angang setzt sich dann in der Kabbalah als Spekulation des jüdischen Mittelalters noch fort, bevor er von einem dialektisch-kritischen Bibelverständnis abgelöst wird (s. besonders RASHI). In MAIMONIDES, dem größten arabisch-jüdischen Philosophen des Mittelalters, legt ein rationalistischer Geist in einem historischen Verständnis die Bibel aus und versucht, Bibelinhalt mit profanem Wissen seiner Zeit zu versöhnen (45).
Jüdische und christliche Bibelexegeten haben manches gemeinsam: Beide kennen die am Text haftende, wortwörtliche Auslegung; beide haben schon die allegorische Interpretation praktiziert; auch haben beide mystische wie spekulative Ausleger hervorgebracht (46). Harris fragt nun, welcher der genannten Auslegungsmethoden der qumranische Habakukkommentar zuzuordnen ist. Dabei geht er zunächst vom Terminus aus (46). Neben seinem einmaligen Gebrauch in der hebräischen Bibel (Koh 8,1), wo פשר mit besonderer weisheitlicher Auslegungsgabe assoziiert wird (מי כהחכם ומי יודע פשר דבר), findet er im Buch Daniel, d.h. im aramäisch verfaßten Teil, für die Trauminterpretation Verwendung. פשׁר an sich sagt nichts über den ihm eigenen Prozeß der Auslegung aus: "it is used of the interpretation of secrets or hidden messages, and ist is not used in any technical sense in the Jewish Talmud" (47). Im Habakukkommentar findet unter Verwendung dieses Terminus פשׁר eine detaillierte Auslegung anstelle einer summarischen Wiedergabe der prophetischen Botschaft statt. - Den möglicherweise entscheidenden Unter-

schied zwischen dem Gebrauch von פשר im Danielbuch und im Habakukkommentar, nämlich zwischen direkter Traumauslegung und Prophetenauslegung, merkt Harris nicht an.
Im Folgenden beschreibt Harris die aktualisierende Auslegung und rückt sie in enge Nähe zur biblischen Apokalyptik (41f.). Das Prophetenwort war in seiner Äußerung zwar an Zeitumstände gebunden, aber es hatte eine "futuristische Potenz" ("Futuristic potency" - 49). Dabei sähe der Qumrankommentator die Geschichte vor allem mit alttestamentlichen Augen, nämlich als Sphäre von Konflikt und Eschatologie; das Ende der Geschichte steht unmittelbar bevor (58), wie auch im ganzen nachexilisch-jüdischen Denken. Entsprechend sind die Verbindungen des Kommentators zu apokalyptisch orientierten Schriftstellern zu beachten (50). Anders aber als dem Buch Daniel geht es dem Sektenausleger nicht primär um Ermutigung seiner politisch unterdrückten Zeitgenossen: "His ultimate concern is to interprete prophecy in terms relevant to present conflict and to declare the conviction that God is sovereign over history and is controlling its destiny in his own way." (52). Ermutigung für seine Leidensgenossen ergibt sich allerdings aus der Kontrastzeichnung: Gericht über die Unterdrücker - Belohnung für die im Glauben Standhaften. Auch ist im Kommentar ein großzügiger Gebrauch von Bildern und Symbolismen nicht zu finden, wie etwa sonst in der Apokalyptik (54), und die wenigen in ihm vorkommenden Symbolismen sind dem AT entlehnt (55). Diese Symbolismuskargheit erschwert es, Absicht und Bezug des Kommentators zu eruieren. Wohl ist bei ihm allegorische Auslegung antreffbar, so, wenn er zu interpretierende prophetische Zeilen als "präexistente Wahrheitstypen" versteht; so gibt er z.B. den in Hab 2,17 erwähnten Libanon und das ebenfalls dort erwähnte Vieh (כיא חמס לבנון יכסכה ושוד בהמות) als Synonym für die Gemeinde wieder (1Qphab 12,4: כיא הלבנון...עצת היחד והבהמות המה פתאי יהודה

עושה[22] התורה). - Auch streicht Harris den moralischen oder ethischen Charakter des Kommentators heraus: "The message of his commentary is morally based" (56), und "So the ethical basis of this exposition is very pronounced" (ebda.). Denn als höchste Tugenden sieht der Autor Gehorsam, Glauben, Ehrenhaftigkeit, Nüchternheit, Dankbarkeit, Fairness, Standhaftigkeit, Fleiß, Demut, Keuschheit, Aufrichtigkeit und Untadelhaftigkeit an.

Die Theologie des Kommentars versteht Harris als theozentrisch (59). Die Tora vermittelt in hervorragender Weise die göttliche Offenbarung und gibt den göttlichen Willen und die göttliche Absicht kund. Zwischen Gesetz und Prophetie gibt es für den Gemeindeausleger keinerlei Antagonismus, der im AT durchaus anzutreffen ist. Die rechte Schriftauslegung offenbart göttliche Wesensart und Willen noch besser, so daß sogar von einer kontinuierlichen Offenbarung gesprochen werden kann (60). Der qumranische Schriftausleger glaubte unter göttlichem Antrieb und unter göttlicher Inspiration zu stehen, denn Gott ließ ihn ja die versteckten Bedeutungen (hidden meanings) der prophetischen Äußerungen verstehen (60 bzw. 1QpHab 7,4f.). - Es sei aber vorwegnehmend deutlich darauf hingewiesen, daß das, was Harris mit "hidden meanings" übersetzt, im hebräischen Text nicht etwa פשרים o.ä. heißt, sondern mit רזים bzw. mit dem status constructus des Plurals, nämlich mit רזי דברי עבדיו הנביאים vorgegeben ist.

Insgesamt ist der Kommentar voll von göttlicher Autorität (61). Die Heiligkeit des Gottesnamens ist gleichbedeutend mit der göttlichen Heiligkeit an sich.

In Beantwortung seiner eigenen vorangestellten Frage[23] kommt Harris zu dem Resultat, daß der Habakukkommentar in

---

22 Laut Lohse zu lesen als stat.cstr.pl.: עוֹשֵׂי (vgl. Lohse, Texte 242).

23 Harris, a.a.O. 46.

seiner Auslegungsmethode offensichtlich selbständig dasteht (63). Er läßt sich nicht recht irgendeinem Interpretationsmuster zuordnen. Er steht sowohl der apokalyptischen wie der allegorischen Auslegungsart nahe. Aber durch und durch steht er zu zentralen alttestamentlichen Lehren. In seinem Versuch, die Geschichte zu verstehen, gibt es für ihn wie auch für das AT keine Dichotomie zwischen Schöpfung und Geschichte. Deshalb ist seine Auslegung letztlich nicht spekulativer oder intellektueller Art, sondern als eine religiöse zu verstehen.

2.3. Einzelprobleme

Die Zahl der Untersuchungen, die sich mit Einzelproblemen des 1QpHab befassen, ist natürlich bedeutend größer als die der Textausgaben. Da hier aber kein allumfassender Forschungsbericht vorgelegt werden kann, sollen einige Hauptthemen angesprochen werden, ein oder auch mehrere Autoren jeweils zu Wort kommen, um die einzelnen Problemkreise des Kommentars sichtbar werden zu lassen. Diese Problemkreise wären etwa:

1. Das literarische Genus
2. Die Auslegungstechnik und das hermeneutische Prinzip
3. Eschatologie und Apokalyptik
4. Der Lehrer der Gerechtigkeit und der Frevelpriester
5. Chronologisches
6. Vergleiche mit der Massorah

2.3.1. Das literarische Genus

Die den Propheten Habakuk kommentierende Schrift aus Qumran hat sich mehrere Bezeichnungen gefallen lassen müssen: sie wurde als Kommentar[24], als Midrasch[25], als Pescher[26], und als Midrasch-Pescher[27] apostrophiert. Diese unterschiedlichen Bezeichnungen rühren von jeweils unterschiedlichen Auffassungen hinsichtlich der qumranischen Prophetenexegese her, wobei die Untersuchungen des qumranischen Schriftverständnisses noch nicht einmal zum entwickelsten Forschungszweig der sog. Qumranologie gehören[28]. Dabei konzentriert sich die Fragestellung auf die Bezeichnung des 1QpHab als eines (Sonder-)Kommentars - freilich nicht im Sinne eines heutigen wissenschaftlichen Kommentars - oder als eines (Sonder-)Midrasch[29] neben Midrasch Halacha und Midrasch Haggada[30]. Freilich haben die Forscher verschiedene terminologische Prämissen: Nach M. BURROWS zitiert ein Kommentator einen biblischen Text Stück für Stück und erklärt ihn je nach der Bedeutung, die der Text für ihn, den Kommentator, hat. Ein Midraschautor folgt zwar auch dem Bibeltext, legt ihn aber wie in einer "volkstümlichen Bibelstunde"

---

24 Vgl. Elligers Buchtitel "Habakuk<u>kommentar</u>". - So auch Lohse, Texte 272.

25 So z.B. Delcor, Le <u>Midrash</u> 521-548. Allerdings zieht Delcor diese Bezeichnung später wieder zurück: vgl. Brooke, Redefinition 489, Anm. 31.

26 Vgl. Weimar, Formen 155.

27 Vgl. Brownlee, The Habakkuk Midrash 179, Anm. 38.

28 Vgl. Vermes, Schriftauslegung 185.

29 Vgl. Silberman, Unriddling 323. - Anders als bei Seligman und auch bei Elliger ist bei Weimar, Formen 135, "Midrasch" nur der hebräische Terminus für "Kommentar".

30 Zu diesen Termini vgl. Kap. 4.5.2. und 4.5.3.

nach Art eines "Sonntagsschullehrers" aus; Meinungen verschiedener Lehrautoritäten werden nebeneinander gestellt und Probleme der Auslegung besprochen, nicht aber nach Art eines Kommentars[31]. Offensichtlich hat Burrows hier den Midraschbegriff auf die haggadische Schriftauslegung eingeengt. Jedoch gilt das, was Burrows unter Kommentar versteht, eher gerade für die Midraschauslegung haggadischer Art. So sieht es auch beispielsweise K.H. RENGSTORF: "Streng genommen handelt es sich ... in ihnen (den Pescharim - H.F.) nicht um Kommentare, wenn man unter einem Kommentar die sachliche Erläuterung eines Textes zum Zweck des besseren Verständnisses dessen, was dasteht, versteht"[32]: Wie Rengstorf selber die prophetenauslegenden Schriften aus Qumran sieht, geht aus Folgendem hervor, ohne daß eine fachbegriffliche Bestimmung mitgeliefert würde: "Die 'Kommentare' aus den Höhlen bieten Deutungen und Interpretationen, die dem jeweiligen Text einen unmittelbaren Sinn für die Gegenwart abzugewinnen versuchen; sie möchten Fragen des Glaubens und des Lebens, die ihre frommen Zeitgenossen beschäftigen, von ihren Texten aus in einer gültigen Weise beantworten. Der Text wird also gewissermaßen 'geöffnet' und so aktualisiert. Das geschieht stets vom selben Standort aus: Jetzt ist die letzte Zeit, und deshalb kommt es darauf an, richtig zu sehen und zu beurteilen, um richtig stehen und richtig gehen zu können; eben das ermöglicht aber das inspirierte Wort der heiligen Schriften, vor allem derjenigen der Propheten, vorausgesetzt, daß es richtig gedeutet wird"[33]. - Elliger wiederum, der von einer Sonderoffenba-

---

31 Vgl. M. Burrows, Die Schriftrollen vom Toten Meer, München 1950, 174. - Aufgrund dieser Begriffsunterscheidung möchte Burrows den 1QpHab lieber einen Kommentar nennen (ebda.).

32 Ḫirbet Qumran und die Bibliothek vom Toten Meer (StDel 5) Stuttgart 1960, 16. - Hervorhebung von mir.

33 Rengstorf, ebda. 16f.

rung, auf die sich der Qumrankommentar[34] stützt, ausgeht, rückt den 1QpHab als erbaulichen Kommentar in die Nähe des Buches Daniel und damit weg von der rabbinischen Midraschmethodik[35].

Aus den obigen, nur exemplarisch angeführten Positionen erhellt, daß eine endgültige literargenerische Zuordnung abhängig ist von einer Analyse der Deutetechnik des 1QpHab und ihrer Voraussetzungen wie beider literaturgeschichtlicher Einordnung.

2.3.2. Die Auslegungstechnik und das hermeneutische Prinzip

Drei herausragende Positionen im Verständnis der Auslegungstechnik der Qumrankommentare allgemein lassen sich ausmachen:

1. Der Kommentar wird eng an die rabbinische Methodik der Exegese gekoppelt, weil er ganz ähnliche hermeneutische Regeln aufweist.
2. Der Kommentar zeigt enge Verwandtschaft mit innerhalb der Bibel praktizierter Exegese, wie sie besonders im Buch Daniel nachweisbar ist. Dabei spielen hermeneutische und exegetische Regeln eine geringe Rolle, die methodologische Bindung Lemma-Kommentar ist durchtrennt; dafür wird der typologisch-offenbarungsmäßige Aspekt hervorgehoben.
3. Der Kommentar basiert auf einer Kombination von rabbinischer Methodik und der Berufung auf charismatische Offenbarung[36].

---

34 "Kommentator" und "Kommentar" sind im oben angedeuteten weiten Sinne zu verstehen, sofern nicht anders vermerkt.

35 Elliger, Studien 164.

36 Vgl. Slomovič, Exegesis 4f. - Slomovič selber spricht sich für die erste Position aus (ebda. 5ff.).

Elligers skeptische Haltung zur Nachweisbarkeit rabbinischer hermeneutisch-exegetischer Prinzipien innerhalb des 1QpHab wurde schon oben dargelegt[37]. Die Herausstellung einer die Deutung des prophetischen Textes stützenden Sonderoffenbarung verleitet ihn aber offensichtlich dazu, die Bindung zwischen Lemma und Kommentar zu vernachlässigen[38]. L. SILBERMAN kann demgegenüber auf "Petirah-Midraschim" verweisen, die das aramäische פתר anstelle des hebräischen פשׁר als Deuteformel verwenden und dieselbe Struktur wie ein Pescher aufweisen[39]. E. SLOMOVIĆ[40] seinerseits weist die Verwendung einiger rabbinischer Interpretationsnormen innerhalb der Qumranschriften, auch innerhalb des Habakukpeschers, nach. Er führt die Gezerah Schawah (גזרה שׁוה) an, d.h. zwei Bibelzitate können durch Herausgreifen gleicher Wörter oder Ausdrücke in ihnen in Beziehung zueinander gebracht werden, dergestalt, daß sie sich gegenseitig auslegen helfen. Sodann ist der Zekher L^{e}daber (זכר לדבר) anzutreffen: Bibelverse dienen als Gedächtnisstütze für gruppenartig zusammengestellte Gesetzesvorschriften religiöser Art. Auch wird die Asmakhta (אסמכתא) verwendet, und gerade sie im 1QpHab: Der biblische Text unterstützt insofern den jeweiligen D^{e}rasch (= ausführlicher Kommentar), als der Exeget jenen auf seine Grundbestandteile reduziert und den nachfolgenden Kommentar zu ihm parallelisiert; unter Nichtbeachtung des dem Bibeltext eigenen Textzusammenhangs soll somit die versteckte Bedeutung des vorgegebenen Textes ans Licht kommen. - Elliger hatte schon das hermeneutische Prinzip des 1QpHab so verstanden, daß die prophetische Verkündigung das Ende der Zeit, und das heißt die Gegenwart

---

37 Vgl. oben S.27

38 Vgl. Silberman, Riddle 326f.

39 Silberman, ebda. 330f.

40 Slomovič, Exegesis 5ff.

des Kommentators, zum Inhalt hat[41], und daß der Lehrer der Gerechtigkeit im Besitze einer besonderen Erleuchtung ist, die an Daniels Fähigkeit zur Traumdeutung erinnert[42]. E. OSSWALD[43] schließt sich diesen Thesen an und führt noch weitere apokalyptische, urchristliche und auch rabbinische Quellen an, die aktualisierende Auslegung aufweisen. Aber letztere ist nach Osswald nicht das Wesentiche: Vielmehr geht es in besagten Schriftengruppen darum, die Geheimnisse der Auserwählten wissend in der Endzeit zu leben[44].
Gerade aber am rabbinischen Beispiel einer aktualisierenden Auslegung, wie von Osswald selbst beigebracht, erweist sich der schon von Silberman an Elliger gerichtete Vorwurf der Voranstellung einer typologischen, von einer Sonderoffenbarung getragenen aktualisierenden Auslegung unter Vernachlässigung rabbinischer hermeneutisch-exegetischer Regeln als zutreffend, wenn man ihn gleichermaßen an Osswald richtet. Ihr Zitat von jTaanit68d sei vorausgeschickt[45]:

עקיבה רבי היה דורש
דרך כוכב מיעקב
דרך כוזבא[46] מיעקב
רבי עקיבה כד הוה חמי בר כוזבה[46] הוה אמר
דין הוא מלכא משיחא

---

41 Vgl. oben S.25

42 Vgl. oben S.26f.

43 Zur Hermeneutik des Habakukkommentars: ZAW 68 (1956) 249-255.

44 Osswald, ebda. 256.

45 Zum Text vgl. Osswald, ebda. 254.

46 Aleph und He wechseln als Schlußbuchstabe des status determinatus im Aramäischen, was dann bei 'Kosba' auch nichts besagt, vgl. F. Nötscher, Bar Kochba, Ben Kosba: der Sternensohn, der Prächtige: VT XI (1961) 449.

Die bei Osswald angeführte Übersetzung lautet folgendermaßen: "Rabbi Akiba, mein Lehrer, erklärte die Stelle 'es geht ein Stern aus Jakob hervor' folgendermaßen: 'es geht Koseba aus Jakob hervor'. Als Rabbi Akiba den Ben Koseba sah, sprach er: 'das ist der König Messias'."
Osswald kommentiert dazu[47]: "Daraus geht hervor, daß nach Rabbi Akiba die Weissagung Stern aus Jakob (bei Osswald gesperrt) in seiner eigenen Zeit in dem 'Sternensohn' Ben Koseba erfüllt war". Bei aller grundsätzlichen Richtigkeit dieser Feststellung verdient aber auch das Wortspiel כוכב - כוזבא Beachtung. Zunächst muß in Erinnerung gerufen werden, daß das hebräische כוכב im umgangssprachlichen Aramäisch mit כוכבא wiedergegeben wird, somit der Unterschied zu כוזבא eben nur im Kaph besteht. Zweitens kannte gerade die von Rabbi Akiba popularisierte Exegesemethode - in Rivalität zur Hillelschen Interpretationsmethodik stehend - neben Gematria[48] und Notarikon[49] die Exegesemethode der Themourah: Einzelne Buchstaben können gegen andere, auch ähnliche, ausgetauscht werden, um die versteckte Bedeutung des jeweiligen Wortes sichtbar werden zu lassen[50]. Genau das hatte Akiba hier getan: Indem er das zweite Kaph von כוכב bzw. כוכבא durch ein Zain ersetzte, konnte er nachweisen, daß mit dem aus Jakob aufgehenden "Stern" von Num 24, 17, also dem Messias, Bar Koseba gemeint war: דין הוא מלכא משיחא. Tragend für die Erfüllung des aus Jakob aufgehenden Sterns ist somit nicht eine Berufung auf eine Sonderoffen-

47 Osswald, ebda. 254.

48 Unter Gematria versteht man den Zahlenwert von Buchstaben entsprechend ihrer Reihenfolge im Alphabet.

49 Die Notarikonmethode versteht die einzelnen Buchstaben eines Wortes ihrerseits wieder als Anfangsbuchstaben neuer Wörter.

50 Vgl. Ellis, Paul's Use, und auch Brownlee, Biblical Interpretation 62.

barung - Osswald vergleicht die zitierte Mischnastelle mit der Deutung der Schrift im Habakukkommentar -, sondern konkrete Arbeit am vorgegebenen, sprachlichen, schriftlich fixierten Material. Von daher muß an Osswald und Elliger dringend die Anfrage gerichtet werden, ob nicht auch der qumranische Habakukkommentar, in zeitlicher wie örtlicher Nähe zu den Rabbinen stehend, vor allem unter den - hier keineswegs erschöpfend aufgezählten - genannten Aspekten der rabbinischen Hermeneutik und Exegese untersucht werden muß. Auch sollen zwei Vergleiche des 1QpHab als einer mindestens midraschartigen Schrift mit den Targumim, den aramäischen Bibelübersetzungen, die in gewisser Weise an den Midrasch erinnern[51], nicht unerwähnt bleiben. Im ersten Vergleich wird die Auslegung von Hab 1,16 in 1QPHab 6,3-5 durch eine Anlehnung an den Targum erklärt[52]. Es seien nach N. WIEDER[53] zunächst die drei Texte wiedergegeben:

Targum Jonathan:	Hab 1,16:
על כן מדבח לזיניה	על כן יזבח לחרמו
ומסיק בוסמין לסימאותיה	ויקטר למכמרתו

1QpHab 6,3-5:
פשׂרו אשׂר המה זבחים לאותותם
וכלי מלחמותם המה מוראם

Nach Wieder[54] hätte sich der Habakukkommentar der targumischen Interpretation von Hab 1,16 angeschlossen: Der Targum versteht חרם = "Netz" bei Habakuk als זיניה = "Waffen" und מכמרת = "Fischergarn" als סימאותיא = "Feldzeichen", nur hätte der 1QpHab nach Übernahme dieser Auslegungen eine

51 Zum Begriff des Targums in und außerhalb von Qumran vgl. Kap. 4.5.4. und 6.2.5. unten.

52 N. Wieder, Habakkuk Scroll 14-18.

53 Wieder, ebda. 16.

54 Wieder, ebda.

Wortumkehrung vorgenommen: Für זיניה steht bei ihm אותותם, für סימאותיה - כלי מלחמותמ . Wegen der - bis auf die Wortwahl - genauen Entsprechung zwischen Habakuk und Targum muß dieser älter als unser Habakukkommentar sein, d.h. daß sich der 1QpHab auf den Targum stützt. - Diese Auffassung stößt aber auf eine unüberwindliche Schwierigkeit: Der Prophetentargum, der Targum Jonathan also, stammt aus dem 5. Jahrhundert n. Chr.[55] oder er wurde zu dieser Zeit jedenfalls in seine heutige Form gebracht[56], der 1QpHab ist mit absoluter Sicherheit aus früherer Zeit, ja er ist sogar als vorchristlich anzusetzen[57].

Mit eben diesem Targum Jonathan hat W.H. Brownlee[58] den Habakukpescher verglichen. Gerade die von Wieder oben genannte Targumstelle rechnet er als einzige dem 1QpHab vorgängige an (176). Brownlee ist sich des Faktums bewußt, daß allgemein einiges im Targum jünger als die Schriftrollen ist (169), schließt aber einen sehr frühen mündlichen Targum oder einen geschriebenen Prototargum nicht aus (170). Daß es allgemein geschriebene Targumim zur Zeit der Qumranleute gab, beweisen die am Toten Meer selbst gefundenen aramäischen Bibelübersetzungen zu Ijob[59] und - wenn auch recht fragmentarisch - zu Leviticus.
Nachdem Brownlee den Targum mit dem Habakuktext und seiner qumranischen Interpretation verglichen hat (170-176), kommt er auf das von Wieder behandelte Problem zu sprechen. Eben die Stelle 1QpHab 6,3-5 könnte den <u>Proto</u>targum wiedergeben,

55 V. Hamp, Art. Bibelübersetzungen 386.

56 Vgl. A. Vööbus, Art. Bibelübersetzungen; (Jüdisch-)Aramäische B. oder Targumim, in: LThK^2 II, 386.

57 Vgl. dazu Kapitel 2.3.5. unten.

58 Habakkuk Midrash 169-186.

59 Zu 11QtgJob vgl. Kapitel 6.2.5.2. unten.

so daß nach Brownlee[60] die Targumstelle ursprünglich lauten konnte:

על כן מדבח לסימאותיה[61]
ומסיק בוסמין[62] לזיניה

Auf eine endgültige Entscheidung drängt Brownlee nicht. Ansonsten stellt er eine derartige Fülle von Berührungspunkten zwischen dem Targum und dem 1QpHab fest, daß er zu dem Schluß kommt: 1. Der qumranische Ausleger müsse den Targum aus erster Hand gekannt haben, 2. der Targum müsse bereits eine endgültige Fassung gehabt haben (180).
Mit seinem Artikel wollte Brownlee einen Ansatz leisten, um die Unterschiedlichkeit des 1QpHab, den er für einen Midrasch hält, von den rabbinischen Midraschim aufzuweisen: Diese seien stilistisch ganz verschieden (186). Diese stilistische Unterschiedlichkeit muß allerdings nichts gegen einen strukturellen Untersuchungsansatz in Bezug aus das Midraschgenus allgemein besagen, wie er oben[63] angedeutet wurde.

2.3.3. Eschatologie und Apokalyptik

Die Qumrankommentare spiegeln Geschichtsereignisse wider, die uns vorher z.T. unbekannt waren und zeitlich auch nur ungenau fixiert werden können[64]. Erschwert werden geschichtliche Deutung und zeitliche Fixierung aber noch durch die sich in den Pescharim hinziehende Eschatologie und, wenn diese mythologisiert und radikalisiert wird, Apokalyptik[65].

---

60 Brownlee, Habakkuk Midrash 179.

61 Im Druck des Brownlee-Aufsatzes: לסיאותיה

62 Im Druck des Brownlee-Aufsatzes: בוסין

63 Vgl. oben Kap. 2.3.2.

64 Vgl. Schoeps, Beobachtungen 75.

65 Zur Problematik beider Begriffe vgl. Carmignac, Der Begriff "Eschatologie" 321 und G. Wanke, "Eschatologie" - Ein Beispiel theologischer Sprachverwirrung, ebda. 342-360; K. Koch, Einleitung, in: K.Koch/J.M. Schmitt

Jene war schon in der Darstellung des hermeneutischen Prinzips in 1QpHab zur Sprache gekommen: Das Prophetenwort wird auf die Gegenwart des Kommentators als die allgemeine Endzeit gedeutet. Die eschatologische Verkündigung macht sogar den eigentlichen Schwerpunkt des Habakukkommentars aus[66]. Diese Eschatologie gründet sich auf die Propheten und auf den Lehrer der Gerechtigkeit[67]. Ihr Inhalt läßt sich so wiedergeben, daß Gott den Gemeindelehrer wissen ließ, seine Zeitgenossen würden den גמר הקץ (1QpHab 7,2) noch erleben[68]. Innerhalb dieses "Endes der Zeit" tauchen auch die plündernden כתיאים (9,5-7) auf, die zumeist mit den Römern identifiziert werden[69]. Der auf sie angewandte Ausdruck "Rest der Völker" (9,7: יתר העמים) ist ein hocheschatologischer Terminus[70]. Dieser גמר - übrigens als Wurzel, nicht aber als Substantiv dem AT bekannt - hat das Gericht zum Ziel, das alle Menschen gemäß ihrer guten wie bösen Werke richtet[71].
Näher zu vergleichen wäre die Habakukrolle, die eine stark apokalyptisch-endzeitlich-gerichtliche Anschauung vertritt, mit der Henochliteratur, der Jubiläenschrift und der aramäischen Lamechapokalypse[72], jetzt besser bekannt unter dem

---

(Hg.), Apokalyptik (WdF 365) Darmstadt 1982, 1-29; F. Dexinger, Henochs Zehnwochenapokalypse und offene Probleme der Apokalyptikforschung (StPB 29) Leiden 1977, 7-12; J. Carmignac, Qu'est-ce que l'Apokalyptique? Son Emploi à Qumran: RQ 10 (1979-81) 3-33.

66 Elliger, Studien 278. - Vgl. H.J. Schoeps, Der Habakuk-Kommentar 250.

67 Elliger, Studien 278.

68 Elliger, ebda. 151.

69 Schoeps, Habakuk-Kommentar 235f. - So auch Lohse, Texte 292.

70 Schoeps, Habakuk-Kommentar 253.

71 Elliger, Studien 280.

72 Schoeps, Habakuk-Kommentar 255.

Namen "Genesisapokryphon". Auch schon Osswald[73] weist auf das apokalyptische Schrifttum hin (Daniel, Henoch, Mose, Baruch, Esra usw.), unter deren Namen die Apokalyptiker die Offenbarung göttlicher Geheimnisse beschreiben. Das Buch Daniel stellt das Bindeglied für unseren Kommentar zu einer weiter ins AT zurückreichenden traditionsgeschichtlichen Untersuchung dar.
Innerhalb der Erörterung von Eschatologie und Apokalyptik in 1QpHab bekommt der Terminus פשר eine besondere Bedeutung. Die eschatologisch-apokalyptischen Überzeugungen der Qumrangemeinde machen diesen Begriff in פשׁרו zu einer Formel, welche die Erfüllung einer prophetischen Verheißung oder die Verwirklichung einer Vision einleitet[74], was dem Habakukkommentar eine akzentuierte Geschichtsauslegung mit apokalyptischen Zügen ermöglicht[75]. Auch weist B. Gärtner auf die enge Verwandtschaft der apokalyptischen Gemeindeliteratur zum pseudepigraphischen Schrifttum hin[76].

2.3.4. Der Lehrer der Gerechtigkeit und der Frevelpriester

Weil der Habkukkommentar einen "einzigartigen apokalyptischen Typ von Auslegung" darstellt, in dem teilweise die israelitische Geschichte aktualisierend gedeutet wird, wendet sich Gärtner[77] gegen die Feststellung K. STENDHALs, daß Habakuks Prophetie "in all seinen Formen im und durch den Lehrer der Gerechtigkeit erfüllt war". Demnach spielt Gärtner eher auf eine sach- denn personbezogene apokalyptische Erfüllung der Prophezeiungen Habakuks an. Aber es zieht

---

73 Osswald, Hermeneutik 250.

74 K. Stendhal, The School 184.

75 B. Gärtner, The Habakkuk Commentary 12.

76 Gärtner, ebda. 9-12.

77 Gärtner, ebda. 12 bzw. Stendhal, School 190.

sich die Auseinandersetzung des Lehrers mit dem gottlosen Priester[78] durch den gesamten Kommentarteil des 1QpHab[79]. Aus diesem geht zudem hervor, daß der Lehrer auch Priester und Kopf der Gemeinde war. Daß er von Gott gegeben mit besonderer Inspiration gesegnet war, wurde schon oben[80] dargelegt. Wenn wir auch von einer regelrechten Gesetzesauslegung nichts erfahren, so wird der Lehrer doch auf genaueste Gesetzeserfüllung gedrungen haben, so daß die Gemeinde sich rechtens die Selbstbezeichnung "Gesetzestäter" (עושׂי התורה - 1QpHab 7,11; 8,1; 12,4f.) zulegte und sich in deutlichem Gegensatz zu den Gesetzesverächtern (אשר מאשׂו בתורת אל - 1,11; איש הכזב אשר מאס את התורה - 5,11f.) wußte, die sich gegen die göttlichen Gebote auflehnten (8,8-10: הכוהן הרשע ... בגוד בחוקים[י] ... ; 8.16ff.: הכוהן אשר מרד ... חוקי [אל]).
Der Lehrer und seine Gemeinde sind die Partner des einst von Gott verheißenen "neuen Bundes" (בברית החדשׁה - 2,3 bzw. Jer 31,31), an den die anderen nicht glauben (לא האמינו בברית אל - 2,3f.).
Der Widerpart des מורה הצדק ist der הכוהן הרשׁע, dessen Schimpfname offenbar eine Umformung des "offiziellen" הכוהן הראשׁ ist. Anfangs bestand gemäß dem Habakukkommmentar dieser Name noch zu recht (8,9: אשׁר נקרא על שׁם האמת בתחלת עמדו), bevor er habsüchtig weltliche Schätze sammelte (והון עמים לקח - 8,12) und sich vergänglichen Genüssen hingab (וילך בדרכי הרויה - 11,13f.). Er, der "Mann der Lüge" (אישׁ הכזב - 2,1f.; 5,11; vgl. מטיף הכזב - 10,9), verführt seine Truggemeinde zu Dingen, deren Täter im Feuerofen en-

78 Zur Identifikation des Lehrers (bzw. der Unmöglichkeit derselben) und des Frevelpriesters als des Makkabäers Jonatan (wie des Lügenmannes, sofern dieser nicht identisch mit dem Frevelpriester, als Jonathans Bruder Simon) vgl. zuletzt H. Burgmann, Wer war der "Lehrer der Gerechtigkeit"?: RQ 10 (1979-81) 553-577, bes. 567 und 576f.

79 Elliger, Studien 265. - Vgl. auch Elliger bis auf weiteres.

80 Vgl. S. 26

den werden (יבואו למשפטי אש- 10,12f.), dies umso mehr, "als sie die Auserwählten Gottes gehöhnt und geschmäht haben" (גדפו ויחרפו בחירי אל - 10,13).
An Jom Kippur kam es dann zur entscheidenden und folgenreichen Konfrontation der beiden Protagonisten. Der Frevelpriester erscheint ausgerechnet an diesem Tag am Wohnsitz der Gemeinde, um deren Mitglieder zu "verschlingen" und um sie "zu Fall zu bringen" (11,7f.: יום הכפורים הופע אליהם לבלעם ולכשילם). Der Frevelpriester selbst fühlte sich offenbar nicht an diesen durch das Gesetz vorgeschriebenen Feiertag gebunden, was damit zu erklären sein mag, daß der Sühnetag der Gemeinde mit dem offiziellen Jerusalemer Jom Kippur nicht zusammenfiel[81]. Daß die Gemeinde sich nach einem Sonnenkalender und nicht nach dem hellenistischen Mondkalender richtete, ist bekannt[82]. Das Auftreten des Frevelpriesters an Jom Kippur erklärt Sh. TALMON[83] damit, daß jener seinen Gegenspieler und dessen Gemeinde daran hindern wollte, dem nicht offiziellen und deshalb heterodoxen Begehen des Feiertages nachzukommen. Deswegen und auch aufgrund des schon nachweisbaren biblischen Gebrauchs will Talmon לכשילם in 11,8 lieber mit "ein Gebot übertreten lassen" übersetzt haben[84].
Es kam nun gleich oder später zu Verhaftung und Anklage des Lehrers, der vom "Haus Absalom" im Stich gelassen wurde (5,10: אנשי עצתם אשר נדמו בתכחת מורה הצדק לוא עזרוהו על איש הכזב) und sich deswegen gegen den Lügenmann nicht durchsetzen konnte. Nach einem schweren Martyrium (9,1f.: נגועו במשפטי רשעה ושערוריות מחלים רעים עשו בו ונקמות בגוית בשרו)

81 Sh. Talmon, Yom Hakkippurim 552.

82 A. Dupont-Sommer, Das Problem der Fremdeinflüsse auf die Qumransekte, in: Grözinger u.a. (Hg.), Qumran 217f.

83 Talmon, Yom Hakkippurim 552.

84 Talmon, ebda. 552ff.

kann man sich fragen, ob der Lehrer überlebt hat[85]. Ist das Habakukzitat למה...תחריש בבלע רשע צדיק ממנו (Hab 1,13 bzw. 1QpHab 5,8f.) und besonders der Ausdruck בבלע auf das zu beziehen, was der Lehrer erdulden mußte? Ausdrücklich ist nicht von einer Hinrichtung oder Ermordung des Lehrers die Rede; im Damaskusdokument wird zweimal vom "Hinwegnehmen" des Lehrers gesprochen: (19,35; 20,1) מיום האסף מורה [85a]היחיד und (20,13f.) ומיום האסף יורה היחיד[85a]. Nach Auffassung A. DUPONT-SOMMERs[86] erlaubt der Befund gerade in 1QpHab ein klares Urteil: "L'ensemble ... permet de conclure sans la moindre équivoque: oui, le Maître de justice fut réellement mis à mort". Elliger[87] ist vorsichtiger: 1QpHab 2,6ff. (ערי[צי הבר]ית אשר לוא יאמינוא בשומעם את כול הב[אות על] הדור האחרון מפי הכוהן) scheint ihm durch das Praesens oder Futur von יאמינוא noch die leibhaftige Gegenwart des Lehrers auszudrücken[88]. Dieses Praesens oder Futur des Nichtglaubens schließt freilich einen vorgängigen Tod des Lehrers nicht aus, d.h. die tradierten, authentischen Worte des (vielleicht schon verstorbenen) Lehrers können den genannten Bundesbrechern auch zu Gehör kommen, ohne daß sie daran glauben. - Am plausibelsten erscheint die "Hinwegnahme" des Lehrers in der Deutung J.T. MILIKs[89]: Das האסף sei die Abkürzung einer biblischen Redeweise, wie sie beispielsweise in Num 20,26 vorkomme: 'Aaron aber wird dort

---

85 Sofern sich diese Stelle überhaupt auf ihn bezieht, anders nämlich Lohse, Texte 296, Anm. 9.

85a Lohse konjiziert hier מורה היחד, vgl. Texte 102.104.

86 Le Maître 215.

87 Elliger, Studien 268.

88 Das "Imperfekt" der hebräischen Grammatik in Gestalt der Präfix- oder auch Präformativkonjugation beinhaltet das Praesens oder Futur, wie es uns aus der lateinischen oder griechischen Grammatik bekannt ist.

89 Die Geschichte der Essener 98, mit weiteren Beispielen.

heimgeholt werden und sterben' - ואהרן יאסף ומת שם . -
J. JEREMIAS[90] bemüht sich neben dem hier schon Erwähnten vor allem um ein theologisches Verständnis des "rechtmäßigen Lehrers"[91]. Jeremias[92] grenzt אמונה gegen die neutestamentliche πίστις ab und parallelisiert erstere zu עמל (1Qp Hab 8,2f.): Jene ist der Glaube an die Lehre des Lehrers, an seine Interpretation des AT (d.h. dessen, was wir heute AT nennen). אמונה ist näher bestimmt durch die Hinzufügung במורה הצדק. Heißt πίστις bei Paulus Glaube an die Person Jesu, so ist אמונה in 1QpHab 8,2f. direkt mit der Leistung eines Werks verbunden: יצילם אל מבית המשפט בערור עמלם ואמנתם. Somit ist Glaube im Habakukkommentar nicht personorientiert.

2.3.5. Chronologisches

"Die Vorgänge, die der Habakukkommentar in das Licht der prophetischen Weissagung gerückt hat, sind uns ganz einfach unbekannt"[93]. Wenn das stimmt, ist der Habakukkommentar kaum exakt zu datieren und die Identität des Lehrers wie des Frevelpriesters nicht genau zu bestimmen. Dupont-Sommer hat als Datierung 63. v.Chr. vorgeschlagen, weil der Versöhnungstag extra genannt wird und Josephus in seinen "Antiquitates" berichtet, daß Pompeius Jerusalem an einem Festtag eingenommen hätte (vgl. Antiquitates XIV 4,3). Aber diese Datierung ist eher spekulativ, weil die Einnahme Jerusalems durch die Römer und das Erscheinen des Frevelpriesters am Versöhnungstag keineswegs unbedingt synchron verlaufen sein müssen. Zudem kommen an der entsprechenden Stelle im 1QpHab (5,11) nicht die כתיאים , sondern nur der איש

90 Der Lehrer der Gerechtigkeit (StUNT 2) Göttingen 1963.

91 So Miliks Übersetzung des Titels, vgl. Geschichte 95.

92 Lehrer 142ff.

93 Schoeps, Habakukkommentar 252

הכזב zur Sprache. Wahrscheinlich aber haben wir es in 1QpHab mit Zusammenhängen zu tun, die eine deutlich feindselige Haltung zur hasmonäischen Priesterschaft widerspiegeln[94].
C. ROTH[95] geht davon aus, daß mit den Kittim die Römer gemeint seien und nimmt deswegen das Jahr 63 v.Chr. als terminus a quo für die Datierung des Habakukkommentars. Da die griechische und parthische Besetzung bereits vorüber gewesen seien, könne כתיאים nur die Römer bezeichnen. Daß כתיאים aber eben aufgrund der vorangegangenen Besetzer Judas einen Bedeutungswandel durchlaufen haben könnte, zieht Roth nicht in Betracht[96]. Die ersten paläographischen Versuche einer Datierung des Kommentars weisen eine relativ deutliche Übereinstimmung auf[97]. Den ausführlichsten Versuch hat hierüber S.A. BIRNBAUM[98] unternommen. Er kommt zu dem Ergebnis, daß der Kommentar um die Mitte des ersten vorchristlichen Jahrhunderts, vor der Herodianischen und Römischen Periode angefertigt worden sein muß. Schon von daher erweisen sich S. ZEITLINs[99] und P.R. WEIS[99] Auffassungen

---

94 Schoeps, ebda. 252f. - Zu dieser Thematik vgl. auch D. Flusser,

95 The Era 453.

96 Zur Bedeutung von "Kittim" vgl. auch J. Carmignac, La Règle de la Guerre, Paris 1958,4: "Les Kittim ne sont jamais ni les Grecs, ni les Seleucides, ni les Romains, ni un peuple particulier, mais seulement une désignation très générale, qui a presque le même sens que עמים ... ou que גוים".

97 Vgl. dazu die prinzipielle Skepsis C. Roths, The Zealots and Qumran: The Basic Issue: RQ 2 (1959) 84: "It must be stated once for all, that the so called palaeographical evidence is wholly unadmissible in this discussion ...".

98 How old are the Cave Manuscripts? A Paleographical Discussion: VT 1 (1951) 91-109.

99 Vgl. S. Zeitlins Postscriptum in P.R. Weis' Aufsatz: The Date of the Habakkuk Scroll: JQR 41 (1950-51) 125-153. Man beachte besonders Weis' Feststellung zum Alter des 1QpHab auf S. 147, die in heutigen Augen unhaltbar erscheint.

von 1QpHab als mittelalterlichem Produkt eines durchschnittlich begabten Juden als unhaltbar. Die C^{14}-Methode, der keramische Befund und Textinhalte erweisen die Rollen als ungefähr um die Zeitenwende verfertigt[100].

Wenn 1QpHab 2,6ff. (לא יאמינו...כול הבאות..מפי הכוהן) zu Lebzeiten des Lehrers geschrieben worden ist, dann ergäbe sich in Kombination mit einem neueren Identifikationsversuch des Lehrers und des Frevelpriesters bzw. des Lügenmanns eine zeitliche Fixierung, die allerdings weiter zurückgreift. In seinem Aufsatz "Gerichtsherr und Generalankläger: Jonathan und Simon" kommt H. BURGMANN[101] aufgrund der Auswertung von 1QpHab 8,3-13 zu dem Schluß, daß die dortigen Schlüsselwöter "Reichtum" (הון) und "Habgier des Hochmütigen" (לוא ישבע bzw. גבר יהיר) auf nur eine einzige Person der befragten Zeit hinweisen: Auf den makkabäischen Strategen und Hochpriester Jonathan (152-143 v.Chr.). Zum Hochpriesteramt hatten nach jüdischer Tradition nur Angehörige der fürstlich-vornehmen Zadokidenfamilie Zugang. Dadurch, daß der Makkabäer Jonathan das Hochpriesteramt usurpierte - eigentlich war es ihm vom Syrerkönig angeboten worden (1 Makk 10,15-21) -, wandelte sich die anfangs positive Beziehung der Chassidim (vgl. 1QpHab 8,8f.: הכוהן הרשע אשר נקרא על שם האמת בתחלת עומדו) in deutliche Ablehnung (Z. 9ff.: וכאשר משל בישראל רם לבו ויעזוב את אל ויבגוד בחוקים בעבור הון). Jonathans Bruder Simon, der Lügenmann, - Burgmann identifiziert also nicht הכוהן הרשע mit איש הכזב - hätte dabei die Rolle des "Generalanklägers" (deswegen איש הכזב) gegen den Anführer der protestierenden Zadokidengruppe, den späteren Lehrer der Gerechtigkeit, gespielt. Mithin wäre die Rolle bereits im zweiten vorchristlichen Jahrhundert hinsichtlich ihrer Entstehung anzusetzen. -

---

100 J. Maier/K. Schubert, Die Qumran-Essener 21f.

101 RQ 9 (1977-78) 3-72. Vgl. entsprechende Seitenzahlen im obigen Text.

Indes offenbart die Argumentation Burgmanns eine Schwäche. Die Zäsur in der Haltung der chassidischen Gruppe zum Hohenpriester folgt nach Burgmann der Usurpation des Hochpriesteramtes durch Jonathan (5). Im hebräischen Text kommt aber deutlich eine anfängliche Zufriedenheit mit dem neuen Hohenpriester zum Ausdruck (8,8f.: בכוהן הרשׁע אשׁר נקרא על שׁם האמת בתחלת עומדו). Wenn die scharfe Opposition der "Frommen" sich wirklich auf die Nichtzugehörigkeit des Hochpriesters Jonathan zur Zadokidenfamilie bezog, wäre eine anfängliche Benennung desselben Hochpriesters "nach dem Namen der Wahrheit" (על שׁם האמת) doch widersinnig, denn Jonathan war doch kein Zadokide und somit auch kein wahrer Hoherpriester. Folglich kann mit הכוהן הרשׁע auch nicht der Makkabäer Jonathan gemeint sein. - Richtiger liegt in der Erörterung dieses Punktes doch offenkundig Dupont-Sommer[102], der an nämlicher Stelle in 1QpHab eine zweifache Bewertung des Hochpriesterpontifikats erkennt. Eine solche Unterscheidung wäre für den Späthasmonäer Hyrkanos II (67-40 v.Chr.) zutreffend: Zu Beginn als Hoherpriester in Sachen Politik abstinent, wurde er 67 v.Chr. König, danach von seinem Bruder Aristoboulos II verdrängt, bis er schließlich im Jahr 63 wieder zum Hohenpriester ernannt wurde und zugleich die weltliche Macht innehatte[103]. - Diese Argumentation Dupont-Sommers ist schlagender, womit die Schriftrolle offenbar doch ins erste vorchristliche Jahrhundert zu gehören scheint. - Einen Datierungsversuch vom sprachlich-grammatischen Befund her unternimmt J. VAN DER PLOEG[104]. Schon früher hatte er darauf hingewiesen, daß zum rechten Verständnis des Kommentars eine genaue Beachtung der Verbtempora vonnöten sei[105]. Im Vergleich des biblischen Habakuktextes

102 Dupont-Sommer, Die essenischen Schriften 284.

103 Dupont-Sommer, ebda.

104 L'usage 25-27. - Vgl. entsprechende Seitenzahlen im obigen Text.

105 J. van der Ploeg, Le Rouleau 10.

von Qumran und des beigefügten Kommentars stellt van der Ploeg fest, daß das klassische Bibelhebräisch einem mehr oder weniger starr gehandhabten Sprachsystem innerhalb des Auslegungstextes gegenübersteht, welches schon an den Temporagebrauch rabbinischer Schriften, hier besonders der Mischnah, erinnere (29)[106]. Dabei legt der Kommentator die Verbformen des ihm vorliegenden Bibeltextes nach ihrer zeitlichen Bedeutung frei aus, indem er sie den Ereignissen seiner Zeit anpaßt (33). So wird das "Imperfekt" von תפוג תורה (Hab 1,4; 1QpHab 1,10) im Kommentar perfektivisch interpretiert: Man hat Gottes Weisung bereits mißachtet ([פשר] מאשׂו בתורת אל ...). Hab 1,5 ([לוא תאמינו כיא] יסופר) wird im Habakukpescher 2,1ff. offenbar gleich zweimal verschieden ausgelegt: So haben die Abtrünnigen dem Gottesbund nicht vertraut (לוא האמינו - perfektivisch) wie sie auch den drohenden Prophezeiungen des Lehrers nicht glauben (לוא יאמינו - imperfektivisch) (29f.). Die Aktualisierung der prophetischen Botschaft geht also bis in die Syntax hinein. Hauptsächlich fällt dabei auf, daß die Untaten des Frevelpriesters und die Leiden des gerechten Lehrers im "Perfekt" geschildert werden; ist aber von den Kittim die Rede, bedient sich der Ausleger des praesentischen Partizips oder des "Imperfekts" (33). Nun weiß man schon von der Mischnah und den ältesten Midraschim, daß das "Perfekt" immer die Vergangenheit, das "Imperfekt" immer das Futur bezeichnet. Aus dem Gebrauch der Verbtempora in 1QpHab läßt sich nun schon ersehen, daß der Kommentar sprachgeschichtlich "irgendwo" zwischen klassischem Bibelhebräisch und Mischnahhebräisch steht (33).

Näherhin scheint nun - in Hinblick auf den Gebrauch futurischer Verbformen im Zusammenhang mit den Kittim - die Kommentierung <u>vor</u> Aktionen der Kittim in Jerusalem geschrieben

---

106 Vgl. des weiteren zum Temporagebrauch: S. Segert, Zur Habakukrolle 581f.; 599f.

zu sein. Darauf weist auch der Ausdruck לאחרית הימים in 1 QpHab 9,6f. hin, der den Zeitraum andeutet, wann den Kittim der von den Jerusalemer Priestern frevelhaft angehäufte Reichtum in die Hände fallen wird. Deswegen will van der Ploeg לאחירת הימים übersetzen mit "pas encore maintenant, mais plus tard", welche Übersetzung sich zudem mit J. CARMIGNACs Verständnis dieser Zeitangabe deckt. Er will es übersetzt haben mit "in der Folge der Tage"[107]. - Von seinem Verständnis dieses Begriffes her legt van der Ploeg die Identifizierung der Kittim mit den Römern nahe; entsprechend ist 1QpHab <u>nach</u> den Makkabäerkriegen, aber <u>vor</u> 63 v. Chr., der Einnahme Jerusalems durch Pompeius, geschrieben (34). Zu dieser Interpretation würde auch gut der Ausdruck כיא המה יתר העמים (1QpHab 9,7) passen: der "Rest der Völker" wären die Römer deshalb, weil nach all ihren erfolgreichen Eroberungszügen sie quasi als einzige "übrigbleiben", die selbst zu besiegen wären.
Somit setzt van der Ploeg die Entstehung des Habakukkommentars etwas eher an als Dupont-Sommer. Vielleicht beziehen sich auch die "Futura" bzw. "Imperfecta" auf in Wirklichkeit schon geschehene Dinge, so daß der Kommentator eine Art Prophetie von sich gäbe, die an das vaticinium ex eventu (oder post eventum) im Danielbuch erinnerte; oder aber die "Imperfecta" müßten präsentisch übersetzt werden.

---

107 J. Carmignac, Begriff "Eschatologie" 318f. Carmignac bezieht sich dabei auf die qumranische Zukunfterwartung, die zwei deutlich getrennte Epochen aufweist: die Gegenwart, die unter der Herrschaft Belials steht, und der nachfolgende Krieg gegen die Gottlosen. לאחרית הימים verbleibt noch in der ersten Epoche, vor dem Ende Belials (Carmignac, ebda. 313f.). Die "Folge der Tage" zieht sich bis eben zu diesem Ende hin. - Carmignac geht dabei von alttestamentlichen Untersuchungen aus und findet deren Ergebnisse zum Teil im Gebrauch entsprechender neutestamentlicher Formeln (ἐν ταῖς ἐσχάταις ἡμέραις, ἐπ'εσχάτου τῶν ἡμερῶν τούτων, ἐπ'ἐσχάτου τῶν χρόνων) bestätigt (Carmignac, ebda. 319ff.).

2.3.6. Vergleiche mit der Massorah[108]

Eine ausführliche Studie zum Habakuktext hat W.H. Brownlee[109] zum erstenmal 1959 vorgelegt. Auf 90 Seiten wird jede Variante zum masoretischen Text entsprechend der Wortfolge im hebräischen Text festgehalten. In seiner Analyse des Befundes kommt Brownlee zu folgenden Feststellungen: Ein beträchtlich hoher Prozentsatz der Varianten ("a large per cent") betrifft rein orthographische Unterschiedlichkeiten (96); so zeigt der Habakukkommentar eine auffallend häufige Pleneschreibung (100). Viel weniger häufig ist die Defektivschreibung anzutreffen (102), die insofern bedeutsam ist, als die Habakukvorlage für den Kommentator ebenfalls mehr defektive Schreibung aufgewiesen haben könnte als der im 1QpHab vorliegende Habakuktext, so daß demnach der Kommentator sich der seinerzeit gängigen Pleneschreibung anpaßte (105f.). Anhand der Tatsache, daß die Defektiva im biblischen Text des 1QpHab häufiger vorkommen als im eigentlichen Kommentar, legt sich die Schlußfolgerung auf Kopie nach Vorlage eher nahe als auf Kopie nach Diktat. Im allgemeinen, und da gibt Brownlee Elliger recht[109a], weisen Zitat und nachfolgender Kommentar gleiche Orthographie auf. Weil aber die Schreibweise des MT klassischer ist, d.h. nicht so viele anfechtbare Lesarten wie der 1QpHab hat, ist jener der sicherere Text (113). Andererseits dienen verschiedenlautende Lesarten im Habakukkommentar der Anwendung bestimmter rabbinisch-hermeneutischer Prinzipien (114)[110].

---

108 Hierzu war mir nicht einsehbar: A. Martin, A Study of Habacuc. Comparison of the Qumran Commentary with the Masoretic Text, Winona Lake (Indiana USA), 1958 (Diss. theol.).

109 The Text of Habakkuk in the Ancient Commentary from Qumran (JBL, Monograph Series XI) Philadelphia 1959. Vgl. entsprechende Seitenzahlen im obigen Text.

109a Brownlee, ebda. 106.

110 Vgl. unten Kapitel 6.2.3.4.3.2.

Aber es könnte auch sein, daß der Gemeinde ein Text zur Verfügung stand, der genau der Habakuktext des 1QpHab war (117). Gezielte Abänderung des Habakuktextes ist möglich, aber wenn sie vorgenommen wurde, dann selten (117f.). Von mehreren voneinander abweichenden Texten, wahrscheinlich auch von einem Targum, wurde möglicherweise der ausgewählt, welcher der aktualisierenden Auslegung zupaß kam, d.h. abweichende Lesarten wurden eher gefunden als erfunden. In der Beurteilung der wenigen Doppellesarten in 1QpHab, wo also das im Kommentar ausgelegte Wort gegenüber dem gleichen Wort im Bibelzitat eine leichte Veränderung erfahren hat, meint Brownlee, daß sie kein Zufall sein könnten, daß sie sich einem eklektischen Prinzip verdankten und es sich in einem Falle (1QpHab 5,14f. bzw. 6,2) vielleicht um zwei irrtümlich voneinander abweichende Zitate derselben gemeinten Textstelle handelt (123 bzw. 33).
Als erster vergleicht Brownlee auch den 1QpHab mit mittelalterlichen hebräischen Handschriften (3). Übereinstimmungen zwischen beiden Gruppen sind zufälliger Art, sie sind noch nicht einmal entfernte Verwandte (130). Somit nimmt der 1QpHab einen einmaligen Platz für die Textkritik des Habakukbuches ein. - Einen Vergleich des qumranischen Habakuktextes mit dem Textus receptus hat J. CANTERA ORTIZ DE URBINA[111] erarbeitet. In einer allgemeinen Einführung in die Qumranschriften und die Absichten der Schriftenreihe, innerhalb derer sein Vergleich erscheint, stellt er fest, daß nicht wenige Varianten der Schriftrollentexte durch alte Versionen bestätigt werden (S.9: Targum, Peschitta, Theodotion, Vulgata und Theodoret). - Es folgt eine Übersetzung des 1QpHab, sodann die Gegenüberstellung des Textes zu Targumim, zur Septuaginta und anderen griechischen Übersetzungen, zur Peschitta, Vulgata und Vetus Latina mit

---

111 El Commentario de Habacuc (Textos y Estudios del Seminario Filologico Cardenal Cisneros 3) Madrid-Barcelona 1960.

zahlreichen Anmerkungen; abgeschlossen wird die Arbeit mit einer Bibliographie.

Dieser Textvergleich wird gelobt, aber auch noch ergänzt durch A. DIEZ-MACHO[112]. Als Schlußfolgerung hält Diez-Macho fest, daß die Kopie des Habakuktextes in 1QpHab wenig sorgfältig geschrieben ist, die Orthographie vom überlieferten Text häufig abweicht, und daß sie durch eine dialektale Aussprache des Hebräischen beeinflußt ist (a wird

---

112 El Texto biblico del Commentario de Habacuc de Qumran, in: H. Groß/F. Mußner (Hg.), Lex Tua Veritas (Festschrift für H. Junker) Trier 1961, 59-64.
Nachtrag zu Kapitel 2.3.6., der nicht mehr in den Text eingearbeitet werden konnte: S. Segert, Zur Habakuk-Rolle. Segert untersucht in dieser Aufsatzfolge den Text von 1QpHab unter den Aspekten der Lemmata und der Auslegung und fügt beiden noch ein Kapitel "Schlußbetrachtungen" hinzu. Jedes der drei Hauptkapitel wird gesondert hinsichtlich der Graphik, der Orthographie, der Phonetik, der Morphologie, der Syntax, der Textkritik und des Metrums untersucht. Bezüglich der Auslegung bemerkt Segert, daß das Lemma nicht immer mit der Auslegung sprachlich und orthographisch identisch ist. Als möglichen Grund führt er an, daß sich verschiedene Schreiber bei der Abfassung der Rolle betätigt hätten, die jeweils einer unterschiedlichen Orthographie gefolgt wären (ebda. 585f.), oder aber ein einziger Schreiber des 1QpHab hätte in einigen Fällen eine andere Orthographie zu Beginn der Rolle als in den übrigen Teilen der Schrift verwendet (ebda. 586). Jedenfalls gehört der mit zahlreichen Vokalbuchstaben versehene Konsonantentext zu dem Traditionszweig, den später die Masoretenschulen als Basis für ihre Festlegung des hebräischen Bibeltextes benutzten (ebda.604). Jedoch ist die Qualität des Textes in 1QpHab schlechter als der masoretische (ebda. 609). Summa summarum hält Segert den Beitrag von 1QpHab für Sprach- und Überlieferungsgeschichte des hebräischen Textes für "klein, aber doch wichtig": "DSH gibt zwar nicht viele überraschende Verbesserungen, doch einige seiner Lesarten, besonders die von den Übersetzungen gestützten verdienen Vorzug oder mindestens Beachtung. Aber für die Art, in welcher der biblische Text überliefert wurde, ist DSH ein sehr wertvoller Zeuge" (ebda. 316f.).

durch o wiedergegeben); zudem herrscht aramäische Orthographie und Phonetik vor, denn der Kopist sprach und schrieb Aramäisch (64). Der Habakuktext des Peschers weicht häufig von der Massorah ab und stellt eine deutlich frühere und ebenfalls vom Textus receptus abweichende Textphase dar,

2.4. Zusammenfassung

Die bisherige Erforschung des 1QpHab hat mehrere Textausgaben, zwei Gesamtstudien und eine Fülle von Einzeluntersuchungen hervorgebracht. Wichtig ist dabei, daß in den Gesamtstudien der 1QpHab als ein Schriftauslegungswerk verstanden wird, in dem das hermeneutische Doppelprinzip "1. Prophetische Verkündigung hat zum Inhalt das Ende, und 2. Die Gegenwart ist die Endzeit" (ELLIGER) Platz greift, deshalb 1QpHab der eschatologischen und apokalyptischen Tradition zuzurechnen ist. Zudem beruft sich der qumranische Kommentator anscheinend auf eine Sonderoffenbarung oder steht jedenfalls wie der Lehrer der Gerechtigkeit unter dem Antrieb einer solchen.
Was Einzelprobleme angeht, so lassen sich etwa folgende Lehrmeinungen festhalten:

1. Der 1 QpHab wird allgemein als Pescher bezeichnet, wobei es aber kontrovers ist, ob er als solcher unter den jüdischen Midrasch zu subsumieren ist oder ob er einen dem Buch Daniel benachbarten oder gar verwandten erbaulichen Kommentar darstellt.
2. Die genaue literargenerische und literaturgeschichtliche Einordnung wird eben dadurch erschwert, daß die Technik der Bibeldeutung in 1QpHab von den einzelnen Forschern unterschiedlich begriffen und erklärt wird: Verdankt sich diese Technik einer Sonderoffenbarung, wie sie Daniel zuteil wurde, oder herrschen vielmehr rabbinisch-hermeneutisch-exegetische Prinzipien vor, wie sie in den klassischen Midraschim nachweisbar sind?

3. Die eschatologisch-apokalyptische Verkündigung bildet den eigentlichen Schwerpunkt des Kommentars: Die Botschaft des Propheten Habakuk wird aktualisierend und zwar in Bezug auf die Qumrangemeinde ausgelegt.
4. Der Lehrer der Gerechtigkeit und der Frevelpriester sind die beiden großen und miteinander verfeindeten Protagonisten des Kommentars. Sie sind bis jetzt weder genau zu identifizieren noch zeitlich exakt einzuordnen. Allerdings sprechen kommentarinterne Kriterien eher für die Schilderung geschichtlicher Ereignisse des ersten vorchristlichen Jahrhunderts. Auf keinen Fall stammt der 1QpHab aus dem Mittelalter.
5. Textlich weicht der 1QpHab deutlich von der Massorah ab: Er zeigt eine auffallende Pleneschreinung. Weniger häufig ist die defektive Schreibweise. Besonders wichtig ist, daß anderslautende Lesarten in 1QpHab der Anwendung rabbinisch-hermeneutisch-exegetischer Prinzipien dienen (BROWNLEE). Schließlich zeigt der Text sowohl dialektalhebräischen Einfluß wie aramäische Orthographie und Phonetik.

HAUPTTEIL

3. Schriftforschung und Schriftauslegung im AT

Schriftauslegung und Schriftforschung, also ein Bemühen um das nach jüdisch-antiker Auffassung rechte Verständnis dessen, was wir heute "Altes Testament" nennen, ist bekanntermaßen nicht ein primär qumranisches Phänomen. So finden sich schon in der Genesis (3,20 bzw. 11,9) Etymologien von Personen und Ortsnamen, in den anderen Büchern des Pentateuchs (z.B. Ex 16,23) gesetzliche Erläuterungen. Prophetische Kultpolemik zielt auf überkommene Opferordnungen, wenn Amos (4,4f.) und Protojesaja (1,11-16) alte gesetzliche Traditionen obsolet machen[1]. In alttestamentlichen Geschichtswerken sind midraschartige Bestandteile eingebaut[2] (etwa Siseras Tod in Ri 4,17-22). Den frühesten exegetisch bedeutsamen Stoff stellt das Buch Deuteronomium dar: Es "wiederholt" das Gesetz Moses (δεύτερος νόμος)[3] vor dessen Tod, um eine Neuordnung kultureller wie rechtlicher Art zu schaffen (Dtn 12,1-26,19) und wurde zum Meditationsbuch für jeden frommen Juden[4]. - In Kapitel 2 des Danielbuches deutet die gleichnamige Hauptperson den Traum Nebukadnezzars; dort werden auch in Kapitel 7 die 70 Jahre Heimsuchung des jüdischen Volkes, wie sie im Jeremia-Buch vorausgesagt wurden (Jer 25,11f.), in 70 Jahrwochen, d.h. 490 Jahre, umgedeutet[4a]. Neue Offenbarung hat sich also mit alter auseinanderzu-

---

1 Allerdings handelt es sich hierbei eher um kultinhaltliche Kritik als um Schriftauslegung und -forschung im engen Sinne.

2 D. Lerch, Zur Frage nach dem Verstehen der Schrift: ZThK 49/50 (1952-53) 361.

3 Freilich bleibt die einschlägige Übersetzung von משנה התורה (Dtn 17,18) mit δευτερονόμιον durch die Septuaginta insofern ein Mißverständnis, als an dieser Stelle im Urtext von einer Abschrift des (Königs-)Gesetzes die Rede ist.

4 G. Vermes, Bible and Midrash 199f.

4a Zu dieser Passage vgl. unten Kapitel 7.5.2.

setzen. Texte wie Ez 38,17; Ben Sira 44f.; Ps 78; 103,7; 105ff. nehmen deutend Bezug auf die im Pentateuch und in den Geschichtsbüchern tradierte Geschichte Israels; Weisheit 10ff. gibt in Midraschform die alttestamentliche Geschichte von Adam bis Mose wieder. Schriftexegese im engeren und eigentlichen, freilich noch nicht in unserem heutigen wissenschaftlichen Sinne aber verbindet sich im AT erstmals mit dem Namen Esra (Esr 7,10: כי עזרא הכין לבבו לדרשׁ את תורת יהוה ולעשׂת וללמד בישׂראל חק ומשפט). Auch in Neh 8,8 ist die Rede von Erläuterung und Darlegung des Schriftsinnes: ויקראו בספר תורת האלהים מפרשׁ ושׂום שׂכל ויבינו במקרא. Esra aber, der in Esr 7,10 die Bezeichnung הכוהן trägt - was aber doch wohl nur eine Ehrenbezeichnung sein sollte, denn in der sogenannten Esrageschichte ist nirgendwo erwähnt, daß er in Jerusalem als Priester amtierte[5] -, wird mehrmals auf hebräisch סֹפֵר bzw. aramäisch סָפַר genannt (Esr 7,6.11.12.21 bzw. Neh 8,1,4,9,13). In Verbindung nun mit Esra 7,10 (לדרשׁ את תורת יהוה) erhält ספר gegenüber seiner früheren alttestamentlichen Bedeutung einen neuen Sinn: Kann es z.B. bei 2 Sam 8,17 "hoher Beamter", weil "Schreiber" heißen (שׂריה סופר) oder auch "Sondersekretär" bei Jer 36,26 (ברוך ספר), so ist ספר bei Esra und Nehemia schon als "Schriftgelehrter", d.h. jemand, der sich mit dem mosaischen Gesetz beschäftigt, und nicht mehr nur als "Abschreiber"[6] zu verstehen. ספר ist zudem hier nicht mehr ein Partizip, sondern bereits ein Nomen[7], d.h. es ist ein Terminus geworden, wie er auch in Mischnah und Talmud anzutreffen ist[8]. - Je ein konkretes Beispiel aus den drei Hauptteilen

---

5 S. Mowinckel, Studien zu dem Buche Ezra-Nehemia (Bd. III: Die Ezrageschichte und das Buch Moses) Oslo 1965, 117.

6 H.H. Grosheide, Ezra, de Schriftgeleerde: GThT 56 (1956) 88.

7 Mowinckel, Studien 120

8 Mowinckel, ebda.

des AT, der Tora[9] (im engeren Sinne), den Nebiim und den Ketubim soll das Gesagte über inneralttestamentliche Exegese verdeutlichen.

Ein Beispiel für zwar nicht direkte Schriftexegese, sicherlich aber für Veränderung einer Vorlage, die eine Vergewichtung der Aussage nach sich zieht, liefert uns der deuteronomische Dekalog. Der Pentateuch enthält ja den Dekalog in zwei Versionen: Ex 20,2-17 und Dtn 5,6-21. Der Unterschied zwischen beiden Darstellungen zeigt sich im Sabbatgebot und seiner Begründung wie im Verbot, die Frau des Nächsten zu begehren. Letzteres soll uns hier interessieren: Ist in Ex 20,17 das Begehren nach der Frau des Nächsten (לא-תחמד אשת רעך) untersagt und dem allgemeinen Begehrverbot nach dem Haus des Nächsten (לא-תחמד בית רעך) subsumiert, wobei בית wohl hier zu verstehen ist als Familie oder all das, was das gesamte Haus umfaßt[10], so hat in Dtn 5,21 eine Umkehrung beider Sätze stattgefunden, wobei in 5,21b noch ein Verbwechsel vorgenommen wurde: Statt לא-תחמד heißt es jetzt לא תתאוה בית רעך. Durch diese Umkehrung der Verbotsfolge in Deuteronomium ist das Tabu der Frau des Nächsten in den Vordergrund gerückt, während es in Ex noch eine nachträgliche Interpretation des Verbots des Begehrens nach dem Haus des Nächsten darstellte[11]. In Dtn 5,21 dagegen verstand man unter "Haus" die konkrete Wohnstätte, weswegen man "Haus" und "Frau" überhaupt umstellen konnte[12]. Daß hinter dieser Umkehr nicht irgendeine Willkür steckt, sondern das Bewußtsein einer Höherwertung von Bedeutung und

---

9 Unter "Tora im weiteren Sinne" wird gewöhnlich der gesamte jüdisch-alttestamentliche Kanon und auch noch die Auslegungstradition zu diesem verstanden.

10 M. Noth, Das Zweite Buch Mose. Exodus (ATD 5) Göttingen 1961, 134.

11 Noth, ebda.

12 P. Heinisch, Das Buch Exodus (HSAT 1,2) Bonn 1934, 157.

Stellung der Frau[13], scheint durchaus annehmbar. Die damit verbundene Voraussetzung des Hervortretens von Individualität und Subjektivität als auch das Meiden böser Wünsche und nicht nur böser Taten wird durch prophetischen Einfluß[14] und durch deuteronomische Prediger erklärt, welche sicherlich in einem paränetischen Kontext sprechen[15].

Als Beispiel für Schriftauslegung innerhalb eines prophetischen Buches soll Ez 4,4-8 dienen, wo von symbolischer Schuldübernahme Israels und Judas durch den Propheten berichtet wird: Solange Ezechiel auf der linken Seite liegt, trägt er die Schuld des Hauses Israel (V. 4), und zwar soll er für jedes Jahr von Israels Schuld einen Tag liegen, demnach 390 Tage (V. 5: שׁלשׁ-מאות ותשעים יום); nach "Abliegen" der Schuld Israels soll er sich auf die rechte Seiten legen

---

13 H. Junker, Das Buch Deuteronomium (HSAT II/2) Bonn 1933, 45.

14 G.E. Wright/H.H. Shires/P. Parker, The Book of Deuteronomy, in: G.A. Buttrick u.a. (Hg.), The Interpreter's Bible (The Holy Scripture in Twelve Volumes 2) New York 1953, 368f.

15 G.v. Rad, Das fünfte Buch Mose. Deuteronomium (ATD 8), Göttingen 1964, 44; A. Penna, Deuteronomio (La Sacra Bibbia; Antico Testamento) Roma-Turini 1976, 111. Nach. F.-L. Hossfeld (Der Dekalog. Seine späten Fassungen, die originale Komposition und seine Vorstufen (OBO 45) Freiburg/Schweiz-Göttingen 1982) wäre freilich Ex 20 von Dtn 5 abhängig. Doch erheben sich deswegen wiederum gewichtige Bedenken: Nicht nur bezüglich des Begehrensverbotes ist die Dtn-Fassung gegenüber der Ex-Fassung sekundär, wie bereits ausgeführt wurde. Auch die in Dtn 5,16 angedeutete Bedingung (Halten des göttlichen Elterngebotes) für Israels Wohlergehen im Lande (vgl. auch die Einschärfung des Sabbatgebotes Dtn 5,12) ist ein typisch deuteronomisches Spezifikum. Demgegenüber ist die Ex-Fassung neutral. Ja, wenn Dtn 5,9// Ex 20,5 zum Verbot der Sippenhaft in Dtn 24,17 sogar in starker Spannung steht, dann ist dies doch nur unter dem Zwang der Vorlage (Ex 20,5!) zu erklären. Somit dürfte Ex 20 trotz späterer (z.T. dtr) Erweiterungen in der Substanz gegenüber der Dtn-Fassung primär sein. Zu dieser Problematik vgl. auch H. Schüngel-Straumann, Der Dekalog - Gottes Gebote (SBS 67) Stuttgart 1973, 28 u.ö.

und für Judas vierzigjährige Schuld 40 Tage liegen (V. 6: ארבעים יום). Die Verse 5 und 6 stellen nun Nachinterpretationen von Ez 4,4 dar, wobei die Umdeutung sich der vier Wörter מספר, עון , ימים und ישראל annimmt[16]. Aus dem echten Ezechielvers (V. 4) ist nicht ersichtlich, wie lange dieser liegen soll für Israels Schuld, denn es heißt lediglich, daß Liegen und Schuldabtragen zeitlich kongruent sind (מספר ימים אשר תשכב עליו תשא את-עונם). מספר könnte man durchaus mit "Dauer" wiedergeben wie ימים mit "Zeit". In Vers 5 soll nun die unbestimmte Dauer präzisiert werden, denn מספר wird vom Redaktor in der Bedeutung "Zahl" aufgefaßt. Zur genauen Festlegung der Zahl stützt er sich dabei auf zweierlei:

1. Das Prinzip der numerisch-zeitlichen Entsprechung: Daß Ezechiel so viele Tage liegen muß, wie die Schuld Israels dauert, hat seine Analogie in Num 14,34, wo dem Volke eine vierzigjährige Wüstenwanderung für seine Vergehen auferlegt wird, 40 Jahre entsprechend der 40 Tage dauernden Auskundschaftung des Landes. Vogt schließt nicht aus, daß der Ezechielausleger sein Erklärungsprinzip in Ez 4,4-8 gerade Num 14,34 entnommen hat, denn auch dort erscheint der Ausdruck מספר ימים
2. Die Annahme, daß für Ezechiel die kommende oder andauernde Strafe das Exil war: Allerdings war dem Ausleger die Gesamtdauer des noch währenden, noch nicht zur Geschichte zählenden Exils unbekannt, denn die geschichtlich bekannte Dauer des Exils nennt er nicht. Deshalb gibt er עון jetzt die Bedeutung von "Schuld", um die Zahl der Tage festlegen zu können, denn als Schuld Israels ist die Reichstrennung unter Rehabeam (926 v. Chr.) und die danach folgende Zeit bis zum Untergang Judas (587/6 v.Chr.) aufzufassen, die, addiert man die Regierungsjahre der judäischen Könige von Rehabeam bis Zidkija, dem letzten König Judas, wie sie in den Kö-

16 E. Vogt, Textumdeutungen 490. - Vgl. auch im folgenden bis auf weiteres.

nigsbüchern angegeben sind, 393, abgerundet 390, ergeben. Diese 390 jahre wurden dann für Ezechiel durch den Ausleger zu 390 Tagen Sühnezeit[17]. Die dargestellte Zahlbestimmung verdrängte dabei den ursprünglichen Sinn der Handlung als Symbol.

Vers 6 der behandelten Perikope stammt wiederum vom einer anderen Hand, was sowohl aus der Bedeutungsveränderung von עון wie aus einer Gegenüberstellung Israels zu Juda zu ersehen ist, das hier genannt ist. Dies impliziert eine Umwandlung der Bedeutung des Namens "Israel", welcher Name jetzt nur noch für das Nordreich steht. Wenn nun - so überlegte nach Vogt der Umdeuter - Ezechiel die Strafe für das Nordreich durch sein Liegen symbolisiert hat, mußte er dies auch für Juda tun. Um dies darzustellen, fügte der Ausleger dem שׁכב על-צדך in Ez 4,4 ein השׂמאלי hinzu und läßt den Propheten in V. 6 sich 40 Tage auf die rechte Seite legen (על-צדך הימיני), und zwar für jedes Jahr einen Tag. Dabei geben die Bezeichnungen "links" und "rechts" gleichzeitig Nord- und Südreich wieder, bedeuten sie doch im Hebräischen auch Norden und Süden.
עון muß hier im Sinne von "Strafe" verstanden werden, denn 40 Jahre Schuld für Juda gibt keinen Sinn. Die "Vierzig" ergeben sich wieder von Num 41,34 her, wo sich auch der gleiche Ausdruck wie in Ez 4,6 findet: אבעים יום יום לשנה יום לשנה. - Auch Zimmerli[18] versteht Ez 4,6 - wie auch schon V. 5 - als nachträgliche Hinzufügung von Juda zu einer ursprünglich gesamtisraelitisch gemeinten Aussage; als terminus post quem non für die Entstehung von V. 6 legt er 547 v.Chr. fest; denn danach die Entstehungszeit anzusetzen,

---

17 Zimmerli fragt in seinem Ezechielkommentar, ob die 390 Jahre sich nicht von der Zeitspanne der Tempelweihe unter Salomo bis zur Zerstörung des Ersten Tempels herleiten (Zimmerli, Ezechiel 119).

18 Zimmerli, ebda. 120. 122.

wäre schwer erklärbar, stehen doch die 40 Jahre neben der Erwartung des Jeremiakreises, der die babylonische Herrschaft auf schon 70 Jahre bemißt[19].

Text(um)deutungen im Buch Ezechiel - wie gerade im Vorangegangenen exemplifiziert - nähern sich schon dem Gebiet der Midraschim, wenn sie nicht schon in Ez vorhanden sind[20]. Midraschim sind keine Domäne der Rabbinen - sie sind schon im AT anzutreffen[21]. Seinen "Sitz im Leben" hat der Midrasch - er sei hier zunächst vollkommen undifferenziert als eine Form jüdischer Bibelauslegung verstanden - in der Gemeinde zur Zeit des Frühjudentums, die mit der Tora im engeren Sinne als ihrem geistig-religiösen Zentrum ihre religiöse Lehre und Literatur entwickelte[22]. Diese Tora ist Autorität; sie regelt das Leben der Gemeinde bis ins Detail[23]. In einer ersten Definition bestimmt R. BLOCH[24] den Midrasch nun folgendermaßen: "... Il désigne un genre édifiant et explicatif étroitement rattaché à l'Ecriture, dans lequel la part de l'amplification est réelle mais secondaire et reste toujours subordonnée à la fin religieuse essentielle, qui est de mettre en valeur plus pleinement l'oeuvre de Dieu, la Parole de Dieu". Derart fromme Erwägungen, zur Erklärung und Erbauung bestimmt, finden sich beispielsweise in einem homilieähnlichen, wenn nicht direkt

---

19 Zur Umdeutung Jeremias im Danielbuch vgl. nochmals unten Kapitel 7.5.2.

20 Vogt, Textumdeutungen 475; J. Schreiner, Interpretation innerhalb der schriftlichen Überlieferung, in: J. Maier/ J. Schreiner, Literatur 24.

21 Vgl. dazu das folgende Kapitel 4.

22 Bloch, Midrash 1263.

23 Bloch, ebda. 1268.

24 ebda. 1263.

homiletisch- aktualisierenden Midrasch[25] des atl Weisheitsbuches, dem "vollendeten Typ der Midraschexegese"[26]. Angesichts des griechischen Heidentums will der Autor der Sapientia Salomonis seine Landsleute im religiösen Glauben be-

---

25 Wright, Literary Genre 435f. - Zum Verständnis der Aktualisierung vgl. unten Kapitel 6.2.3.4.3.1.

26 Vogt, Textumdeutungen 476. - Im gleichen Sinne auch Guiu M. Camps, Midraš sobre la historia de les Plagues. in: Miscellanea biblica B. Urbach, Scripta et documenta 1, Monteserrat 1953, 97-133, bes. 97 (in Katalanisch). - J. Fichtner, Weisheit Salomos (HAT II/6), Tübingen 1938, erkennt offenbar den midraschischen Charakter des Weisheitsbuches nicht: Ägypter und Israeliten sollen "lernen", daß Gott in der Geschichte wirkt (ebda 43). Aber gerade der haggadische Midrasch soll ja lehrreich sein. Die "apokalyptische Spitze" dieses göttlichen Handelns (ebda.) könnte gerade die Plagen-Passage als apokalyptischen Midrasch kennzeichnen. Im gleichen Sinne Fichtner, Die Stellung der Sapientia Salomonis in der Literatur- und Geistesgeschichte ihrer Zeit: ZNW 36 (1937) 124. 131. - Wright, Literary Genre Midrash 434-436, rechnet Weisheit Salomos klar zur Gattung der Midraschim. - G. Ziener, Die Verwendung der Schrift im Buche der Weisheit: TThZ 66((1957) 138-151, sieht die Schriftverwendung im Weisheitsbuch nicht als midraschisch an, obwohl er mit der von ihm festgestellten (messianischen) Aktualisierung (ebda. 148) den Schlüssel dazu in der Hand hatte. - Desgleichen hält D. Winston, The Wisdom of Salomo (The Anchor Bible 43) New York 1979, das Weisheitsbuch lediglich für eine Mahnrede ("exhortatory discourse", nach Art des klassischen λόγος προτρεπτικός, ebda. 18). - D. Georgi, Weisheit Salomos (JSHRZ III/4) Gütersloh 1980, erwähnt ebensowenig den midraschischen Charakter der Sapientia Salomonis. - Gegenüber den zuletzt Genannten hatte schon R. Siebeneck Kapitel 10-19 der Sapientia Salomonis als haggadischen Midrasch erkannt (vgl. The Midrash of Wisdom 10-19: CBQ 22 (1960) 177-182). - Auch C. Larcher, Etudes sur le livre de la sagesse, Paris 1969, weist des öfteren auf die (hellenistisch-) midraschischen Teile der 'Weisheit' hin, wenn auch ohne nähere Charakterisierung (ebda. 89. 103. 150f.) - Wiederum anders: E. Stein, Ein hellenistisch-jüdischer Midrasch über den Auszug aus Ägypten: MGWJ 78(1934) 558-575. 559.

stärken[27]. Vor allem hebt er mit Nachdruck hervor, daß Gott Israel die Tora gegeben hat, die einen größeren Wert darstellt als alle zivilisatorischen Errungenschaften des Griechentums. Diese vermögen nichts aufzubringen gegen die Aktualität, aber auch nichts gegen den transzendenten Gehalt der Tora, welche beiden Eigenschaften der Autor seinen Lesern nahebringen will. Bedient er sich dabei auch griechischer Sprache und griechischen Gedankenguts, so bleibt er doch dabei Jude, der sich vor allen Dingen auf die Schrift stützt. Wenn er so auf die Ursprünge Israels, auf den Exodus und besonders auf die ägyptischen Plagen Bezug nimmt, zeigt sich deutlich, mit welcher Freiheit, ja Kühnheit sich der Autor Texte des Pentateuchs bedient; er vervollständigt teilweise die Texte, aber er läßt auch das weg, was seiner Darstellung hinderlich ist. Ein Beispiel, nämlich die Bearbeitung einer der ägyptischen Plagen, soll die Verfahrensweise des Verfassers des Weisheitsbuches aufzeigen[28].

Die ägyptische Finsternis in Ex 10,21ff. und in Weish 17,1-18,4 wird jeweils als neunte Plage über Ägypten geschildert: Eine drei Tage dauernde totale Finsternis, die so dicht ist, "daß man sie greifen kann" (וימש חשך - Ex 10,21). Keiner kann den anderen sehen oder sich vom Fleck rühren, aber "alle Israeliten hatten Licht in ihren Wohnungen" (ולכל-בני ישׂראל היה אור במושׁבתם - V. 23). - In Weish 17,1-18,4 erfährt diese Exoduspassage eine weitere Ausführung: Die vorgegebene Grunderzählung wird eingeleitet durch einen Lobpreis der göttlichen Gerichtsbarkeit (17,1), die wohl an die hebräische Formel משׁפטי יהוה [29] erinnern soll. Die von

27 Bloch, Midrash 1274.

28 Vgl. im folgenden Vogt, Textumdeutungen 476ff.

29 Vgl. J. Weber, Le Livre de la Sagesse. Traduit et commenté, in: La sainte Bible, Tome VI, Paris 1951, 513; P. Heinisch, Das Buch der Weisheit (EHAT 24) Münster 1912, 319.

den Ägyptern zu erduldenden Qualen, deren Wirkungen detailliert geschildert werden (17,3-9.14-20), werden in 17,2 mit der Unterdrückungsabsicht der Ägypter begründet: ὑπειληφότες γὰρ καταδυναστεύειν ἔθνος ἅγιον .... – Psychologisch-moralische Erklärungen, wie der Bosheit, des bedrückten Gewissens, der Furcht und der schwachen Hoffnung, welche Erklärungen den derzeitigen Seelenzustand der Ägypter wiederspiegeln (17,10-13), setzen eine Zäsur in der Schilderung des Verhaltens der Unterdrücker. Zum Schluß folgen Preisung Gottes, Nachgeben der Ägypter und nochmalige Begründung für die göttliche Zusendung der Plage (18,1-4). Zudem wird in 18,3 die ägyptische Finsternis von der Feuersäule negativ abgehoben und in 18,4 die gleiche Finsternis mit dem unvergänglichen Licht des Gesetzes kontrastiert, das der Welt durch Israel gegeben werden sollte.

4. Schriftauslegung des frühen und klassischen Judentums

Vorbemerkung:
Man hätte erwarten können, daß aufgrund der nach christlichem Verständnis engeren theologischen Verwandtschaft zwischen den Büchern des Alten und Neuen Testamentes nach der alttestamentlichen nun die Darstellung der neutestamentlichen Exegese erfolgt. Indes wird die vorklassische und klassisch-rabbinische Exegese- bzw. Hermeneutikdarstellung hier vorgeschaltet, weil sich der Schriftgebrauch des AT im NT in mancherlei Hinsicht von der (vor)rabbinischen Auslegekunst beeinflußt zeigen wird.

4.1. Die wachsende Bedeutung der Tora in nachexilischer Zeit

Es wurde schon oben[1] gestreift, daß der Tora im engeren Sinne im geistig-religiösen Leben des (nach-)exilischen Judentums eine erhöhte Bedeutung zukam. Es gilt im folgenden, dies zunächst <u>allgemein</u> darzustellen, sodann weiter auszu-

1 Vgl. oben S. 67

führen und damit den Übergang zur religiösen Literatur des (vor)klassischen Judentums, d.h. der pharisäisch-rabbinischen Zeit herzustellen.
Zu Beginn der Zeit des Zweiten Tempels, d.h. der nachexilischen Zeit, war den Juden, wie sie mit Beginn dieser Epoche nunmehr genannt wurden, sowohl politische Selbständigkeit wie, bedingt durch die Zerstörung des Ersten Tempels, die Opferstätte, das Zentrum des gesamten Jahwekults, verloren gegangen. Somit konnten weder Opfer noch die von zahlreichen gläubigen Juden eigentlich zu haltenden Gottesdienste Hingebung zu Jahwe bekunden; dies mußte die Sabbatheiligung, das Achten auf Gottes, d.h. auf das durch die Propheten gesprochene Wort, aber vor allem das Achten auf den göttlichen Willen, wie er sich in der Pentateuchüberlieferung kundtat, bewerkstelligen[3]. Dadurch, daß die Tora den Lebensweg für die - damalige - Gegenwart und die Bestimmung für die kommenden Geschlechter lehrte, wurde sie für das gesamte Volk zum Buch der Lehre und Forschung[4]. Dies ist auch gültig für die Zeit seit der Fertigstellung des Zweiten Tempels im Jahre 515 v.Chr.[5]. Die Tora bleibt also nicht mehr auf priesterliche und prophetische Kreise beschränkt[6]. Als Lehr- und Forschungsbuch (vgl. Neh 8,8) sollte die Tora Grundlage für das Religionsgesetz, für das gesamte Gemeindeleben wie für die Lebensform des einzelnen

---

2 Hierbei ist zu bedenken, daß die letzten wesentlichen Teile des Pentateuch erst im Exil und der anschließenden Nachexilszeit entstanden sind und die Endredaktion nicht vor Ende des 5. Jahrhunderts v. Chr. erfolgt ist.

3 Strack, Einleitung 6.

4 Safrai, Das jüdische Volk 38.

5 Fohrer, Geschichte Israels 204f.

6 Safrai, Jüdisches Volk 38.

Gemeindemitgliedes sein[7]. Daß das Judentum sich gerade dem "Gesetz" aufmerksam widmete, läßt sich hauptsächlich auf zwei Gründe zurückführen:

1. Man suchte nach den Gründen des von Gott über sein Volk verhängten Unheils[8];
2. man hoffte auf Wiederherstellung des Kultes und auf politische Autonomie[9].

Die dadurch bedingte Entwicklung des Schriftgelehrtentums wurde noch gefördert durch das Schwinden der Prophetie wie durch die zunehmende Verdrängung des Bibelhebräischen[10] durch das Aramäische, dem sich allerdings die ersten Vorformen des Mischnahebräisch ab dem 4. Jahrhundert v. Chr. hinzugesellten[11].

Diese literarisch-religiöse Entwicklung des nachexilischen Judentums verbindet sich nun mit dem Namen Esra, dessen hervorragende Bedeutung sich wohl an der kultischen Reform messen läßt, aber auch daran, daß er die kanonische Tora zur normativen jüdischen Glaubensregel erhob[12], nachdem er gemäß der überlieferten Chronologie 458 v.Chr. mit einer größeren Zahl von Exulanten nach Jerusalem heimgekehrt war[13].

---

7 Safrai, ebda. - Man rufe sich dazu auch Neh 8 ins Gedächtnis.

8 Dies ist wohl einer, wenn nicht der Grund für die Entstehung des Deuteronomistischen Geschichtswerkes.

9 Zum damit verbundenen Aufstieg der Priesterschaft vgl. nochmals Fohrer, Geschichte 204f. - Zu diesem und zum vorangegangenen Punkt: Strack, Einleitung 6.

10 Strack, ebda.

11 M.H. Segal, A Grammar of Mishnaic Hebrew, Oxford 1958,1.

12 W.F. Albright, The Biblical Period: in: L. Finkelstein (Hg.), The Jews. Their History, Culture and Religion, Vol. I, New York 1960, 54.

13 Zu den chronologischen Schwierigkeiten der Überlieferungen zu Esra und Nehemia vgl. Fohrer, Geschichte 209. - ders., Das Alte Testament. Zweiter und dritter Teil, Gütersloh [2]1977, 111f. - W. Rudolph, Esra und Nehemia (HAT I/20) Tübingen 1949, 71. - O. Kaiser, Einleitung

Dabei ist festzuhalten, daß das geschriebene "Gesetz" (besser wäre wohl zu übersetzen "Weisung", vom Hebräischen ירה), der Pentateuch, etwa seit Esra in seiner literarischen Fixierung als abgeschlossen zu betrachten ist[14]: Ein orthodoxer Kreis jüdisch-babylonischer Tradition wird den Pentateuch in seiner heutigen Gestalt aus dem jehovistischen Werk und dem deuteronomischen Gesetz der späten Monarchie und dem exilisch-nachexilischen Priesterkodex zusammengestellt haben[15]. Diese neuen religionspolitischen Maßnahmen sollten den Übergang zur Buchreligion der Juden einleiten.

4.2. Die Anwendung der "Heiligen Schriften"

Esra hatte durch seine Reform und durch seine Torahandhabung den Juden eine geistige Überlebensmöglichkeit geschaffen, wodurch sie ein religiöses Leben nach ihrer Façon führen konnten und ihnen die Tora als volle von Gott durch Mose geschenkte Selbsterschließung Jahwes Lebenswegweiser wurde[16]. Die Tora als Mittelpunkt des Studiums wurde somit zum Anfang eines neuen und eifrig betriebenen religiösen Fortschritts, der einer raschen Entwicklung der geistigen Natur des gesamten Judentums förderlich war[17]. Das jetzt allen Bevölkerungsgruppen zum Studium zugängliche "Gesetz" Gottes mag - neben anderen Faktoren - erklären, wieso es

---

in das Alte Testament. Eine Einführung in ihre Ergebnisse und Probleme, Gütersloh [3]1975, 168f.

14 So jedenfalls noch Strack, Einleitung 6. - Aber auch etwa G. Fohrer, Einleitung in das Alte Testament, Heidelberg 1979, 208.

15 Albright, Biblical Period 54. - Eissfeldt, Einleitung 756. - In die gleiche Richtung gehend R. Smend, Die Entstehung des Alten Testamentes (ThW 1) Stuttgart-Berlin-Köln-Mainz 1978, 35. - Fohrer, Geschichte 214; ders. Altes Testament 113. - Dagegen: Kaiser, Einleitung 368f.

16 R. Travers Herford, Das pharisäische Judentum, Leipzig 1913, 58.

17 Travers, ebda. 61.

kein "offizielles" nachexilisches Prophetentum gibt[18]. Als höchst wichtig erweist sich in diesem Zusammenhang die Einrichtung der Synagoge, wenn auch der Zeitpunkt ihrer Institutionalisierung nicht mit absoluter Sicherheit auszumachen ist[19]. Die Synagoge diente zweierlei Zwecken: 1. Sie war der Ort des Gemeindegottesdienstes; 2. die Toralesung wird in ihr zur gottesdienstlichen Handlung[20]. Damit verbindet sich die Auffassung T.R. HERFORDs[21], der die Synagoge als Lehrhaus, als Ort der religiösen Belehrung ansieht.
Nach seinem Abschluß wurde der Pentateuch in allen jüdischen Volksgruppen (Sadduzäer, apokalyptisch-prophetische Kreise, hellenistisch-jüdische Schriftsteller) als Verlautbarung des Gotteswillens angesehen[22]. Bei den meisten Gruppen zeigte sich die Tendenz, "außer der schriftlichen Offenbarung noch eine selbständige oder interpretatorisch ableitbare mündliche Überlieferung von gleichwertiger Offenbarungsqualität anzunehmen. So gewann die Schriftinterpretation oder besser: Schriftanwendung zunehmende Bedeutung"[23]. Nach damals herrschender Überzeugung war in der Schrift als Selbsteröffnung Gottes alles, was für eine gottgefällige Existenz des Menschen notwendig war, enthalten; ihrer übernatürlichen Aussagekraft entspricht eine übernatürliche Ausdeutefähigkeit[24]. Seinen bezeichendsten Ausdruck fin-

---

18 Travers, ebda.

19 Safrai, Jüdisches Volk 51. - Safrai sieht den Ausgangspunkt für die Synagogeneinrichtung in den Volksversammlungen im Tempelvorhof zur Zeit von Esra-Nehemia, wo dem Volk Toraabschnitte vorgelesen wurden (ebda. 52).

20 Safrai, ebda. 52.

21 Travers Herford, Pharisäisches Judentum 66. - Vgl. auch G. Fohrer, Geschichte der israelitischen Religion, Berlin 1969, 394.

22 J. Maier, Kontinuität und Neuanfang, in: Maier/Schreiner, Literatur 11.

23 Maier, Kontinuität ebda.

24 Maier, ebda.

det dies in dem bekannten Mischnaspruch des Hillelschülers Ben Bag-Bag (Aboth 5,25): "Drehe sie (die Torarolle) vor und drehe sie zurück, denn alles ist in ihr enthalten" (הפך בה והפך בה דכלא בה)[25]. Dabei waren sich die späteren Rabbinen durchaus der Gefahr der Eisegese bewußt[26]. Das Bestreben nun, allen Lebensbereichen so vollständig wie nur möglich den Willen Gottes zu unterstellen, zog die Entwicklung der ständig anwachsenden "mündlichen Tora" nach sich, d.h. neben der schriftlichen Tora, der תורה שבכתב, entwickelte sich eine mündliche Überlieferung, die תורה שבעל פה[27]. Deckt sich der Entstehungszeitraum der schriftlichen Lehre im großen und ganzen mit der Zeit des ersten Tempels und des Exils, so ist der Beginn der mündlichen Lehre, die 200 n. Chr. in Form der Mischna, des älteren Teils des Talmuds, verschriftet wurde, mit dem Anfang des Zweiten Tempels festzulegen[28]. Wie allerdings die Formulierung und Weitergabe pharisäischer Lehräußerung vor 70 n.Chr. vonstatten ging - darüber geben die rabbinischen Quellen keine definitive Auskunft[29].

Seit dem Zeitpunkt, wo die Tora vom ganzen Volk angenommen wurde, d.h. seit Esra, also seit 458 oder 433/32 oder 398 v.Chr., erwuchs das Bemühen, sie in die Sprache des Alltagslebens zu übersetzen. Doch darf nicht übersehen werden, daß viele in der talmudischen Literatur enthaltene Halachot schon zur Zeit des Ersten Tempels in Geltung standen. Das

---

25 Slomović, Toward an Understanding 3. - Hier eigene Übersetzung (H.F.).

26 B. Gerhardsson, Memory 172.

27 Maier, Geschichte 69.

28 Safrai, Jüdisches Volk 74.

29 J. Neusner, The Written Tradition in Pharisaism before 70, in: ders., Early Rabbinic Judaism. Historical Studies in Religion, Literature and Art (Studies in Judaism in Late Antiquity 13), Leiden 1975, 91.

vorexilische Gesetz wurde seit seinem Bestehen und seiner schriftlichen Fixierung so ausgelegt, wie es sich in der mündlichen Lehre wiederfindet[30]. Innerhalb des rabbinischen Judentums zeigt sich terminologisch, daß man sich des Unterschieds zwischen schriftlicher und mündlicher Tora wohl bewußt war: Erstere wird mit קרא את המקרא, letztere mit שׂנה את המשׂנה oder lediglich mit שנה wiedergegeben[31]. Deshalb hält B. GERHARDSSON[31] fest: "The distinction is therefore this: the one part of the Tora is in principle Scripture, Scripture which is read, while the other is oral tradition, tradition which is repeated"[33]. Was nun das rabbinische Judentum, zwischen 70 und 170 n.Chr. entstanden, vor allem hierbei auszeichnet, ist neben der Konzeption von Mose als d e m Rabbi (משה רבנו - "unser Lehrer Mose") die Lehrmeinung, daß Gott aufgefaßt wird als transzendent-modellhafter Rabbi, der Mose die Tora in zwei Teilen geoffenbart hätte: Eine geschriebene und eine in mündlicher Tradition weitergegebene. Eine diese rabbinische Lehrmeinung ergänzende rabbinische Theorie besagt, daß die schriftliche Tora die mündliche implicite enthält und diese durch Auslegung der Pentateuch-Vorschriften gewonnen wird[34]. Diese mündliche Tora wurde schließlich verschriftet in Mischna, Tosephta, in beide Talmudim und in verschiedene Midraschim[35]. - Die

---

30 Safrai, Jüdisches Volk 74.

31 Gerhardsson, Memory 27.

32 Gerhardsson, ebda. 29.

33 Hier läßt sich gut die Bedeutungsentwicklung des Begriffs "Tora" vom engeren, ursprünglichen und eigentlichen Sinne zum weiteren Sinn verstehen.

34 J. Maier/J. Neusner, Die gesetzlichen Überlieferungen, in: Maier/Schreiner, Literatur 57.

35 J. Neusner, The Meaning of Oral Torah: With Special Reference to Kelim and Ohalot, in: ders., Early Rabbinic Judaism 3.

ältesten Belege zu einer Lehre von zwei Torot sind nachweisbar seit Beginn der tannaitischen Zeit, demnach seit 100 n.Chr., wobei allerdings das Wesen der mündlichen Überlieferung nicht näher erörtert wird[36]. Als "Sitz im Leben" lassen sich Auseinandersetzungen mit der heidnischen Umwelt ausmachen, welche aber nicht mit dem Ursprung der Vorstellung von zwei Torot gleichgesetzt werden dürfen[37]. Formgeschichtlich läßt sich das vorhandene Material aufteilen in "sayings-tradition" (דברים) und "narrative tradition" (מעשׂים)[38]. Diese Erzählungen beziehen sich auf gewisse Handlungen und Tätigkeiten eines Rabbis und sollen halachische oder haggadische Lehren als Schlußfolgerung erbringen[39]. Gleichzeitig bedeutet die Lehre von den zwei Torot für das rabbinische Judentum, daß in der geschriebenen Tora nicht die ganze, volle Offenbarung enthalten ist[40]. Deswegen ist die Mischna nicht nur einfach schriftlich fixierte Exegese der geschriebenen Tora. Rufen wir uns nämlich in Erinnerung zurück, daß die Tora in der nachexilischen Periode sämtliche Lebensbereiche umfassen sollte, so läßt sich mit J. NEUSNER[41] sagen: "The point of the oral Tora, therefore, is in righting the imbalance specified by the written one, in explaining how the whole, complete order or <u>economy</u> of reality is to be conceived". Deswegen entspricht die Mischna-Tosephta nicht nur der zuerst geschriebenen Tora, vielmehr ergänzt sie sie wohl in logischer Weise: "Perhaps a certain logic, inherent in the subject-matter, dictated

---

36 P. Schäfer, Das "Dogma" von der mündlichen Thora im rabbinischen Judentum, in: ders., Studien 192.

37 Schäfer, ebda. 183 und 192.

38 Gerhardsson, Memory 172ff.

39 Gerhardsson, ebda.

40 Neusner, Meaning 3.

41 Neusner, ebda. 30.

that there should have to be two Thoras, the written one for the cult, the oral, other one for the world outside the cult, one for the place of the holy, the other for the realm of the ordinary and profane"[42]. Diese Feststellung Neusners trifft sich mit der Gerhardssons[43]: "The most common idea (der Rabbinen) was that of reconstructing what the ancients themselves meant". Dieses "Meinen" der Alten wäre dann zu verstehen als ein Bezugnehmen auf Alltagsgeschehen, das dann aber interpretativ vom Rabbi expliziert werden mußte. Darüber hinaus findet sich aber auch die Vorstellung, daß Gott den Rabbi sogar soweit befähigt, die Aussagen der Alten besser und tiefer als sie selbst zu verstehen[44].
Die gesetzesexplizierende rabbinische Interpretation ließ freilich die Frage nach den Kriterien für solche Deduktionen aufkommen. Die Deduktionen selbst waren notwendig geworden, um Adaptierung und Aktualisierung der Tradition zu ermöglichen, um die Kluft zwischen überlieferten Normen und dem Gebot der Stunde zu überbrücken[45]. Dabei werden gewohnheitsrechtliche Normen nach und nach zu der schriftlichen Tora bewußt und interpretatorisch ins Verhältnis gesetzt und in ein umgreifendes Rechtssystem integriert[46]. Somit wurde die Interpretation der Tora mehrspurig[47]:

1. Vorgegebene Gesetze mußten um des rechten Verständnisses willen erklärt werden.
2. War eine eindeutige Erklärung nicht möglich und mußte ein neues Problem doch gelöst werden, konnte eine Er-

42 Neusner, ebda. 32.

43 Gerhardsson, Memory 173.

44 Gerhardsson, ebda.

45 J. Maier, Das Judentum. Von der biblischen Zeit bis zur Moderne, München 1973, 318.

46 Maier, ebda. 140.

47 Maier, ebda. 140f.

klärung sich zur Umdeutung wandeln.

3. Da in der Tora - wie oben schon kurz angesprochen - alle Antworten auf alle religionsrelevanten Fragen enthalten sind, sind neue Weisungen jederzeit erfragbar. Diese Erfragung ist typisch für den sogenannten Midrasch, der sowohl die Methode dieser Schriftanwendung wie ihr Ergebnis, also die genaue Auskunft oder Lehre, bezeichnet.
4. Für die Festlegung neuer, aus der Tora abgeleiteter Bestimmungen hatte man sich im Allgemeinen nach fixen hermeneutischen Methoden und Regeln zu richten.
5. Daneben war es auch zunächst möglich, neue Bestimmungen ohne Bezug auf die schriftliche Tora zu formulieren; später aber wurden sie durch Interpretation an biblische Texte gebunden.

4.3. Schriftauslegung in Deuterocanonica und Apokryphen

Das klassische Judentum, d.h. das rabbinische Judentum des Talmuds, Targums und Midraschs, ist das die Schrift auslegende Judentum, das sich dabei ausgefeilter und auch namentlich genannter Techniken bedient[48]. Ihren Anfang und Ausformung nahmen diese Techniken aber schon lange vor der Entstehung des klassischen Judentums. So sind die allerersten midraschischen Ansätze schon im AT selbst antreffbar[49]. Aber das erste literarische Corpus größeren Umfangs, das sich immer wieder auf die alttestamentlichen Schriften auslegend bezieht, sind die Deuterocanonica und Apokryphen (bzw. Apokryphen und Pseudepigrapha). Dabei ist auffallend, daß diese in der Forschungsgeschichte der Bibelexegese ver-

48 L. Hammill, Biblical Interpretation 1. - Strack/Stemberger, Einleitung 32-40 (die 32 Middoth). - G. Brooke, 4QFlorilegium 118.

49 Seeligmann, Voraussetzungen 150-181, bes. 151-167. - Hammill, Biblical Interpretation 1.

hältnismäßig oft übergangen werden[50].

4.3.1. Ein Beispiel zu den Deuterocanonica - Ben Sira

Ein Muster für eine paronomastische Namenserklärung gibt uns Ben Sira 46,1:

> "Ein Kriegsheld war Josua (יְהוֹשֻׁעַ), der Sohn Nuns, der Nachfolger des Moses im Prophetenamt. Er zeigte sich seinem Namen gemäß groß in der Rettung (תשׁוע) der Auserwählten."[51]

Hier wird also der zweimalige Gebrauch der Wurzel ישׁע deutlich, der hier besagen soll, daß durch die Namensgebung יהושׁע schon nicht nur angedeutet, sondern bereits bestimmt ist, daß Josua einst den Auserwählten Rettung sein sollte. Den Hintergrund dazu erklärt Hammill[52] folgendermaßen: "This practice was prevalent all over the Near East, for according to a well-known scholar sentence - names in Egyptian and Western Asiatic languages are utterances of parents or midwives at the time of the child's birth, such as vows, statements of good omen, or invocations to a deity". Auch im römischen Sprachkreis ist dieses magische Denken unter dem Sprichwort "nomen est omen" bekannt. Wir finden es wieder bei den Rabbinen, etwa wenn die hebräische Namensform Ahaschwerosch des griechischen Ξέρξες mit "אחיו שׁל ראשׁ" als seiner Bestandteile erklärt wird, womit eine Anspielung auf Dan 2,38 erfolgt (אנתה-הוא ראשׁה די דהבה) und die ihrerseits dazu dient, als erkünstelte sprach-

---

50 Hammill, ebda. - Allerdings hat sich mit den Qumranfunden die Situation - wenn auch vorläufig nur schwerpunktmäßig - geändert.

51 Die hebräischen Wiedergaben sind von Hammill, Biblical Interpretation 66 übernommen. - Zum Bibeltext vgl. - wie auch sonst, wenn nicht anders vermerkt - die Jerusalemer Bibel.

52 Hammill, Biblical Interpretation 66. Zum weiteren Textvergleich: F. Vattioni, Ecclesiastico. Testo ebraico con apparato critico e versioni greca, latina e siriaca (Pubblicazioni del Seminario di Semitistica, Testi I) Napoli 1968.

lich-namensmäßige Verbindung die boshafte Kumpanei zwischen Ahaschwerosch und Nebukadnezzar als von vornherein festgesetzt zu erweisen (vgl. Megilloth 11a).

4.3.2. Ein Beispiel aus den Apokryphen - Henoch

Eine Stelle aus dem Henochbuch soll ein Beispiel für die allegorische Deutung innerhalb der Apokryphen (bzw. Pseudepigraphen) abwerfen. Unter allegorischer Deutung soll dabei zunächst folgendes verstanden werden: "... there is a deeper meaning in Scripture than the plain literal sense of its words. 'It takes the events and ideas of scripture as symbols, beneath which are concealed profound or 'hidden' meanings'"[53]. Hammill erklärt im folgenden die Entstehung dieser Deutetechnik mit der Unannehmbarkeit Homerischer und Hesiodischer Mythen für das wachsende rationalistische Fortschreiten der griechischen Philosophie. Mit dieser Allegorese (Allegorik, Allegoristik) sei das Diasporajudentum früh bekannt geworden[54].

In äthHen 43,1 nun läßt der Autor Henoch sagen: "Abermals sah ich Blitze und Sterne des Himmels, und ich sah, wie er sie alle bei ihrem Namen rief, und wie sie auf ihn hörten "[55].Dies spielt auf Jes 40,26 an, wo ebenfalls vom Rufen der Sterne bei ihrem Namen durch den Heiligen die Rede ist. Auf Henochs Frage, wer denn die mit Namen Genannten seien, erhält er die Antwort: "Dies sind die Namen der Heiligen, die auf der Erde wohnen und die an den Namen des Herrn der Geister für alle Zeiten glauben (äthHen 43,3)".

---

53 Hammill, ebda. 96, seinerseits H.E. Dana, Searching the Scriptures, New Orleans 1936, 38 zitierend.

54 Hammill, ebda. 69f. - Ausführlicher dazu unten Kapitel 6.2.2.1. - Auch A. Volten, Demotische Traumdeutung, Kopenhagen 1941, der die Allegorese schon auf ägyptische und mesopotamische Traumdeutekunst zurückführt.

55 Dieses Beispiel ist auch hier von Hammill, Biblical Interpretation 73f. übernommen. - Zum deutschen Text G. Beer in: APAT II, 261. - Vgl. auch nachfolgendes Henoch-Zitat.

Die Sternennamen bei Jesaja werden also bei Henoch zu den Namen von heiligen Gottesfürchtigen allegorisiert.

4.4. Allgemeine Charakterisierung der Auslegungsliteratur des pharisäisch-rabbinischen Judentums: der Midrasch

Ein kennzeichnender Grundzug der reichen und vielfältigen Literatur des frühen und klassischen Judentums ist ihr größtenteils exegetischer Charakter. Dieses Faktum ist im Zusammenhang damit zu sehen, daß sich - wie oben beschrieben - das Judentum in nachexilischer Zeit zu einer Buchreligion entwickelt hatte[56]. Der exegetische Charakter hat nun seinen prägnantesten Ausdruck im sogenannten Midrasch gefunden, einem Begriff, bei dem man eigentlich nicht genau wissen kann, was er eigentlich meint, denn: "Unfortunately, however, as the situation has developed, it has become more and more evident, that there is little agreement among the authors on what the genre midrash really is"[57]. So stellt Wright weiterhin fest, daß in Zusammenhang mit der Qumranliteratur "Midrasch" in einem sehr engen Sinn gebraucht wird, nämlich als Bezeichnung der rabbinischen Kommentare, die auch nur dann sich "Midraschim" nennen dürfen, wenn sie "spezifisch literarische Strukturen und/oder exegetische Methoden der rabbinischen Midraschim"[58] aufweisen bzw. anwenden. Andererseits wird der Begriff "Midrasch" innerhalb biblischer Studien in einem recht weiten Sinn verwendet[59]. Wright beruft sich dabei auf die oben[60] zitierte Definition des Midrasch von R. Bloch. Diese begriffliche Unschärfe führt Wright nun vor allem darauf zurück, daß man

56 Weimar, Formen 124.

57 Wright, Midrash 106.

58 Wright, ebda. ("specific literary structures and/or methods of exegesis of the rabbinic midrashim").

59 Wright, ebda.

60 S.

es noch nicht versucht hätte, den Midrasch als literarische Form zu definieren[61], wobei allerdings eine Definition von "literary genre" ebenfalls fehlt[62]. Gleichzeitig weist er auf die wichtige Unterscheidung zwischen dem Midrasch als aktivem exegetischem Studium, d.h. als Interpretationstypos und als spezifischem Literaturkorpus innerhalb der jüdischen mündlichen Tradition hin[63]. Um nun nicht auch selbst der Begriffskonfusion zum Opfer zu fallen, grenzt Wright - in Übereinstimmung mit zeitgenössischen Kollegen - "Midrasch" auf eben diese letztgenannte Bedeutung ein: "Our modern technical term midrash is a term that is intended to be precise and its meaning should therefore be confined to the proper meaning of the rabbinic term, and midrash when properly used by the rabbis designated works dealing with Scripture"[64]. Diese Eingrenzung hat natürlich ihre Berechtigung, ja ist sogar notwendig für eine literargenerische Definition des Midrasch. Wenn aber der qumranische Habakukpescher als eine Prophetenauslegungsschrift eine mindestens midraschverwandte Schrift ist - alle Anzeichen sprechen ja dafür -[65], und wenn wir weiterhin davon ausgehen können, daß er wahrscheinlich vor der Zeitenwende geschrieben wurde, also v o r der Zeit des klassisch-rabbinischen Judentums und seiner Midraschim, stellt sich für uns gerade die Frage nach dem Midrasch in seinen früheren und frühesten Formen, also in seinem Entwicklungsgang bis ins erste vorchristliche Jahrhundert, wenn dieses als Rahmen der Abfassungszeit des 1QpHab genommen werden darf. Da-

---

61 Wright, Midrash 108.

62 Wright, ebda. - Anhand der Fußnote 27 in Wrights Artikel (ebda. 110) ist ersichtlich, daß er "genre" und "form" offenbar synonym gebraucht.

63 Wright, ebda. 120f.

64 Wright, ebda. 122.

65 Vgl. oben Kapitel 2.3.1. und 2.3.2.

rüber hinaus müssen auch die klassisch-rabbinischen Midraschim ins Auge gefaßt werden, steht doch der 1QpHab zu ihnen in zeitlicher wie örtlicher Nähe.
Daß Wright von einer rabbinischen Midraschkonzeption ausgeht und diese auf inneralttestamentliche Exegese und qumranische Schriftauslegung projiziert, stößt mit Recht auf Bedenken bei R. LE DEAUT[66]. Gerade eine Beschreibung der Entwicklung jüdischer Exegese von biblischen Schriften an bis zu den Rabbinen hätte Wright auf die Arbeiten über die Qumran-Exegese stoßen lassen müssen, welche die exegetischen Gattungen ziemlich eindeutig definieren[67]. Le Déaut wehrt sich anscheinend sogar gegen eine endgültige Definition von "Midrasch": "S'il est impossible de définir le midrash, c'est qu'il fait partie de la vie juive où il a connu une immense popularité, de ce domaine de l'existentiel qui se refuse à la conceptualisation, qu'il est d'abord la réponse à la question: 'Que veut dire l'Écriture pour la vie d'aujourd' hui?'"[68]. Verschiedene Gründe für diese Nichtdefinierbarkeit macht Le Déaut dafür verantwortlich: Es sind dies 1. der Mangel an Bewußtsein von Gattungen bei antiken Schriftstellern, die statt dessen willentlich in einer bestimmten Tradition schrieben[69], 2. der fragmentarische Charakter der Midraschliteratur, trotz ihres beträchtlichen Umfangs, 3. die Schwierigkeit, die allerersten Midraschelemente ausfin-

---

66 A propos d'une définition du midrash: Biblica 50 (1969) 399f.

67 Le Déaut, ebda. 398.

68 Le Déaut, ebda. 403.

69 Dies führt auch schon Wright, Midrash 110 an, indem er seinerseits B. Vawter, Apocalyptic: Its Relation to Prophecy: CBQ 22 (1960) 33 zitiert.

dig zu machen[70], 4. das kaum entwickelte Haggadah-Studium[71]. Selbst ein Targum ist insofern ein Midrasch oder jedenfalls midraschartig, als er oft vom Originaltext weit abweichende Übersetzungen liefert[72], ja öfters ist es schwierig, zwischen Targum und Midrasch zu unterscheiden, wie die Diskussion um 1QGenAp gezeigt habe[73].

4.5. Die einzelnen Midrascharten

Das hier vorausgeschickte und vorausgesetzte Verständnis von Midrasch als Form jüdischer Schriftauslegung oder -kommentierung wäre als solches viel zu wenig und viel zu undifferenziert, um es für den Fortgang der vorliegenden Untersuchung zu verwenden. Wie jede literarische Gattung kann man den Midrasch nach literarischer Form oder Struktur und Inhalt unterscheiden. So kann man inhaltlich den halachischen vom haggadischen Midrasch auseinanderhalten; strukturmäßig spricht man vom exegetischen, vom homiletischen und vom erzählenden Midrasch. Im Unterschied zum exegetischen und homiletischen kennt der erzählende Midrasch keine Trennung zwischen Text und Kommentar: Die Verflechtung und Durchdringung beider ergibt eine neue Erzählung[74]. Seit den Qumranfunden wurde dieser Reihe noch der sogenannte Midrasch

---

70 Diese sind vielleicht zu sehen in den "Korrekturen der Schriftgelehrten" (תיקוני סופרים), die zu Anfang des Exils vorgenommen werden. Vgl. dazu R. Le Déaut, La tradition juive ancienne et l'exégèse chrétienne primitive: SBEsp 27 (1965) 11 und J. Koenig, L'activité.

71 All diese Gründe bei Le Déaut, A propos 403. - Die letzte der genannten Feststellungen trifft auch Vermes, Bible and Midrash 203: "Since the historical study of midrash, and particulary of haggadah, is still in its infancy ...".

72 Le Déaut, A propos 407.

73 Le Déaut, ebda. 410.

74 Weimar, Formen 144. 155.

Pescher beigesellt[75]. Für unseren Zweck nicht so wichtig erscheint die Bedeutung von "Midrasch" als "Tradition" oder auch als "Schule"[76]. Inhaltlich höchst bedeutsam ist die Ausgerichtetheit der Arbeit des jüdischen Exegeten am biblischen Text: "Die jüdische Exegese wurzelt im Midrasch, und das Ziel des Midrasch ist, den Bibeltext zu aktualisieren, d.h. zu zeigen, daß das alte Bibelwort sich bezieht auf geschichtliche Ereignisse in der Zeit des Erklärers"[77]. Diese inhaltlichen und formalen Charakterisierungen sind also als einzelne Konkretisierungen des Midrasch zu verstehen, der als solcher zunächst darstellt "die Bemühung um das immer genauere Verständnis der Schrift, das sie zum Gegenstand der Forschung, des sich exegetisch in ihre Implikationen Einbohrens (hebräisch: Midrasch) macht"[78]. In späterer, rabbinischer Sprache hatte der Midrasch - neben seiner Bedeutung "Studium", "Untersuchung" - die Schriftauslegung zum Hauptinhalt. Deshalb bedeutete er dann sowohl Auslegungs<u>prozeß</u> wie Auslegungs<u>ergebnis</u>[79]. Der Plural letzterer heißt Midrasch<u>ot</u>, wohingegen die literarische Sammlung solcher Auslegungsergebnisse sich Midrasch<u>im</u> nennt[80]. Beispiele zu inhaltlichen wie formalen Kriterien des Midrasch sollen dessen Natur deutlich machen. Auch soll der Midraschtypus angedeutet werden, dem der 1QpHab als midrasch"verdächtige" Schrift zugewiesen werden könnte.

---

75 Weimar, ebda. 137.

76 M. Gertner, Terms 9.

77 Seeligmann, Voraussetzungen 170.

78 G. Scholem, Offenbarung und Tradition als religiöse Kategorien im Judentum, in: ders., Über einige Grundbegriffe des Judentums, Frankfurt 1970, 96.

79 Wright, Midrash 118.

80 Wright, ebda.

4.5.1. "Midrasch" im AT[81]

Innerhalb des hebräischen Kanons tritt מדרש nur an zwei Stellen auf, und zwar im zweiten Chronikbuch. In 13,22 heißt es: "Die übrige Geschichte Abijas, seine Taten und Worte, sind aufgeschrieben im Midrasch des Propheten Iddo" (כתובים במדרש הנביא עדו). In 2 Chr 24,27 wird abschließend zu König Joschafat von Juda ähnlich bemerkt: "(Weiteres über) seine Söhne, den schweren Tribut, der ihm auferlegt wurde, und die Erneuerung des Gotteshauses, siehe es ist aufgeschrieben im Midrasch des Buches der Könige" (הנם כתובים על-מדרש ספר המלכים). Daß hier mit מדרש Werke mit geschichtlichem Inhalt gemeint sind, ist deutlich, aber wie sie sich zu den Samuel- und Königsbüchern verhalten, inwieweit der Chronikautor aus diesen exzerpierte und/oder das vorgegebene Material veränderte und kommentierte, ist uns nicht bekannt. O. EISSFELDT[82] äußert sich in der gleichen Richtung: "Jedenfalls müssen wir uns den Midrasch als ein Aufnahmegefäß für vielerlei Material darstellendes Kompilationswerk vorstellen, das keineswegs aus einem Guß war, sondern Unstimmigkeiten und Wiederholungen aufwies. Es versteht sich von selbst, daß es unter diesen Umständen nicht ganz leicht ist, in unserem Buch (gemeint ist 2 Chr - H.F.) zwischen dem aus dem Midrasch und etwaigen anderen Quellen Übernommenen einerseits und den eigenen Erzeugnissen des Chronisten andererseits zu scheiden".
Auch in Ben Sira ist die Rede von 'Midrasch', allerdings mit enklitischem Personalpronomen (Sir 51,23): "So nahet euch mir, ihr Unwissenden, und in meinem Lehrhaus haltet euch auf" (לינו בבית מדרשי). Auffallend ist hier der erstmalige Gebrauch von bêt-hammidraŝ als einem Terminus, wobei מדרש hier allerdings keinen literarischen Terminus darstellt.

---

81 Vgl. zu diesem Kapitel Wright, Midrash 113-116, sofern nicht anders vermerkt.

82 Einleitung 725.

Auch ist nicht unmittelbar die Tätigkeit des Bibelinterpretierens angesprochen; vielmehr schlägt Wright vor, מדרשׁ einfach mit "Studium" zu übersetzen[83].

4.5.2. Midrasch Halacha

Ähnlich wie bei "Midrasch" muß zunächst das Wortfeld von "Halacha" abgesteckt werden. So lassen sich vier Bedeutungen ausmachen, in denen "Halacha" (Plural: Halachot, von הלך, "gehen", "wandeln") verwendet wird[84].

1. Es werden zunächst die religionsgesetzlichen Lehrentscheidungen, die sich auf die תורה שׁבעל פה, das ungeschriebene Gesetz also, stützen, Halachot genannt. Als solcher findet der Terminus erste Verwendung bei den Tannaiten, der ersten klassischen Rabbinergeneration vom 1.-3. Jahrhundert n.Chr. Um den Unterschied zur תורה שׁבכתב zu wahren, war es (offiziell) streng verboten, diese Halachot schriftlich festzuhalten.
2. Weiterhin besagt Halacha eine Gesetzesverordnung, die sich nicht aus einer Schriftexegese her ableitet - im Gegensatz zum (exegetischen) Midrasch. Diese Art Halacha ist in der Mischna, dem grundlegenden Text über jüdisches Gesetz (redigiert ca. 200 n.Chr.), zusammengefaßt worden. - Älter als die Mischna ist der Midrasch, der selbst eine Abkürzung von מדרשׁ תורה ist und ursprünglich gerade eine halachische Toraauslegung bezeichnete. Da aber viele Midraschim haggadischen Charakters hinzukamen[85], wurde "Midrasch" bedeutungsmäßig zu unscharf, so daß der spezifische Terminus "Midrasch Halacha" geschaffen werden mußte[86].

---

83 Wright, Midrash 116: "the noun could merely mean 'study'".

84 Vgl. bis auf weiteres M. Lewittes, The Nature 256f. 308, Anm. 2.

85 Zum Midrasch Haggada vgl. unten folgendes Kap. 4.5.3.

86 Lauterbach, Midrash 163. - Freilich gibt es hinsicht-

3. In späterer Zeit wurde "Halacha" bei Verordnungsunklarheiten synonym mit einer allgemein akzeptierten oder autorisierten Meinungsäußerung.
4. Schließlich wurde die Halacha als Bezeichnung für die jüdische Gesetzestradition abgehoben von der Haggada, d.h. der sich nicht mit dem Gesetz befassenden oder auf ein solches abzielenden Schriftauslegung.

Allgemein lassen sich die Methoden des halachischen Midrasch, der sich auf die Bibel stützt, unter drei Punkte zusammenfassen[87]:

1. Ein Bibelvers wird interpretiert und ihm eine religionsgesetzliche Regelung für den Gegenstand entnommen, von dem der auslegende Autor gerade spricht. Daneben kann eine Halacha an Stelle vieler anderer im Bibeltext potentiell vorhandener Halachot entnommen werden, sofern diese ihr inhaltlich und gehaltlich analog sind.
2. Jeder biblische Vers und Vorgang gelten derart als Beispiel, daß aus ihnen eine praktisch anzuwendende Halacha für alle Zeiten entnommen werden darf.
3. Aus biblischen Erzählungen und Versen können auf symbolischem Wege halachische Regelungen extrahiert werden.

Ein Wesenselement zur Erstellung von Halachot haben wir in logisch aufgebauten hermeneutischen Regeln zu sehen[88]. So

---

lich des zeitlichen Vorrangs zwischen midraschischer und mischnaischer Form der Halacha auch eine von S. Zeitlin aufgestellte Gegenthese: Nach ihm wurde die Halacha ursprünglich ohne Bibelbeweis gelehrt. Vgl. G. Stemberger, Klassisches Judentum 142f., worin dieser sich für Zeitlins These ausspricht. Allerdings ist die herrschende Auffassung so wie die von Lauterbach vertretene; vgl. auch Safrai, Jüdisches Volk 97.

87 Vgl. im folgenden Safrai, ebda. 95f.

88 M. Kadushin, The Rabbinic Mind 126.

leitet sich eine beträchtliche Zahl halachischer Regeln durch Anwendung der 13 "Middot" (etwa "Maße", "Regeln"; vgl. Hebräisch מדד) Rabbi Ismaels ab[89], die aber eigentlich nur eine Entfaltung der sieben Hillel zugeschriebenen Regeln sind[90] und selbst in nachtalmudischer Zeit zu den 32 bzw. 33 Regeln des Rabbi Eliezer erweitert wurden[91]. Anwendung finden diese Regeln in der haggadischen Auslegung; damit ist implicite festgehalten, daß der wesenhafte Unterschied zwischen Haggada und Halacha nicht in der Struktur, sondern im Inhalt liegt[91a].

Hillel muß diese sieben, im Folgenden darzulegenden Regeln nicht selbst aufgestellt haben, jedoch könnte seine Namensnennung darauf hinweisen, daß sie im späten ersten Jahrhundert v.Chr. übernommen worden sind[92]. Ganz am Anfang der Aufstellung von hermeneutischen Regeln hatten sogar nur drei Hillelsche Auslegungsprinzipien bestanden: גזרה שוה , קל וחמר und היקש[93]. Deutliche Parallelen zwischen den Hillelschen Middot und hellenistischen Rhetorikregeln sind unübersehbar, wenn auch direkte Abhängigkeit jener von diesen nicht nachweisbar ist[94]. Diese sieben Auslegungsregeln sind

89 Kadushin, ebda.

90 Stemberger, Klassisches Judentum 133ff.

91 Stemberger, ebda. 132. 137.

91a Diese Unterscheidung zwischen Struktur und Inhalt des Midrasch wird sich bei der gattungsmäßigen Bestimmung des Pescher als bedeutsam erweisen.

92 Stemberger, Klassisches Judentum 133.

93 Zeitlin, Historical Study 31. - Zur Erklärung von גזרה שוה und קל וחמר siehe sogleich unten. היקש gibt Zeitlin mit "analogy of subjects" wieder.

94 Stemberger, Klassisches Judentum 133. Vgl. dazu genauer D. Daube, Rabbinic Methods of Interpretation and Hellenistic Rhetoric: HUCA 22 (1949) 239-264; F. Manns, Une Source de l'Aggada juive: La litterature grecque: SBFLA 29 (1979) 111-114; E.E. Hallewy, Biblical Midrash and Homeric Exegesis: Tarbiz 3 (1961) 157.

- kurz charakterisiert - folgende[95]:

1. קל וחמר	("leicht und schwer") - der Schluß a minori ad maius, d.h. vom Leichten, minder Bedeutenden, auf das Schwere, Bedeutendere und umgekehrt
2. גזרה שׁוה	("gleiche Satzung") - der Analogieschluß, der dann anwendbar ist, wenn zwei zu vergleichende Torasätze dieselben Ausdrücke verwenden
3. בנין אב (מכתוב אחד)	("Gründung einer Familie - von einem Geschriebenen") - die Verallgemeinerung eines besonderen Gesetzes, die von einer Bibelstelle ausgeht
4. בנין אב משׁני כתובים	("Gründung einer Familie - von zwei Schriftstellen") eine Gesetzesverallgemeinerung, die sich auf zwei Bibelstellen stützt
5. כלל ופרט וכלל	("Allgemeines und Besonderes und Besonderes und Allgemeines") - der Schluß vom Allgemeinen auf das Besondere und umgekehrt
6. כיוצא בו במקום אחר	("Dem Gesagten Ähnliches an einer anderen Stelle")

95 Vgl. im folgenden Stemberger, Klassisches Judentum 134-136. Ellis, Paul's Use 41. - Strack, Einleitung 96ff.

	- nicht so streng geregelter Analogieschluß
7. דבר הלמד מענינו	("Eine Sache, die aus dem Inhalt erschlossen wird") der Schluß aus dem Kontext.

Ein Beispiel soll die Anwendungsmöglichkeit einer der vorangestellten hermeneutischen Regeln verdeutlichen[96]. Es wurde oben bereits festgehalten, daß wir es in der Mischna mit Halachot zu tun haben, die im Allgemeinen nicht direkt aus einer Schriftexegese her abgeleitet sind. Die ältesten Halachot dieser Art haben wir von Jose ben Joezer, und zwar im Mischnatraktat ᶜEdyot 8,4 in Neziqin, dem vierten Seder. Es sind freilich gleich drei Halachot, die sich hier im - ausnahmsweise aramäischen - Originaltext finden[97]:

העיד יוסי בן יועזר איש צרידה	"Jose ben Joezer of Zeradah stated
על איל קמצא שהוא דכן	regarding the Ayyal Kamza (a certain species of locust) that it is to be considered as clean (i.e. permitted to be eaten)
ועל משקה [97a]בית מטבחיא (דאינון) דכיין	and regarding the liquids of the slaughtering place that they are considered to be clean
ודיקרב במיתא מסתאב	and that (only) that, which has come into direct contact with a dead body becomes unclean.

96 Vgl. Lauterbach, Midrash 213f.

97 Englische Übersetzung ist von Lauterbach übernommen.

97a Lauterbach läßt das ת aus, vom Autor ergänzt.

וקרו ליה יוסי שריא — And they (the other teachers) called him 'Jose the Permitter'." -

Die zweite von Jose getroffene Regelung soll uns hier interessieren: ועל משקה בית מטבחיא דאינון דכיין . Diese Halacha ist auf dem Hintergrund von Lev 11,34b zu sehen, wo die Unreinheit von Getränken angesprochen wird: וכל משקה אשר ישתה בכל-כלי יטמא[98]. Nach Lauterbach liegt hier eine Schlußfolgerung "vom Allgemeinen auf das Besondere" (כלל ופרט, s. Regel Nr. 5 oben) vor: Im obigen Leviticus-Zitat sieht Jose in כל משקה den כלל, der durch אשר ישתה כלי als dem פרט näher bestimmt wird. Dadurch aber, daß der משקה בית מטבחיא nicht trinkbar ist, somit auch nicht aus einem Gefäß zu sich genommen wird, fällt er nicht unter die Regel der Unreinheit bestimmter Getränke bzw. Flüssigkeiten. M. a.W.: Jose konnte aufgrund der Anwendung von כלל ופרט in Lev 11,34, die eine Differenzierung von כל משקה durch den פרט in Form des אשר ישתה <u>בכלי</u> erlaubte, sein משקה בית מטבחיא als von der genannten levitischen Vorschrift nicht betroffen sehen: Die Opferflüssigkeiten sind deshalb nach seiner Auslegung rein. - Daß diese und andere neue Regelungen Joses nicht unbedingt ungeteilten Beifall fanden, erklärt der Nachsatz im zitierten Traktat: וקרו ליה יוסי שריא - "und (deshalb) nannte man ihn Jose den 'Erlaubenden'".

4.5.3. Haggada

4.5.3.1. Allgemeines

Der Midrasch Haggada (abgeleitet vom Hiphil des biblisch-hebräischen נגד ; aramäisch: Aggada), der also im Gegensatz zum Midrasch Halacha den gesamten homiletischen Komplex des midraschischen Schrifttums bezeichnet, wurde im Judentum gerne dazu benutzt, innerhalb jüdisch-christlicher Ausein-

---

98 In seinem Zitat läßt Lauterbach das כל vor כלי weg.

andersetzungen zu zeigen, daß das Judentum hinsichtlich seiner religiösen Überlieferungen nicht auf seine gesamte schriftliche Tradition festgenagelt werden konnte: Nur dem religiösen Recht solle Verbindlichkeit zukommen. Die Praxis erwies aber zudem, daß die religiöse Motivschicht des Judentums nicht hinter anderen Religionen zurückstand: "Die Halacha und der Minhag (das Brauchtum) geben an, WAS der Jude zu tun hat. Die Haggada und das religiöse Denken in seiner religiösen Überlieferung enthält die Erklärungen dafür, WARUM er es tun soll bzw. tut"[99]. Die ersten Manifestationen der Haggada sind seit Beginn der wissenschaftlichen Erforschung der jüdischen Literatur im vorigen Jahrhundert immer weiter zurückverlegt worden, von den tannaitischen Midraschim, d.h. den Deutungsschriften der rabbinischen Gotteslehrer des 1. bis 3. Jahrhunderts n.Chr., über die letzte Redaktionszeit der geschriebenen Tora bis hin zum Pentateuch außer der Genesis[100]. Das bedeutet, daß die Haggada in direkter Kontinuität mit der Schrift selbst entwickelt wurde[101]. Dies hatte schon Leopold ZUNZ - einer der Begründer der Wissenschaft vom Judentum - im vorigen Jahrhundert konstatiert, wobei er aber auch darauf hinwies, daß die Haggada in ganzer Fülle zuerst in der mischnaischen Periode auftritt[102]. Zur Zeit der ersten großen Auseinandersetzungen mit dem Christentum, d.h. der ersten Jahrzehnte des zweiten nachchristlichen Jahrhunderts, bricht die Skepsis gegen die Haggada hervor: Man will sich im Judentum

---

99 Maier, Geschichte 3.

100 Vermes, Scripture 3 bzw. 127. - So auch Seeligmann, Voraussetzungen 180.

101 Vermes, Scripture 127.

102 L. Zunz, Die gottesdienstlichen Vorträge der Juden historisch entwickelt. Ein Beitrag zur Altertumskunde und biblischen Kritik, zur Literatur- und Religionsgeschichte, Hildesheim 1966 (reprographischer Nachdruck der Ausgabe Frankfurt a.M. 1892), 179-195.

mehr auf die Halacha konzentrieren, die als jüdisches Proprium die Grenzen zum Christentum besser verdeutlichen konnte. Das Christentum hatte ja gewissermaßen auch haggadische Traditionen[103].
Bedeutende Hauptwerke der Haggada sind nicht anzutreffen. Dies wird einerseits aus der Art der schriftlichen Überlieferung verständlich: Kommentare und thematische Ausführungen der verschiedensten Rabbinen werden mosaikartig zusammengestellt; insofern ist in der Haggada die Theologie der Pharisäer gegeben[104]. Andererseits liegt dies aber auch im "Sitz im Leben" der Haggada, im mündlichen Lehr- und Predigtvortrag begründet[105]. Von daher ergeben sich auch die mannigfaltigen haggadisch-literarischen Formen: Biblischer Kommentar, Erzählung, biographische oder historische Anekdote, Sage, Märchen, Fabel, Sprichwort, philosophisch-ethische Maxime, Trostrede, Drohspruch und dergleichen[106]. Inhaltlich besteht die Haggada wesentlich aus Bibelauslegung[107], aber man kann auch von einer historischen und sittlich-religiösen Haggada sprechen, wobei Überschneidungen zwischen diesen drei Teilgebieten unvermeidlich sind[108].
Bei der biblischen Haggada dreht es sich nun nach G. STEMBERGER primär nicht um den Wortsinn der Bibel, denn sie muß sich nicht auf die Tradition berufen wie die Halacha und ist deshalb auch nicht als so verbindlich aufzufassen[109]

---

103 L. Baeck, Der alte Widerspruch gegen die Haggadah, in: ders., Aus drei Jahrtausenden. Wissenschaftliche Untersuchungen und Abhandlungen zur Geschichte des jüdischen Glaubens, Tübingen 1958, 184f.

104 Travers Herford, Pharisäisches Judentum 182.

105 Stemberger, Klassisches Judentum 161.

106 Stemberger. ebda.

107 Stemberger, ebda. 164.

108 Stemberger, ebda. 162f.

109 Stemberger, ebda. 164f.

ist doch ihr allgemeines Ziel die "religiöse Daseinsbewältigung" und "sittlich-religiöse Belehrung", weswegen die Haggada die Halacha ergänzen soll[110]. Daß die Rabbis sich größere Freiheiten in der haggadischen Behandlung eines Bibeltextes erlauben, bestätigt zwar L.I. RABINOWITZ[111]: In masoretischer Manier kümmern sie sich um sprachliche Besonderheiten, interessieren sie sich für die Gematrie, ungewöhnliche Syntax, Erklärungen von Eigennamen, versuchen sie anonyme Personen, wie sie im Schrifttum auftauchen, zu identifizieren. Auch er führt diese Art der Bearbeitung eines Textes auf die Absicht der Vermittlung ethischer Lehren und erbaulicher Gedanken zurück[112]. Dennoch weist er darauf hin, daß die Textinterpretationen oftmals eine deutlichere Beziehung zum Text haben, als man auf den ersten Augenblick vermuten würde[113]. Diese Beziehung zum Text bei aller im Vordergrund stehenden haggadischen Homiletik stellt konkreter J.Z. Lauterbach[114] in der Einführung zur Mekhilta, einem tannaitischen Midrasch über das Buch Exodus, fest: "It (die Mekhilta) derives its beautiful teaching and its high ethical ideas from the scriptural words by means of a special kind of interpretation. This interpretation is based upon a peculiar play on words, upon their position in the scriptural context, or upon the emphasis on certain words or forms of words". Von einem gleichartigen Verfahren, das er "adaptive" nennt, berichtet S. SCHECHTER[115] in seiner Einleitung zur "Wisdom of Ben Sira": "This (= die Adaptierung von Schriftpassagen, Sätzen und Worten an Ben Siras

---

110 Stemberger, ebda. 162f.

111 The Study 143.

112 Rabinowitz, ebda.

113 Rabinowitz, ebda.

114 Mekilta 57.

115 S. Schechter/Ch. Taylor, The Wisdom.

'Weisheit') he managed mostly by slightly altering the biblical text, by transposing words or giving them a different pointing or by omitting or adding some words, or by combining various phrases, sometimes also by giving to the Biblical expression a meaning foreign to its original purport". Dies geht sogar so weit, daß Schechter[116] dazu direkt feststellt: "Another noteworthy feature is that B.S.'s production is not quite free from Aggadic elements or Midrash. These are traceable in certain passages which already show a tendency towards expanding or developing the word of the Scripture into some instructive lesson or edifying story". Seeligmann[117] betont seinerseits in seinem Aufsatz zur Midraschexegese die Kategorie der Adaption für das biblische Denken wie für den modernen Exegeten, der anhand ihrer feststellen kann, inwiefern Gesetzgeber, Dichter und Propheten fremde, aber doch gemeinorientalische Stoffe, zu denen auch die Umwandlung mythischer Traditionen gehört[118], dem religiösen Denken Israels angepaßt haben. Bei der Haggada geht die adaptive Auslegung allerdings in die typologische über[119]. Es gilt also, bei der Behandlung eines haggadischen Midraschs die Beziehung Lemma-Kommentar genauer im Auge zu behalten, um zu einem exakteren Verständnis der jeweiligen Schrift zu gelangen, das sich auf philologisch-literarische Analysen stützen kann, eine Forderung, deren Ignorierung Silberman schon Elliger in dessen Bearbeitung des 1QpHab vorgeworfen hatte[120], ohne allerdings expressis verbis zu behaupten, der 1QpHab sei ein haggadischer Midrasch.

---

116 Ebda. 29.

117 Voraussetzungen 168.

118 P. Schäfer, Der Götzendienst 152.

119 Seeligmann, Voraussetzungen 168.

120 Silberman, Riddle 325. 334f.

4.5.3.2. Die haggadische Aktualisierung

Das Konzept der Aktualisierung in der haggadischen Midraschexegese verbindet sich implicite mit einer Beobachtung der Geschichtskonzeption, wie sie sich uns in der nachbiblischen Literatur darbietet[121]. Diese Beobachtung - unter Inblicknahme der gesamten hier zu leistenden Arbeit - hat aus vielerlei Gründen zu geschehen:

1. Die Art des Verhältnisses von haggadischem Midrasch zur Aktualisierung muß erhellt werden, um das Verständnis des haggadischen Midraschs unter einem bestimmten Gesichtspunkt zu vertiefen.
2. Der 1QpHab weist erwiesenermaßen[122] eine Auslegung des Propheten Habakuk auf, die als aktualisierend zu bestimmen ist. Diese Tatsache der Aktualisierung in 1QpHab ist schon einmal ein Kriterium dafür, daß der qumranische Habakukkommentar ein (haggadischer) Midrasch ist[123].
3. Die nachfolgende Erörterung ist auf dem Hintergrund der Aktualisierung als Substanz des Midraschs insofern von Belang, als hier ein erstes Licht auf die Art der Viereckbeziehung Prophetie - Geschichte - Aktualisierung - Eschatologie/Apokalyptik fällt.
4. Es ergeben sich aus diesen vorangegangenen drei Punkten unmittelbare Konsequenzen für ein Verständnis des Zusammenhangs Pescherexegese - Eschatologie/Apokalyptik. -

Von allen altorientalischen Völkern hat sich Israel dadurch abgehoben, daß es eine bedeutende und hochstehende Geschichtsschreibung hervorgebracht hat. Sehr frühe Reflexionen geschichtlicher Vorgänge begegnen uns in Siegesliedern,

---

121 Seeligmann, Voraussetzungen 170.

122 Vgl. oben Kapitel 2.3.2.

123 Vgl. dazu nochmals Seeligmann, Voraussetzungen 170.

etwa im Deboralied (Ri 5), im Siegeslied nach Sauls Heimkehr vom Philisterkrieg (1 Sam 17,6ff.), aber auch im Leichenlied Davids auf den Tod Sauls und seiner Söhne (2 Sam 1,17-27). Vorher schon erfahren wir von Moses und Miriams Siegeslied nach dem Untergang des ägyptischen Heeres im Schilfmeer (Ex 15). Echte Geschichtsschreibung aber - wenn auch in späterer, deuteronomistischer Geschichtsschreibung[123a], ist anzutreffen in den Davidsgeschichten des zweiten Samuelbuches, in den Erzählungen von Abimelechs Königtum (Ri 9), von Absaloms Aufstand (2 Sam 13-20) und in der Beschreibung von Jehus Revolution (2 Kön 9f.)[124]. Den Hintergrund zu dieser eigentlichen Geschichtsschreibung stellt die Epoche des erwachenden Nationalbewußtseins auf der Grundlage alttestamentlichen Glaubens dar. Nationales und religiöses Interesse haben also offenbar den Anstoß zu einer derartigen Geschichtsschreibung gegeben[125]. Besonders die politisch-nationale Motivation hebt Eissfeldt[126] hervor: "Die Schaffung eines einheitlichen großen und starken israelitischen Reiches, wie sie David gelungen ist, muß ein nationales Hochgefühl erzeugt haben, das der Entstehung hi-

---

123a Diese deuteronomistische Redaktion darf nicht aus den Augen verloren gehen, wenngleich die Ermittlung der einzelnen redaktionellen Schichten des DtrG noch nicht als abgeschlossen betrachtet werden kann, vgl. R.Smend, Die Entstehung des Alten Testaments (Theologische Wissenschaft 1), Stuttgart-Berlin-Köln-Mainz 1978, 123. Fohrer bestreitet gar das Vorhandensein eines deuteronomistischen Geschichtswerkes, vgl. Einleitung in das Alte Testament, Heidelberg [11]1969, 211f. Dennoch sei - ohne diese Problematik hier ausarbeiten zu können - für die hier gestreiften Passagen der Schrift festgehalten: 2 Sam 13-20 (Absalomaufstand) und 1 Kön 1-2 faßt man gewöhnlich als Thronnachfolge Davids zusammen, aber sie liegen als solche in späterer, deuteronomistischer Bearbeitung vor.

124 Geis, Das Geschichtsbild 120. - Vgl. a. G. Fohrer, Einleitung 223-257.

125 Fohrer, Das Alte Testament 113.

126 Einleitung 186.

storischer Werke außerordentlich günstig war... So liegt die Annahme nahe und ist auch oft vertreten worden, daß es Davids Taten oder die Erinnerung daran war, die erstmalig einen Mann veranlaßt hat, eine an die Menschheitsgeschichte anknüpfende Darstellung von Israels Geschichte zu geben"[127]. Diese Historiographie setzt sich fort bei Esra bzw. im Chronistischen Geschichtswerk und im ersten Makkabäerbuch[128]. Das Außerordentliche dieser Art von Geschichtsschreibung besteht nun darin, daß das ganze israelitische Credo einen in der Geschichte wirkenden Gott bekennt und sich von daher auf geschichtliche Ereignisse gründet[129]. "Nicht die Schöpfungsordnung der Welt, sondern die geschichtliche Erwählung Israels durch den Gott, der es ebenfalls in der Geschichte aus Ägypten geholt hatte, ist Grundlegung und ständige Voraussetzung des israelitischen Glaubens"[130]. Dabei unterscheidet sich die israelitische - wie auch die hethitische - von anderen Geschichtsschreibungen dadurch, daß sie eine Handlungsdarstellung liefert[131]. Der Unterschied zwischen israelitischer und hethitischer Geschichtsschreibung ist wiederum der, daß diese die geschichtlichen Ereignisse aus der Distanz, von einem genau fixierten Zeitpunkt aus wiedergibt; dabei wird das logische Verhältnis der Handlungsteile und der historischen Hintergründe genauer dargelegt als bei den israelitischen Historiographen[132]. Bei diesen hingegen erscheint die geschichtliche Handlung "als ein vom handelnden Subjekt her gesehener,

---

127 Zur Geschichtsschreibung außerhalb Israels und deren Motivation siehe sogleich unten.

128 Geis, Geschichtsbild 120.

129 Stemberger, Klassisches Judentum 167.

130 Stemberger, ebda.

131 Cancik, Grundzüge 8.

132 Cancik, ebda. 8f.

durch menschlichen Willen und Verstand bewirkter Zusammenhang"[133]. Diese wesentlich "anthropozentrische Geschichtsbetrachtung" läßt die Geschichte als sinnvollen Prozeß verstehen[134]. Nun ist schon in der babylonischen wie in der hethitischen Historiographie die Konzeption einer geschichtlichen Ereignisabfolge von der einer Folge menschlichen Tuns und Handelns, d.h. von der Erkenntnis eines Zusammenhangs zwischen Tat und Folge, abgelöst[135]. Dieser Zusammenhang zwischen Tat und Folge, zwischen Tun und Ergehen, die sogenannte synthetische Lebensauffassung, ist auch dem AT nicht unbekannt[136]. - Bei den Hethitern besteht eine weitere Nuance darin, daß sie ihre Geschichte als Erwählung und Führung durch die persönliche Schutzgottheit begreifen[137]. Zwei qualitativ unterschiedliche Kennzeichnungen weist aber die israelitische Geschichtsschreibung noch dazu auf: 1. Der Geschichte Israels liegt ein H e i l s p l a n zugrunde; 2. der altorientalische Geschichtsbegriff ist - wenn auch bewußtseinsmäßig nicht so vorhanden - umgewandelt in die Konzeption des Gerichts[138]. Dieser richterliche Akt ist zu verstehen als Reaktion auf den Verstoß Israels als des Volkes Jahwes gegen eben diesen göttlichen Heilsplan. Ein weiterer wichtiger Unterschied zwischen hethitischer und israelitischer Geschichtsschreibung besteht darin, daß bei den Hethitern Historiographie sich auf die königliche Selbstdarstellung und -verherrlichung beschränkt: "Dieser Bereich wird niemals überschritten"[139]. Dagegen sind die

---

133 Cancik, ebda. 9.

134 Cancik, ebda.

135 Gese, Geschichtliches Denken 135.

136 Gese, ebda.

137 Gese, ebda. 140.

138 Gese, ebda. 142.

139 H. Schulte, Entstehung 6.

israelitischen Geschichten mehr als Hofhistoriographie: In ihnen besteht die neue Qualität in der Frage nach der Verwirklichung von Gerechtigkeit[140].
Ein gänzlich anderes Bild stellt sich uns für die rabbinische Zeit dar: Das rabbinische Judentum hat keinerlei Historiographie aufzuweisen[141]. Darüber hinaus scheinen die Rabbinen abgesehen von der Bibel keine weiteren Geschichtsquellen oder -bearbeitungen zu kennen; griechische Historiker oder Flavius Josephus finden keine Erwähnung[142]. Auch scheint sie die zeitgenössische Geschichte nicht gerade in ihren Bann zu schlagen[143]. Ein Sich-Befassen mit der Vergangenheit findet natürlich insofern statt, als das AT Gegenstand der Auslegung ist und die darin enthaltenen Traditionen weitergebildet werden; nur ist dieses Interesse eben nicht historiographischer Art. - Wenn somit die Frage nach Geschichts<u>schreibung</u> bei den Rabbinen mit einem sicheren "Nein" beantwortet werden kann, ist es doch etwas anderes, einen Zugang zum rabbinischen Geschichts<u>verständnis</u> zu suchen[144]. In der Beschäftigung der Rabbinen mit dem AT, d.h. mit seinem historiographischen Schrifttum und seinen Traditionen muß der Ausgangspunkt zur Erfassung eines solchen Geschichtsbildes oder einer solchen -auffassung zu suchen sein.
Als Beispiel sei Sifre, ein Midrasch zu Numeri und Deuteronomium, angeführt. In Bezug auf Dtn 34,1 wird geschildert, wie Gott Mose vor seinem Tode die Zukunft Israels schauen läßt: Den Einzug ins Land, Josuas, Baraks und Gideons Kämpfe, Friedensjahre wie Heimsuchungen einzelner Stämme, von

---

140 Schulte, ebda. 7.

141 Schäfer, Geschichtsauffassung 23.

142 Stemberger, Klassisches Judentum 167.

143 Stemberger, ebda.

144 Schäfer, Geschichtsauffassung 23ff.

Rut abstammende Könige und von Rahab abstammende Propheten, Errichtung und Zerstörung des Tempels, den Endkampf mit Gog und das Schicksal des Volkes bis zu den letzten Tagen[145]. Da in dieser Schilderung kein Aufzählungsprinzip erkennbar ist, stehen die erwähnten geschichtlichen Situationen beziehungslos nebeneinander; die eklektisch verbundenen Einzelgeschehnisse weisen keinen Schwerpunkt und keine Klimax auf[145a]. "Die geschichtliche Kontingenz der markierten Situationen tritt hinter der allgemeinen Überzeugung zurück, daß all dies nach einem göttlichen Plan abläuft, der seit alters festliegt und angesichts dessen den Bewegungen der Geschichte keinerlei fallweise Entwicklung zugestanden zu werden braucht"[146]. In einem weiteren Beispiel bemerkt H. Müller[147] zu Sifre Dtn §324: "Auch hier nivelliert das vorgeordnete Wissen um die göttliche Geschichtssouveränität die namhaft gemachten Geschehnisse zurückliegender Tage zu didaktischer Gleichrangigkeit und drängt die aus den alttestamentlichen Summarien bekannte Vorstellung von der Geschichte als einem Spannungsfeld einfallender Verheißungen und sich realisierender Erfüllungen in den Hintergrund ab"[148]. Gott stellt also kein neues Verhältnis zu Israel in der Geschichte her, indem er sich an alte geschichtliche Heilssetzungen hält: Er steuert die Geschichte planmäßig auf ein Ende zu, ohne innergeschichtliche Heilsgründungen,

---

145 M. Friedmann (Hg.), Sifre, Wien 1864, §324. - So angegeben bei N.N. Glatzer, Zur Geschichtslehre der Tannaiten.Ein Beitrag zur Religionsgeschichte, Berlin 1933, 40.

145a K. Müller, Geschichte 92.

146 Müller, ebda. 92.

147 Müller, ebda. 93.

148 Anhand dieses Beispiels läßt sich eine fundamental unterschiedliche theologische Motiviertheit zwischen Rabbinischer Literatur und etwa dem Neuen Testament feststellen.

ohne heilsgeschichtliche Konzeption[149]. Dieses Ende der Geschichte ist die Zeit der Erlösung, die messianische Zeit, wobei Ende nicht im Sinne des Anbruchs etwas qualitativ völlig Neuen zu begreifen ist: Der Messias lebt in einer Zeit dieser Welt[150]. Diese planmäßige Führung durch Gott mag zu einem Verzicht auf die Teilnahme an der Geschichte und damit auf Geschichtsschreibung überhaupt bewegen: "Der Jude bewirkt nicht mehr Geschichte, er erleidet sie"[151]. Das heißt: Da es vorläufig keine jüdische Geschichte mehr gibt, nimmt man passiv an der Geschichte der anderen teil[152]. Damit drängt sich aber jetzt die präzisierbare Frage auf, welches Verhältnis Talmud und Schriftgelehrte zu diesem oben erwähnten Geschichtsplan haben. Sollte nun der Glaube beim Volk und Pharisäer- bzw. Rabbinentum angesichts all der widerwärtigen Ereignisse der Geschichte des frühjüdischen und talmudischen Judentums nach 135 n.Chr. aufrecht erhalten werden können, galt es, den göttlichen Geschichtsplan, wie er sich mehrmals in der Vergangenheit als Walten göttlicher Gerechtigkeit gezeigt hatte, als wirksam bis in die Gegenwart hinein aufzuweisen. Die Lösung dieses Problems lag für die Tannaiten in der Aktivierung der "Geschichte": "Die tannaitische Geschichtslehre unternimmt ... eine Teilung der Geschichte unter dem Gesichtspunkt der Sichtbarkeit des göttlichen Planes: die Epochen, in denen der Mensch den Sinn des Geschehens zu erfassen vermochte, die planhellen Zeiten, erfahren in der tannaitischen Lehre eine Vergegenwärtigung und Aktualisierung,

---

149 Müller, Geschichte 94f. - Dieser Punkt trifft jedoch nur für die Geschichtssummarien der talmudischen Haggadot, nicht mehr für die pharisäische Gebetstradition zu.

150 Schäfer, Geschichtsauffassung 37. 39.

151 Geis, Geschichtsbild 123.

152 Geis, ebda. 124.

die in plandunklen Zeiten ein Ausharrenkönnen im Glauben an den Plan bewirken sollte"[153]. Als planhellste Zeit galt den Tannaiten dabei der Exodus und die Wüstenwanderung[154]. Eine solche Theologie nun, die sich - abgesehen von der Schöpfung - auf das Eschaton der Geschichte konzentrierte, ließ natürlich den theologischen Wert der biblisch-geschichtlichen Traditionen verblassen[155]. Aber gerade in der Aktualisierung der einstmaligen geschichtlichen Ereignisse erweist sich das spezifisch rabbinische Geschichtsverständnis: Das "Geschichtsmaterial ist lediglich Aufhänger für die Belehrung der Gegenwart, nicht jedoch mit der Absicht dargeboten, aus der Geschichte zu lernen"[156]. Die radikale Aktualisierung kann sogar über die Zeit des Erklärers hinaus dem Endziel der Geschichte zugeordnet werden und berührt sich dann schon mit der Apokalyptik[157]. Solche Sonderformen der Aktualisierung bilden sich gerade in Zeiten politischer Krisen und religiöser Verfolgungen heraus, wo das Weltende oder jedenfalls eine gewaltige, die ganze Welt erfassende Umwandlung sehnlichst erwartet wird[158].

4.5.3.3. Ein Beispiel zu einem haggadisch-exegetischen Midrasch: die Pessach-Haggada

Im Midrasch der Pessach-Haggada haben wir es mit einer Dtn 26,5-8, das "kleine geschichtliche Credo"[159], Vers-für-Vers interpretierenden Schrift aus entweder der letzten Hälfte

153 Glatzer, Geschichtslehre 34f.

154 Glatzer, ebda. 35.

155 Müller, Gesschichte 104.

156 Stemberger, Klassisches Judentum 168.

157 Stemberger, ebda. 169.

158 Seeligmann, Septuagint Version 82.

159 Vgl. dazu Literaturangaben bei Weimar, Formen 140, Anm. 66.

des dritten oder der ersten Hälfte des zweiten vorchristlichen Jahrhunderts zu tun[160]. Dtn 26,5-8 wurde wenigstens in späterer Zeit nach dem Postulat des Deuteronomiums (26, 1-11) jedes Jahr von Jerusalemer Pilgern anläßlich der Darbringung der ersten Früchte zitiert und war somit beim Volke wohlbekannt. Es sei lediglich der Beginn der Pessach-Haggada, d.h. Dtn 26,5 und der Midrasch dazu in Übersetzung wiedergegeben[161]:

Dtn-Text	Midrasch-Text
	Geh hin und lerne, was Laban, der Aramäer, unserm Vater Jakob antun wollte. Pharao hatte es nur auf das männliche Geschlecht abgesehen, Laban aber wollte alles vernichten, wie es heißt:
Der Aramäer wollte meinen Vater vernichten[162], der zog nach Ägypten, hielt sich dort mit wenigen Personen auf und wurde dort zu einem großen, starken und zahlreichen Volke (Dtn 26,5)	
1. Er zog nach Ägypten	unter Zwang, auf göttlichen Ausspruch.

---

160 L. Finkelstein, The Oldest Midrash 239. - Vor Finkelstein galt die Pessach-Haggada als tannaitischer Midrasch; dafür wurden Änderungen im vorliegenden Pessach-Text geltend gemacht. Allerdings vermutet E.D. Goldschmidt eine kürzere ursprüngliche Form aus der Zeit des Zweiten Tempels (vgl. The Passover-Haggada. Its Sources and History, Jerusalem 1960, 30-35, hebr.).

161 Der Text ist übernommen von Weimar, Formen 138. Vgl. auch N.N. Glatzer (Hg.), The Passover Haggadah with English Translation, Introduction and Commentary, New York 1969, 30-35. - Es wird hier nur der erste Teil der Pessach-Haggada von Weimar übernommen, weil sich in ihm schon fast alle wichtigen Interpretationscharakteristika anfinden lassen.

162 Diese problematische Übersetzung von Dtn 26,5 wird hier nachfolgend besprochen werden.

2. Und er hielt sich dort auf	Das lehrt uns: Jakob, unser Vater, ging nicht nach Ägypten, um sich dort anzusiedeln, sondern zu vorübergehendem Aufenthalt, wie es heißt: Sie sagten zu Pharao: Wir sind hergekommen, um uns hier aufzuhalten, denn es gibt keine Weide für die Schafe deiner Knechte infolge der schweren Hungersnot in Kanaan. Und mögen doch deine Knechte im Lande Gosen wohnen dürfen (Gen 47,4).
3. Mit wenigen Personen	wie es heißt: Mit nur siebzig Personen zogen deine Väter nach Ägypten. (Und nun hat dich der Herr, dein Gott, so zahlreich gemacht wie die Sterne des Himmels) - Dtn 10,22.
4. Und wurde dort zu einem Volk	Das lehrt uns: daß die Israeliten in Ägypten kenntlich blieben.
5. Groß, stark	wie es heißt: Die Israeliten wurden fruchtbar, wimmelten, wurden sehr zahlreich und stark (und das Land füllte sich mit ihnen) - Ex 1,7.
6. Und zahlreich	wie es heißt: Zehntausendfach wie der Sproß des Feldes hatte ich dich gemacht, du wurdest zahlreich und groß ... doch warst du nackt und bloß (Ez 16,7).

Aus dem vorausgeschickten Text ist ersichtlich, daß die Auslegung der gesamten Pessach-Haggada nicht nur die einzelnen Verse, sondern auch Versteile kommentiert, der Ausleger sich also eng an den Text hält. Wichtig ist dabei, daß diese Kommentierung in unserem Abschnitt der Haggada

1. mit einer Formel eingeleitet werden kann (außer 1.)
2. a) nicht-biblisch ist (1.,4.)
   b) rein biblisch ist (3., 5., 6.)

c) sowohl nicht-biblisch wie biblisch ist (2.).

Es gilt also festzuhalten, daß "eine zusammenhängende Bibelstelle zergliedert, so zu sagen in ihre einzelnen Bestandteile zerlegt wird und sodann jedes Textelement mit Hilfe eines aus einem anderen (!) Zusammenhang stammenden Bibelverses verdeutlicht wird"[163]. Dies geht folgendermaßen vonstatten: Die Einleitungsformeln sind unterschiedlich und hängen von der Art der jeweiligen Kommentierung ab. Ein Schriftzitat wird immer mit einer Zitationsformel eingeführt: "wie es heißt" - שׁנאמר (כמה). Der nicht-biblischen Deutung geht die Deutungsformel "das lehrt uns, daß" (מלמד -שׁ in 2.,4.) oder ein "das ist" in anderen Stellen des Midraschs (זו - III.3.; אלו - III.4.; זה - III.5.[164]) voran. Nur an zwei Stellen des gesamten Textes fehlt ein solches die Kommentierung vom Text abhebendes Stichwort (I.1.; IV. 1.). Der deutungsqualitative Unterschied zwischen מלמד שׁ- und זה/אלו/זו ist in unserem Falle offenbar der, daß bei ersterer Formel lehrhaft homiletische Ausführungen folgen, bei letzteren kurze Wortinterpretationen, die auffallenderweise konzentriert in zwei Blöcken vorkommen (III.3-5.; IV. 2.-6.) und in ihrer Art bekannt sind unter der Bezeichnung "symbolisch-allegorische Bibelexegese"[165]. Diese Struktur der Deutungstechnik ist nach Seeligmann die wohl "älteste Form der fortlaufenden Texterklärung"[166]. Hier findet sich bereits die Grundstruktur der Kunstform des rabbinisch-exegetischen Midrasch mit dessen zahlreichen Deutungen und angeführten Schriftzitaten[167].

---

163 Seeligmann, Voraussetzungen 180. Hervorhebung von mir.

164 Vgl. Textaufteilung und Übersetzungen der Deuteeinleitungsformeln bei Weimar, Formen 138-140 bzw. den hebräischen Text bei Glatzer, Passover Haggada 36.

165 Schoeps, Beobachtungen 77; vgl. auch Silberman, Riddle 329.

166 Seeligmann, Voraussetzungen 180.

167 Weimar, Formen 142.

Durch diese Textdeutungen soll also eine Neuinterpretation für die Gegenwart und auch eine Aktualisierung des Textes erreicht werden[168]. So wird z.B. in I.1. davon geredet, daß Jakob unter Zwang, auf göttlichen Ausspruch hin (אנוס על-פי הדבור) nach Ägypten gezogen wäre. Da es in der entsprechenden Bibelstelle keinen derartigen Hinweis gibt, nimmt Finkelstein[169] an, daß diese Ausdeutung zeitgenössische Juden von einer Flucht nach Ägypten abhalten sollte. Ägypten war ja schon immer Zufluchtsort für Juden in Zeiten wirtschaftlicher und politischer Krisen gewesen. Konkret nimmt Seeligmann[170] diese Aktualisierung für die Zeit des Antiochus Epiphanes an, d.h. er setzt die Abfassungszeit der Pessach-Haggada in die erste Hälfte des zweiten vorchristlichen Jahrhunderts, also etwas später als Finkelstein. - Der eigentliche Aktualisierungsausgangspunkt ist schon am Beginn der Haggada ausgesprochen. Dem Auslegungsteil vorangestellt ist ja das Zitat von Dtn 26,5, dessen erster Satzteil mit der Übersetzung bekannt ist: "Ein umherirrender (oder dem Untergang naher) Aramäer war mein Vater" (ארמי אבד אבי). Bei der Pessach-Haggada nun geht aus dem dem Dtn-Zitat vorangestellten Satz hervor, daß Laban, eine der Nebengestalten der Patriarchengeschichte, Jakob etwas antun wollte (מה-בקש לבן ארמי לעשות ליעקב אבינו) und somit noch eine größere Gefahr darstellte als Pharao, wollte er doch alles vernichten (ולבן בקש לעקור את-הכל); allerdings geht dies aus den Patriarchenerzählungen nicht hervor. Auch ging Jakob nicht aufgrund eines von Laban ausgeübten Drucks nach Ägypten. - Der - von uns heute so genannte - massoretische Text wird nun, um die oben ausgesprochene Behauptung der Bedrohung Jakobs durch Laban beweisen zu können, in der Haggada anders gelesen: anstatt ארמי אֹבֵד אבי liest

---

168 Weimar, ebda.

169 Oldest Midrash 304.

170 Septuagint Version 85; vgl. auch Weimar, Formen 141 und Literatur dort (Anm. 67).

der Midraschist: ארמי אִבֵּד אבי. Dies kann aber nur eine absichtlich falsche Lesart sein: "The wording 'the Aramaean wanted to destroy my father', however shows a sovereign contempt of the grammatical possibilities of the Hebrew Text"[171]. Seeligmann wendet sich also offensichtlich nicht gegen die historisch-theologische Uminterpretation des Dtn-Textes[172], sondern er hat grammatische Bedenken, die er allerdings nicht näher darlegt; ja er selbst liefert eine logische historisch-theologische Erklärung für besagte "Umlesung" des Bibeltextes[173]: Hinter dem alles zerstörenden Aramäer Laban der Pessach-Haggada steckt in Wirklichkeit Antiochus Epiphanes, der mit seinem Verbot jüdischer Religionspraxis den Juden das Lebenselixier nahm, weswegen Jakob, d.h. größere Judengruppen, sich nach Ägypten aufmachen wollten. Die Aktualisierung findet also in der Pessach-Haggada ihren Ausdruck in der Übertragung der verzeichneten Labanfigur auf den Seleukidenkönig Antiochus Epiphanes[174].

---

171 Seeligmann, ebda. 85; vgl. auch Finkelstein, Oldest Midrash 300.

172 Diese findet ja eben durch die (natürlich unsichtbare) Umvokalisierung des Dtn-Textes innerhalb der Pessach-Haggada statt.

173 Seeligmann, Septuagint Version 85f.

174 Die hier dargestellte Aktualisierung auf dem Hintergrund der Regierungszeit von Antiochus Epiphanes hat eine "Konkurrentin" in Gestalt der arabischen Übersetzung des samaritanischen Pentateuch. Dieser liest ārammi abbed ābī, woraus allerdings noch nicht deutlich wird, wer Subjekt und wer Objekt in besagter Passage ist. Der Gebrauch der arabischen Verbform 'sthlk stellt allerdings diesen samaritanischen Pentateuch in die Reihe der alten jüdischen Tradition "Ein Aramäer suchte meinen Vater zu töten". Entscheidend ist hierbei, daß die "Umlesung" von Dtn 26,5 somit ins vierte vorchristliche Jahrhundert zurückverlegt werden kann. Andererseits gilt es nach dem Alter besagter arabischer Übersetzung zu fragen: Nach Fohrer, Einleitung 556, stammt sie erst aus dem 11.-12. Jahrhundert! Und die Kernfrage ist hierbei: Stand dem arabischen Übersetzer aus dem Mittelalter noch eine bis in die Zeit

4.5.4. Ausblick auf eine dem Midrasch verwandte Methode des Schriftangangs: der Targum

Unter einem Targum (תרגום) versteht man eine für den synagogal-liturgischen Gebrauch bestimmte Übersetzung aus dem Bibelhebräischen ins Aramäische. Die Wurzel des Wortes erscheint als RGM im Assyrischen und Ugaritischen und bedeutet soviel wie "laut sprechen" oder "feierlich verkünden"[175]. Wohl schon im Exil, spätestens aber in der nachexilischen Zeit wechselte die nichtgebildete jüdische Bevölkerung ihre hebräische Muttersprache gegen die aramäische Umgangssprache ein, Hebräisch verblieb als bloße Literatur- und Kultsprache[176]. Daraus ergab sich die Notwendigkeit, die hebräische Toralesung ins Aramäische zu übersetzen, was

---

der Entstehung des samaritanischen Pentateuch zurückreichende Tradition zur Verfügung? Der samaritanische Pentateuch ist ja unpunktiert. - Aber abgesehen davon kann gefolgert werden: Die Unverträglichkeit mit den Pentateuchfakten und der aramäischen Stammeszugehörigkeit Jakobs im Zusammenhang mit der Darbringung der Erstfrüchte (Dtn 26,1-10) und der frühnachexilischen Rezitierung von Dtn 26,5-10 erlauben eine weitere Zurückverschiebung der Entstehungszeit besagter Interpretationen von Dtn 26,5 ans Ende des 5. Jahrhunderts. - Überdies ist eine stillschweigende Umvokalisierung des אֹבֵד in אַבֵּד nicht unbedingt notwendig gewesen, und damit läge auch kein Verstoß gegen die grammatikalischen Möglichkeiten des Textes vor, wie Seeligmann behauptet hat (vgl. oben S. 110): Dieses אֹבֵד könnte auch als Po'el gelesen werden, eine Form, die sich dem Piel anschließt und das Suchen, Trachten nach etwas ausdrückt (vgl. Gesenius/Kautzsch, Hebräische Grammatik § 55 b und v. Zum Ganzen vgl. F. Dreyfus, "L'araméen voulait tuer mon père": L'actualisation de Dt 26,5 dans la tradition juive et la tradition chrétienne, in: M. Carrez/J. Doré/P. Grelot (Hg.), De la Tôrah au Messie. Etudes d'exégèse et d'hermeneutique bibliques offertes à Henri Cazelles pour ses 25 années d'enseignement à l'Institut Catholique de Paris, Paris 1981, 147-161, bes. 150-155).

175 Gertner, Terms 17.

176 So jedenfalls Stemberger, Geschichte 80; Hamp, Bibelübersetzungen 384.

zunächst nur mündlich geschehen durfte; später konnte diese Übersetzung aber auch schriftlich fixiert werden[177]. Daß es bereits in vorrabbinischer Zeit Targumim gab, beweisen sowohl die in Qumran gefundenen Targumim zu Ijob und Leviticus wie auch die Wiederentdeckung eines frühen Pentateuchtargums, des Codex Neophyti[178]. Weitere Targumim zum Pentateuch sind: Der Targum Onkelos, der bedeutend umfangreichere Targum Jeruschalmi I (auch Pseudojonathan genannt) und der palästinische (jerusalemische) Pentateuchtargum. Zudem gibt es noch aramäische Übersetzungen zu den Propheten (Targum Jonathan) und zu den Hagiographen der hebräischen Bibel (außer Daniel und Esra-Nehemia) wie zum samaritanischen Pentateuch.

Typisch - und innerhalb von unserer Interpretationsthematik von Interesse - für den Targum ist es, die Schrift mehr oder weniger frei zu paraphrasieren, populär zu interpretieren, mißverständliche Anthropomorphismen fernzuhalten, geographische Namen zu modernisieren u.a.m.[179]. Neben längeren haggadischen Abschnitten finden sich allerdings fast wörtliche Übersetzungen. Dadurch, daß der Targum nun auch midraschische, also haggadische wie halachische Elemente in seiner deutenden Übersetzung und auch Aktualisierung verwendet, fällt es bisweilen schwer, zwischen Targum und Midrasch zu unterscheiden[180]. Dies wird von daher verständ-

---

177 Stemberger, Geschichte 81; Hamp, Bibelübersetzungen 384. - Das älteste Zeugnis dafür lesen wir in Neh 8,8: ויקראו בספר תורת האלהים מפרש ושום שכל ויבינו במקרא. So sieht es auch die rabbinische Tradition: yMeg 4,74 d. (vgl. Moise Schwab, Le Talmud de Jerusalem, Bd. IV, Paris 1960, 246). - So angegeben bei Vermes, Bible and Midrash 201.

178 Stemberger, Geschichte 81.

179 Hamp, Bibelübersetzungen 384.

180 Zu den halachischen und haggadischen Elementen vgl. A. Berliner, Targum Onkelos. Einleitung, Jerusalem 1968 (Facsimile Reprint der Ausgabe von Berlin 1884), 224.

lich, daß eine der hauptsächlichen Entwicklungsquellen des Midrasch der Targum ist[181]. Nach R. Bloch[182] stellt der Targum ebenfalls den mündlichen und auch schriftlichen Ausgangspunkt für den Midrasch dar, d.h. er ist der Angelpunkt zwischen Schrift und Midrasch. So nimmt es nicht wunder, wenn wir im Targum Buchstabenwechsel, -erweiterung, -verminderung und -versetzung antreffen, was als Interpretationshilfe auch in der klassisch-jüdischen Exegese verwendet wird[183]. Neue targumische Interpretationen können auf einfachen Wortspielen oder Wortassoziationen beruhen[184]. Die dadurch bedingten Schwierigkeiten der Unterscheidungsmöglichkeit zwischen Targum und Midrasch können am Beispiel des in Qumran aufgefundenen Genesisapokryphons aufgewiesen werden: Sein Text besteht nämlich zum Teil aus einer wörtlichen Übersetzung, noch mehr aber aus Paraphrasierungen des Genesistextes; die wörtlich übersetzten Sätze sind dabei eingekreist von ihrer eigenen Auslegung, weswegen das 1QGenAp nicht einfach als Targum bezeichnet werden kann[185]. Einerseits ist seine Genesisbearbeitung weit vom Targum Onkelos entfernt, andererseits stehen seine Paraphrasierungen den Midraschpassagen des Pseudojonathan nahe[186]. - Ohne jetzt vorschnell eine Entscheidung für oder gegen eine Bezeichnung des hier als Beispiel erwähnten 1QGenAp als Midrasch oder als Targum zu fällen, soll doch die Targummethode gekennzeichnet werden, um Parallelen zum, aber vor

---

181 Le Déaut, Un phénomène 507. Vorsichtiger: M. McNamara, Targums, in: IDB, Suppl., New York 1962, 858.

182 Moïse dans la tradition Rabbinique: CSion 8 (1954) 214f. - So wiedergegeben bei Patte, Hermeneutic 52f.

183 Berliner, Onkelos 200ff.

184 Le Déaut, Nuit Pascal 59.

185 Fitzmyer, Genesis Apokryphon 32.

186 Fitzmyer, ebda.

allen Dingen Kriterien zur Unterscheidung des Genesisapokryphons vom Midrasch zu gewinnen.

R. Le Déaut hat sich mehrmals als Targumforscher geäußert, so auch in dem schon erwähnten Aufsatz aus dem Jahre 1971, in dem er die wichtigsten Charakteristika des Targums zusammenstellt, ohne aber diese zu werten oder deren Verhältnis zueinander zu erörtern[187]. Diese beiden Charakteristika sind den beiden hauptsächlichen Zielen der "Targumismen", d.h. den konkreten schriftlichen Ergebnissen des Schriftangangs durch den Targumisten (525), unterstellt: Sie sollen den biblischen Text einsichtig und theologisch akzeptabel machen, womit sie gleichzeitig die Aufgaben der Haggada zusammenfassen (510)[188]. Diese Kennzeichen hat Le Déaut in acht Punkten zusammengefaßt:

1. Der Targum soll in erster Linie einen Text verstehen lassen, wozu er sich improvisierter und einfacher Lösungen bedient (510).
2. Eine häufig hierbei anzutreffende Lösung ist die Glosse, welche als Exegese dunkle Textstellen erhellen soll (513).
3. Der Targum ist für das Volk bestimmt; seine Exegese ist deswegen ganz anderer Art als die rabbinische und erst recht als die moderne (516).
4. Bei schwierigen oder sogar widersprüchlichen Texten erscheint - unter Beibehaltung des traditionellen Schriftverständnisses - die vorgegebene Schriftpassage in der targumischen Wiedergabe vollkommen verändert (517)[189].
5. Jede Bibelstelle ist durch eine andere erklärbar; der

187 Le Déaut, Phênomêne 510-523. Vgl. entsprechende Zahlenhinweise im Text.

188 Le Déaut zitiert hier G. Vermes, Haggadah in the Onkelos Targum: JSS 8 (1963) 169.

189 Vgl. hierzu M.L. Klein, Converse Translation: A Targumic Technique: Bib. 57 (1976) 515-537.

Targumist verfährt also vollkommen unhistorisch, ja bisweilen verzerrt er die tatsächliche Historie (518f.)[190].

6. Adaption und Aktualisation sind zwar auch schon durch den Midrasch bekannt, aber sie sind auch ein ganz wesentlicher Zug im Targum (519).
7. Die synagogale Tora- und Prophetenlesung schafft eine gegenseitige Beeinflussung zwischen Lesungstexten und ihren Übersetzungen; dabei läßt sich das Vorkommen targumischer Glossen mit der Feier bestimmter Festtage erklären (522).
8. Die auslegende Bibelübersetzung muß die traditionelle Interpretation der jeweiligen Schriftstelle beibehalten (522).

Welche nun die Vorgehensweise des Targumisten ist, aufgrund deren man erst die genannten acht Kennzeichen zusammenfassen kann, hat Le Déaut an anderer Stelle unterbreitet[191]. Er unterscheidet dort zunächst ein analytisches von einem synthetischen Procedere des Targumisten. Daß eine Bibelstelle durch eine andere erklärbar ist, d.h. die Bibel durch die Bibel verstehbar wird, und daß der Targumist alte Texte neuen historischen Umständen angleicht, erfordert einen allumfassenden Blick für das gesamte biblische Panorama. Dieser Blick bestimmt seinerseits die analytische Durchforschung biblischer Texte. Andererseits ist der gesamte Ablauf der Heilsgeschichte, der göttlichen Worte und Taten, vom Targumisten synthetisch zu sehen (58f.). Dieser allumfassenden Übersicht steht natürlich die isolierte Interpretation eines Verses oder einer Versgruppe gegenüber (60). - Eine Parallele zum Midrasch Haggada findet sich auch darin, daß in der Behandlung einer Bibelstelle alle

---

190 Vgl. dazu auch Le Déaut, Nuit Pascal 59f.

191 Le Déaut, ebda. 58-62. Vgl. entsprechende Seitenangaben im Text.

bekannten Traditionen, die auf diese Stelle Bezug nehmen, angeführt werden, ohne daß man an der etwaigen Unvereinbarkeit dieser Traditionen Anstoß nimmt. Dieses Phänomen ist übrigens auch aus der rabbinischen Literatur bekannt (60). Dahinter verbirgt sich ein Denken, das nicht auf menschliche Logik, sondern auf den Glauben Israels an Gott und sein Wort setzt (61). - Ebenfalls haggadisch ist schließlich die Tendenz zur Ausschmückung, ja zum Auswuchs biblischer Geschichten im Targum (62). Dieses Ausweiten biblischer Details hat allerdings letztlich eine mnemotechnische Funktion.

Bei aller augenfälligen Ähnlichkeit, ja historischen Genese von Targum zu Midrasch ist das entscheidende Kriterium zur Unterscheidung beider die Intensität der Textbindung, und diese ist beim Targum sichtlich deutlicher: "The purpose of the targum is to give translation plus incidental material; the purpose of the midrash is to give homiletic material with incidental connection to the text. And this purpose is often reflected in the outward form: a targum sets out to give the full biblical text whereas a midrash frequently does not. There is good reason then to retain the traditional title targum for the more fulsome ones and to speak of them as targums with midrashic sections"[192]. Diese gelungene Unterscheidung Wrights erlaubt somit auch eine literargenerische Einordnung des 1QGenAp: Das - jedenfalls stellenweise - Vorkommen von wörtlichen Übersetzungen aus der Genesis weist das Genesisapokryphon unweigerlich der Rubrik der Targumim zu. Aber J.A. FITZMYER [193]

192 Wright, Midrash 423.

193 Genesis Apokryphon 32. - Wright, Midrash 426, tendiert letztlich doch eher dazu, das Genesis Apokryphon als Midrasch zu verstehen: "At present, it can be said that the expansions on Gn in GA (= Genesis Apokryphon - H.F.) are certainly midrash and that there is some degree of probability that the whole work is". - M.R. Lehmann wiederum neigt zu einer Subsumierung des GA unter den Targum: "We can ... place 1QGenAp in the midrashic column of the Targumim" (RQ 1 (1958) 251).

differenziert noch weiter: "In our opinion, this comparison of the Genesis Apocryphon reveals, that it is prior to the Targums. It may be that some of the translations and interpretations of the Genesis text which we find in it are at the root of the interpretations given in the later Targums. However, there is no way to prove this, since no direct literal dependance of the Targums on the Genesis Apocryphon can be shown".

4.6. Schriftauslegung im NT

Zum Umkreis der in Qumran betriebenen Schriftexegese gehört selbstverständlich auch das Neue Testament wegen seiner zeitlichen wie örtlichen Nähe. Neben den hauptsächlichen exegetischen Zügen gilt es wohl als sinnvoll, die Auslegungspraxis nachzuweisen, die sich von der in Qumran ausgeübten herleiten könnte, wenn wir nicht fehl in der Annahme gehen, daß alle neutestamentlichen Schriften - bis vielleicht auf das Corpus Paulinum - jünger als die Qumrantexte sind. Ein Beispiel paulinischer Exegese soll eine mögliche Nähe zur qumranischen Auslegungspraxis aufweisen, bevor dann endlich auf den Problemkreis des qumranischen Schriftverständnisses selbst, seiner Interpretationsmethoden und -strukturen eingegangen werden kann.

4.6.1. Allgemeines

Das NT steht dem AT in einer gewissen Ambivalenz gegenüber. Einerseits wissen sich Jesus, die neutestamentlichen Ausleger und das Urchristentum insofern an das AT - so wie wir es heute nennen - gebunden, als sie wie das pharisäisch-rabbinische Judentum die Schrift exegetisieren: Damit stehen die neutestamentlichen Ausleger im Kontext einer lebendigen exegetischen Tradition, die ihnen sowohl die Umbildung einzelner Texte von eben dieser Tradition her erlaubt wie eine eigene christliche Schriftgelehrsamkeit erwachsen ließ[194].

Das neutestamentliche Offenbarungsgeschehen in der Person Jesu als des Christus relativiert andererseits das alttestamentliche Gotteswort. Dadurch, daß Jesus und noch mehr die Urchristengemeinde sich in ihrer Gegenwart als dem letzten Zeitabschnitt vor dem von Gott zugesagten Endheil, d.h. ganz allgemein vor der endgültigen Herrschaft Gottes in der Welt nach deren Neuschöpfung durch Jesus Christus glauben, erfährt das AT seinen letztlichen Sinn und seine Erfüllung nur von gerade diesem Endheil her[194a]. Deshalb versteht das NT die hebräische Bibel als Verheißung "und gar nichts anderes"[195]. Allerdings werden im NT zweierlei Vorbehalte gegenüber dem Alten Bund geltend gemacht: 1. Insofern, als das AT auf eine heilsgeschichtliche Erfüllung außerhalb seiner hinweist, ist es in seinen kultischen und zeremoniellen Bestandteilen nicht maßgebend. 2.a) Jesus selbst beansprucht die Vollmacht, Gesetz und Propheten erst ihren wahren Sinn zu verleihen und Gottes eigentlichen Willen offenzulegen (vgl. Mt 5,17:Μὴ νομίσετε ὅτι ἦλθον καταλῦσαι τὸν νόμον ἢ τοὺς προφήτας·οὐκ ἦλθον καταλῦσαι ἀλλὰ πληρῶσαι). 2.b) Paulus stellt dem von den Juden nicht verstandenen γράμμα die erst jetzt begriffene γραφή gegenüber[196] (2 Kor 3,7ff.). - Diese beiden Vorbehalte weisen auf Christus als Herrn und Ziel der Schrift hin (Joh 5,39:ἐρευνᾶτε τὰς γραφάς,ὅτι ὑμεῖς δοκεῖτε ἐν αὐταῖς ζωὴν αἰώνιον ἔχειν καὶ ἐκεῖναί εἰσιν αἱ μαρτυροῦσαι περὶ ἐμοῦ).Diese Entwicklung geht aber noch weiter: Dadurch, daß das Christentum den allein richtigen Schlüssel für die Auslegung des Alten Bundes zu haben behauptet, gerät es in einen Gegensatz zum Judentum[197].

---

194 W.G. Kümmel, Art. Schriftauslegung: III. Im Urchristentum, in: RGG, Bd. 5, Tübingen 1961, 1517f.

194a Kümmel, ebda. 1519.

195 D.F. Baumgärtel, Verheißung. Zur Frage des evangelischen Verständnisses des Alten Testamentes, Gütersloh 1952, 71.

196 Kümmel, Schriftauslegung 1519.

197 F.J. Schierse, Art. Altes Testament (IV. Die interpre-

Dieser Gegensatz verdankt sich sieben formalen neutestamentlichen Motiven, in denen sich die Deutung des alttestamentlichen Anfangs durch das NT ausspricht und die hier aufgrund des oben Gesagten keiner weiteren Ausführung bedürfen:

- Überbietung (des AT durch das NT)
- Folienmotiv (erster Verständnisansatz für Typologie)
- Erfüllung (der Schrift)
- Abänderung (des alttestamentlichen Gesetzes)
- Abschaffung (des Alten Bundes)
- Absolutheit (der neutestamentlichen Offenbarung)
- Abfall (der Juden).

Gerade die drei ersten Motive, das der Überbietung, der alttestamentlichen Folie und der Erfüllung, tragen noch ein weiteres Moment in sich, welches das NT sowohl mit den Qumranschriften verbindet als auch beide vom frühen und klassischen Judentum absetzt: Die prophetische Tradition. So faßte sich das Urchristentum als ein prophetisches Phänomen auf[198] (vgl. etwa Apg 2,17-21). Die Qumrangemeinschaft weiß sich insofern in einer prophetischen Tradition stehend, als sich 1. in ihr die einstige Prophetie endgültig erfüllt, 2. der qumranische מורה הצדק am Ende eines langen göttlichen Selbsterschließungsprozesses[199] als Nachfolger der Propheten steht[200]. So ist es auch nicht weiter erstaunlich, wenn das NT sich mehr mit alttestamentlicher Prophetie als

---

tatio christiana des Alten Bundes), in: LThK, Bd. 1, Freiburg 1957, 394.

198 Barrett, The Interpretation 403.

199 Der Ausdruck "Selbsterschließungsprozeß" soll anstelle "Offenbarung" gewählt werden, weil jedenfalls im Frühjudentum und besonders in der Qumranliteratur von "Offenbarung" nicht ohne weiteres gesprochen werden kann, wie noch zu zeigen sein wird, siehe Kapitel 5.3.4. und 6.2.3.4.2.2.

200 P. Benoit, Qumran and the New Testament, in: J. Murphy-O'Connor, Paul and Qumran. Studies in the New Testament Exegesis, London 1968, 22.

mit Halacha befaßt[201]. Ja das AT wird vom NT als Prophetie angesehen, die in den neutestamentlichen Geschehnissen, vor allem durch Jesus Christus, aktualisiert wird[202]. Allerdings muß davor gewarnt werden, von daher allzu schnell exegesegeschichtliche Kontakte zwischen Qumran und dem NT herzustellen: Prophetenexegese in Qumran findet in Form des Pescher statt[203], wohingegen im NT die gleiche Exegese öfters in Erzählform abläuft und nachträglich als Schrifterfüllung dargestellt wird[204].

4.6.2. Exegetische Methoden

Das NT enthält zwar keinerlei fortlaufenden Kommentar über irgendein Buch des AT nach Art der aus Qumran bekannten Pescharim, aber in der Nestle-Ausgabe des NT z.B. läßt sich anschließend zum Text auf 13 1/2 Seiten eine ganze Reihe von alttestamentlichen Zitaten und Anspielungen ablesen. Die Art nun, wie Zitate aus dem AT eingebracht werden, ist jeweils recht unterschiedlich: Bisweilen wird der Schrifttext ohne irgendwelchen Hinweis oder Einleitungsformel verwendet; er wird in einen erzählenden Text oder in eine theologische Argumentation eingeflochten[205]. So weisen oft nur Kontext und alttestamentlicher Sprachgebrauch auf Verwendung überkommenen Schrifttums hin, etwa bei der Stephanusrede in Apg 7, bei 1 Petr 2,1-10 oder auch bei Mk 15,24, so daß eine Vertrautheit des Lesers mit dem alttestamentlichen Schrifttum als selbstverständlich vorausgesetzt wird.

Etwas weniger häufig als ohne Hinweis angeführte Schriftstellen begegnen uns auch im NT ausdrückliche Eimleitungs-

---

201 Barrett, Interpretation 395.

202 Barrett, ebda. 410f.

203 Siehe dazu näher unten Kapitel 6.2.3.

204 Barrett, Interpretation 394.

205 Barrett, ebda. 390.

formeln, die im Allgemeinen von den im Judentum üblichen ins Griechische übernommen worden sind[206], etwa: καθὼς γέγραπται, γέγραπται γάρ - vgl. כתוב ; καθὼς εἴρηται - שנאמר; auch findet sich eine Schriftpersonifizierung wie in Röm 10,11: λέγει γὰρ ἡ γραφή, was dem hebräischen כתוב אמר entspräche. Auch werden als solche angenommene Autoren, sei es als sprechende oder schreibende, den eigentlichen Zitaten vorausgeschickt, so etwa Mk 12,36: αὐτὸς Δαυὶδ εἶπεν ἐν τῷ πνεύματι ἁγίῳ ...; 12,19: Μωϋσῆς ἔγραψεν ... Schließlich werden alttestamentliche Figuren gewissermaßen als Mund Gottes dem Schriftzitat vorangestellt, um dessen Übernatürlichkeit hervorzuheben; Apg 4,25: ὁ τοῦ πατρὸς ἡμῶν διὰ πνεύματος ἁγίου στόματος Δαυὶδ παιδός σου εἰπῶν ... -

Auch in der eigentlichen Schriftexegese werden Methoden des palästinischen und hellenistischen Judentums verwendet[207]. So sind im NT mindestens die beiden ersten der Hillelschen Middot anzutreffen, der קל וחומר und die גזרה שוה (vgl. Mk 2,23-28 bzw. Röm 4)[208], etymologische Deutung in Mt 2,23; eine mögliche Gematria in Apk 13,18; auch findet sich die Methode der Allegorie (vgl. 1 Kor 9,9) oder der sekundären Deutung (vgl. Mk 4,13-20)[208a]. Des weiteren findet sich in den Schriften des Neuen Bundes die sog. Peschaṭ (פשט)-Auslegung. Gemeint ist damit - wohlgemerkt nur im hebräischen Sprachgebrauch! - die einfache, klare Bedeutung eines

---

206 Kümmel, Schriftauslegung 1518.

207 Kümmel, ebda.

208 Barrett, Interpretation 392-394. - Die ebenfalls von Kümmel, Schriftinterpretation 1518 angeführte Markusstelle ist kein Analogieschluß im Sinne der גזרה שוה, weil nicht zwei verschiedene Schriftverse, die jeweils mindestens ein gleiches Wort aufweisen, sich gegenseitig auslegen helfen. Hier dürfte eher die Regel des קל וחומר zutreffen.

208a Vgl. Beispiele bei Kümmel, Schriftauslegung 1518.

biblischen Wortes oder Satzes[209]. Der Fachausdruck wurde offenbar zuerst von den babylonischen Amoräern, der zweiten Auslegergeneration des klassischen Judentums (3.-5. Jahrhundert) in diesem Sinne benutzt[210]. So wird in Hebr 11 in Form einer Peschaṭ-Auslegung der alttestamentliche Glaube des Henoch als Vorbild dargestellt (V.5: Πίστει Ἐνὼχ μετετέθη τοῦ μὴ ἰδεῖν θάνατον ...), wenn auch kurz darauf das alttestamentliche Vorbild wieder relativiert wird (V.35)[211]. - In 1 Kor 10,4 haben wir als letztes neutestamentliches Auslegungsbeispiel eine midraschisch ausgeschmückte Geschichtsdeutung vor uns.

Dadurch, daß Autoren sich alttestamentlicher Texte bedienen, ohne auf deren Wortsinn oder Kontext zu achten, ja dieselben alten Texte im NT in mehreren völlig anderen Kontexten und Sinnzusammenhängen verwendet werden, zeigt sich die Anwendung einer neuen Auslegungsmethodik, wie sie zum ersten Mal im NT, näherhin bei Paulus sichtbar wird: Die der Typologie[212]. So treffen wir in Röm 5,14 zum erstenmal auf die Darstellung von Analogien von Personen und Ereignissen innerhalb des Geschichtsablaufs: Christus ist keine Parallele zu Adam, sondern dieser ist τύπος τοῦ μέλλοντος[213]. "In streng 'prädestinatianischem' Sinn (wird) das eschatologische Geschehen in Christus und der Kirche als Verwirklichung des in der Vergangenheit Vorausgeschehenen betrachtet. In der typologischen Deutung des AT zeigt sich darum am klarsten die grundsätzliche Stellung der Urchri-

---

209 Gertner, Terms 20. - Im aramäischen Sprachgebrauch bedeutete später die tatsächlich midraschische Auslegung von Wort oder Satz (Gertner, ebda.).

210 Wright, Midrash 119.

211 Barrett, Interpretation 394.

212 Kümmel, Schriftauslegung 1519.

213 H. Nakagawa, Art. Typologie, in RGG, Bd. VI, Tübingen [3]1962. 1095.

stenheit im AT"[214].

4.6.3. Ein Beispiel zu paulinischer Schriftauslegung: Röm 10,6-8

Das nachfolgende Beispiel soll den Hintergrund paulinischer Exegesetechnik erhellen. - In der Erörterung des Problems der Glaubensgerechtigkeit des Alten Bundes zitiert Paulus im Römerbrief Dtn 30,12 und deutet diese Passage auch (Röm 10,6-8):

τίς ἀναβήσεται εἰς τὸν οὐρανόν;
τοῦτ'ἔστιν Χριστὸν καταγαγεῖν·ἤ·
τίς καταβήσεται εἰς τὴν ἄβυσσον;
τοῦτ'ἔστιν Χριστὸν ἐκ νεκρῶν αναγαγεῖν.

Dreh- und Angelpunkt ist hier die mit der Formel verbundene Deutetechnik des τοῦτ'ἔστιν. Barrett[215] glaubt hier eine Verwandtschaft zu den qumranischen Pescharim zu erkennen: Anstelle des τοῦτ'ἔστιν meint er jedesmal "the pešer of this is" einsetzen zu können, wie wir es aus dem 1QpHab kennen: פשרו אשר oder פשרו הדבר אשר. Übersetzt man aber τοῦτ'ἔστιν ganz einfach ins Hebräische, kommt zunächst nicht mehr als זו oder זה heraus. Diese freilich sind uns sowohl aus der rabbinischen wie aus der qumranischen Exegeseliteratur bekannt: Im Petirah-Midrasch dienen sie - neben אלה - als Einleitungsformeln zu haggadisch-exegetischen Passagen[216]; bei der Erörterung der exegetischen Technik der Pessach-Haggada hatten wir sie ebenfalls schon vorgefunden[217]; innerhalb der Qumranliteratur hatten wir sie bereits als Einführungsformeln zur symbolisch-allegorischen

214 Kümmel, Schriftauslegung 1519.
215 Interpretation 392.
216 Bloch, Studien 268f.
217 Vgl. oben Kapitel 4.5.3.3.

Auslegung gestreift[218]. Barrett ist nun insofern auf dem richtigen Weg, als er τοῦτ' ἔστιν als Einleitungsformel erkennt. Aber voreilig identifiziert er τοῦτ' ἔστιν mit פשר, anstatt daß er jenes korrekt mit זה / זו übersetzt; dies hätte ihn auf die Idee bringen können, daß die Funktion von τοῦτ' ἔστιν wohl die gleiche ist wie die von זה / זו, nicht aber wie die von פשר[219].

Das τοῦτ' ἔστιν im Römerbrief bewegt sich also innerhalb der jüdisch-exegetischen Terminologie und hat nicht etwa Anleihen bei der hellenistischen Rhetorik gemacht[220]. Michel[221] selbst führt ein weiteres Beispiel zum selben Problemkreis aus der Qumranexegese an: Jes 40,3 deutet der qumranische Ausleger (1QS 8,15): "Das ist das Studium des Gesetzes" - היאה מדרש התורה. Paulus aber jetzt gleich wegen seines τοῦτ' ἔστιν von der qumranischen Schriftauslegung abhängig zu machen, ist auch hier nicht recht einzusehen[222]. Angesichts der Tatsache, daß wir es hier mit der im Rabbinentum praktizierten "distributiven Exegese" - ein Schriftwort wird in einzelne Teile zerlegt, welche Teile selbständig gedeutet werden[223] - oder, mit einem anderen Wort, mit einer typisch jüdischen Kettenerklärung zu tun haben[224], verdankt sich die paulinische Exegese - jedenfalls in unserem

---

218 Roberts, Observations 375, Anm. 2. - So auch angegeben bei Silberman, Riddle 329: זה/זו/אלה haben scheinbar פשר ersetzt.

219 Zum פשר-Begriff vgl. unten Kapitel 7.6.2.

220 O. Michel, Der Brief 328. - Schlier bleibt in diesem Punkt unentschieden (vgl. Der Römerbrief (HThK 6), Freiburg-Basel-Wien 1977, 312).

221 Michel, Römer 329.

222 Dies auch gegen F.F. Bruce, The Epistle of Paul to the Romans. An Introduction and Commentary, London 1963, 204.

223 Bläser, Schriftverwertung 165.

224 Windfuhr, Der Apostel 328.

Beispiel - eher jüdisch-exegetischem Gemeingut, freilich nur hinsichtlich der Technik, nicht der Ergebnisse. An diesem Allgemeingut haben eben auch die Qumranleute Anteil gehabt. Die von Paulus gebrauchte Eingangsformel τοῦτ'ἔστιν muß deshalb zur hellenistisch-jüdischen Terminologie gezählt werden und zeigt Paulus hier als haggadischen Midraschisten[225]. - Nicht umsonst spricht auch B. GÄRTNER[226] in der Erörterung des gleichen Textes nur von "similarities" zwischen qumranischer und paulinischer Exegese, denn schließlich haben wir es bei Paulus trotz nicht abreißender Anspielungen und Zitationen auf gar keinen Fall mit einer fortlaufenden Auslegung eines Bibeltextes zu tun[227]. H. BRAUN[228] unterstreicht die Analogie der exegetischen Methoden von Qumran und dem NT, ohne eine exegetische Abhängigkeit des NT von Qumran feststellen zu können.

Anschließend muß freilich auch unterschieden werden zwischen dem mehrmaligen Vorkommen von זה oder זו und seiner Funktion gegenüber τοῦτ'ἔστιν. Mögen זה bzw. זו oder entsprechende Personalpronomina in Qumran oder in der Pessach-Haggada der allegorischen Exegese dienen und leiten sie in der rabbinischen Literatur die Deutungen von Bibelzitaten ein[229], so ist die Funktion des τοῦτ'ἔστιν bei Paulus offensichtlich eine darüberhinausgehende und eigentlich auf etwas anderes abzielende: In Röm 10,6-9 wird nämlich Dtn 30,12f. dahingehend "umfunktioniert", daß aus der Suche

---

225 Windfuhr, Paulus 328. - So auch W. Sanday/A. Headlam, A critical and exegetical commentary on the Epistle to the Romans, Edinburgh 1964 (reprint von 1902) 287.

226 Habakkuk Commentary, 13f.

227 Diese ist ja gerade das strukturelle Kennzeichen des Peschers, vgl. unten Kapitel 6.2.3.2.

228 Braun, Qumran 306-308.

229 W. Bacher, Die exegetische Terminologie der jüdischen Traditionsliteratur, Leipzig 1905, 62.

nach dem Gesetz die Suche nach Christus und seiner Botschaft wird, d.h. in typologischer Terminologie ist aus dem Typos "Gesetz" der Antitypos "Glaube" geworden[230]. Paulus legt also besagte Dtn-Stelle auf Christus hin aus, der nicht mehr das Gesetz, sondern das Heil durch den Glauben nahebringen will[231].

4.7. Zusammenfassung

Vor Qumran findet im AT bereits Schriftauslegung statt. So finden sich in der Genesis Etymologien von Personen- und Ortsnamen; in den anderen Pentateuchbüchern sind gesetzliche Erläuterungen festgehalten. Prophetische Kultpolemik greift alte Opferordnungen an: So wollen vor allem Amos und Protojesaja alte gesetzliche Traditionen obsolet machen. Alttestamentliche Geschichtswerke sind mit midraschartigen Bestandteilen durchsetzt. Das Buch Deuteronomium enthält den frühesten exegetisch bedeutsamen Stoff: Es ist die älteste umfassende Neuinterpretation israelitischer Gesetze[232].

Neue Offenbarung setzt sich mit alter auseinander: Daniel deutet Jeremia um. Propheten und Psalmen deuten die in Pentateuch und Geschichtsbüchern überlieferten Geschehnisse in Israel. Zum selben Zweck bedient sich das Weisheitsbuch des erzählenden Midraschs.

Schriftexegese im engeren, eigentlichen Sinn beginnt in (nach)exilischer Zeit und verbindet sich mit den Namen Esra und Nehemia: Dies meint intensives Studium der Tora und strikte Anwendung ihrer Vorschriften (vgl. Neh 13), Unter-

---

230 Bläser, Schriftverwertung 165 und J. Bonsirven, Exégèse Rabbinique et Exégèse Paulinienne, Paris 1939, 328.

231 Michel, Brief 329.

232 P. Weingreen, From Bible to Mishna. The Continuity of Tradition, Manchester 1976, 143ff. bezeichnet das Buch Deuteronomium u.a. wegen der in ihm enthaltenen mündlichen Tora als "Proto-Mischna".

weisung des Volkes im Gesetz und seine Verpflichtung darauf (Neh 8; 10).

In nachexilischer Zeit rückt die Tora i.e.S. ins Zentrum des geistig-religiösen Lebens des Judentums. Das Bestreben alle Lebensbereiche dem göttlichen Willen zu unterstellen, zeugt die Entwicklung einer ständig wachsenden mündlichen Tora, die - ob selbständig oder interpretatorisch ableitbar - eine der schriftlichen gleichwertige Offenbarungsqualität hat, wobei jene dieser nicht nur entspricht, sondern sie auch logisch ergänzt. Diese Interpretationen werden zum Midrasch verschriftet. Dieser ist ein außerordentlich komplexes literarisches Gebilde, wobei terminologisch folgendermaßen zu differenzieren ist:

- Inhalt des Midrasch: Halacha und Haggada
- Struktur " " : exegetisch; homiletisch, erzählend; hierzu gehört möglicherweise der Pescher als eine Sonderform.

"Halacha" selbst muß wiederum terminologisch differenziert werden. Sie kann sein:

- eine religionsgesetzliche Lehrentscheidung, die sich auf das ungeschriebene Gesetz, d.h. die mündliche Tora stützt,
- eine Gesetzesverordnung, die sich nicht von einer Schriftexegese her ableitet ("Halacha" im Gegensatz zum "Midrasch Halacha"),
- eine akzeptierte oder autorisierte Meinungsäußerung,
- die Bezeichnung für die jüdische Religionsgesetztradition in Abhebung zur Haggada, der sich nicht mit dem Gesetz befassenden Schriftauslegung.

Die Gewinnung von Halachot verlangte nach einer Technik der Auslegung, wie sie in den sieben Middot festgehalten ist. Deren Ausweitung auf 32 (33) Regeln findet in der Haggada Anwendung. - Als deren wesentlichstes Kennzeichen schälte sich die Aktualisierung biblischer Texte auf Zeit und Umstände des Midraschisten heraus. Diese Aktualisierung war schon in 1QpHab festgestellt worden und liefert somit ein erstes Kriterium dafür, daß der Habakukpescher ein haggadischer Midrasch ist oder mindestens in die Nähe dieser Gattung zu rücken ist. - Eine solche Aktualisierung konnte zudem in einem wohl schon vorklassisch-jüdischen Midrasch nachgewiesen werden, nämlich in der Pessach-Haggada. Mindestens genauso wichtig ist bei dieser die Beachtung der Deutungstechnik: Wie in den qumranischen Pescharim haben wir es mit einer fortlaufenden, d.h. Vers-für-Vers eines Bibeltextes interpretierenden Schrift zu tun. - Freilich darf mit dieser Parallele keine Genese suggeriert werden. Es fehlt nämlich ein wichtiges Kennzeichen in 1QpHab gegenüber der Pessach-Haggada, vor allem gegenüber den klassischen Midraschim: Der Schriftbeweis. Ebenso fehlt in 1Qp Hab der unterstützende Rückgriff auf Meinung anderer Deutungsautoritäten, wie er im klassischen Midrasch gang und gäbe ist.

Mit dem Targum ist der Midrasch nicht nur verwandt; jener stellt sogar eine der hauptsächlichsten Entwicklungsquellen für diesen dar. Ausschlaggebendes Kriterium zur Unterscheidung beider ist die Intensität der Textbindung: Diese ist - zumindest passagenweise - beim Targum stärker.

Keine einzige neutestamentliche Schrift enthält eine Auslegung eines fortlaufenden alttestamentlichen Textes nach Art der Pescharim. Einzelne Schriftzitate erscheinen mit und ohne Einleitungsformeln. Diese entsprechen als griechische Übersetzungen den im Frühjudentum üblichen. Auch sind exegetische Methoden des palästinischen und hellenistischen Judentums im NT anzutreffen: (mindestens einige) Middot, etymologische Deutung, Gematrie (?), Allegorie, sekundäre Deutung, Peschaṭ-Auslegung. Zudem finden sich Midrasch-Haggada und vor allem Typologie.

Eine direkte Abhängikeit des NT in seiner exegetischen Technik von Qumran ist nicht beweisbar. Eher handelt es sich bei diesen Techniken um Gemeingut des palästinischen und hellenistischen Judentums, woran auch die Qumran-Exegese Teil gehabt hat.

5. Das Gebot der Schriftforschung in Qumran

5.1. Allgemeines zu altjüdischen Sekten[1] und Schriftauslegung

In der Mitte des zweiten vorchristlichen Jahrhunderts zerfällt das palästinische Judentum in unterscheidbare und miteinander rivalisierende religiöse Parteien: In Pharisäer, Sadduzäer und Essener; zu diesen kommen noch im 1. Jahrhundert n.Chr. Zeloten und Judenchristen hinzu. Jede dieser Gruppen hatte ihre eigenen Lehren und Gebräuche, die für absolut übereinstimmend mit der göttlichen Offenbarung in Gestalt der Tora im engeren Sinne gehalten wurden. Erstellt wurden diese Lehren jeweils durch Anwendung derselben, von allen Religionsparteien angewandten Interpretationsmethoden, mit denen allerdings jeweils andere, ja gegensätzliche religionsgesetzliche Verpflichtungen und Lebensgestaltungen gewonnen wurden[2]. Dabei stellt sich die Frage nach dem Verhältnis von Anlaß zur Absonderung einer religiösen Gruppe vom orthodoxen Glaubensstrom zu deren Schriftverständnis: Beruht die sektiererische Absonderung auf einem anderen Schriftverständnis oder erfolgt dieses aufgrund einer sich anderen Anlässen verdankenden Spaltung? Innerhalb des Judentums und seiner religiösen Gruppierungen ist es nun das jeweils unterschiedliche Verständnis des spezifisch jüdischen Religionsgesetzes, das zur Abspaltung Einzelner oder ganzer Gruppen führt: So hat Paulus seine Gegner (vgl. etwa Apg 9,23ff.), die "Lehrhäuser" von Hillel

---

1 Die Begriffe "Sekte" und "sektiererisch" sind hier wieder im weiten Sinne gebraucht, vgl.oben Anm. 3 zu Punkt 2 der Einleitung, S. 2o.

2 Vermes, Schriftauslegung 187.

und Schammai liegen in dauerndem religionsgesetzlichen Lehrstreit miteinander[3], und auch die Qumrangemeinde gehört ideologisch[4] zum gleichen Spannungsfeld: "The essential contribution, therefore, of the fuller picture of Jewish sectarianism which we have been given by the Qumran finds, is to increase our estimate of the importance of that side of ancient Judaism which conceived of it as the religion of the Law, and to do this by demonstrating the legal origin and nature even of the Jewish sects"[5].
Nun spielt sich Geistesgeschichte natürlich innerhalb von Profangeschichte ab, d.h. die Schriftforschung, so wie sie in Qumran praktiziert wurde, und das Gebot zu solcher Forschung stehen in einem Wechselverhältnis zu historisch-politischen und sozial-ökonomischen Verhältnissen des damaligen Palästina. Ohne dies hier genau ausführen zu können, sei ein geschichtlicher Überblick als Hintergrunderhellung zur Enstehung der Gemeinde vom Toten Meer geboten, der dazu beitragen soll aufzuzeigen, ob das qumranische Schriftforschungsgebot zur Ideologie der Sekte <u>an sich</u> gehört oder ob es <u>nachträglich</u> als Rechtfertigung für die Absonderung der Gruppe in den Vordergrund der Sektenregel gestellt wird oder ob es beide Zwecke erfüllen soll. Die Beantwortung dieser Frage soll mögliche Perspektiven für die Auswirkungen auf die Art und Weise der Qumranexegese erbringen.

5.2. Geschichtlicher Hintergrund zur Entstehung der Qumrangemeinde

Den allgemeinsten Hintergrund des 2. vorchristlichen Jahrhunderts stellt die für das Judentum lebensgefährliche Be-

3 Stemberger, Klassisches Judentum 116.

4 Das Wort ist hier im ursprünglichen Sinne von "ideengeschichtlich", "geistesgeschichtlich" gemeint.

5 M. Smith, The Dead Sea Sect in Relation to Ancient Judaism: NTS 7 (1960-61) 360.

drohung in Gestalt des Hellenismus dar. Gleichwohl sollte diese Bedrohung die nationale Einheit zustandebringen. Als militanter Kämpfer für die Glaubensfreiheit war der Makkabäer Jonathan hervorgetreten; er wurde 160 v.Chr. zum Nachfolger und Partisanenführer anstelle seines gefallenen Bruders Juda Makkabi gewählt. Die rivalisierenden syrischen Könige werteten ihn für ihre Zwecke auf und machten ihn kurz danach zum Strategen und darüber hinaus später zum Jerusalemer Hohenpriester (152 v.Chr.) nach einem sieben Jahre dauernden Intersacerdotium (vgl. 1 Makk 10f.; 14,30). Daß dies bei den Chassidim, einer zu Beginn des 2. vorchristlichen Jahrhunderts entstandenen Gruppe besonders frommer, eschatologisch-apokalyptisch orientierter und torastrenger Juden, auf haßerfüllte Ablehnung stoßen mußte, nimmt nicht wunder, wenn man sich Folgendes in Erinnerung ruft: Von Jeschua an (vgl. Esr 3,2; Hag 1,1) bis zur Zeit der seleukidischen Religionskriege war das hohepriesterliche Amt in zadokidischer Hand, eines Priestergeschlechts, das sich von Zadok, einem Priester Davids (2 Sam 17,15; 19, 12), herleitete[6]. Jonathan aber war eben kein Zadokide[7]. Auch wenn diese Burgmannsche Version nicht zutreffend sein sollte, so werden die nämlichen Verhältnisse die chassidische Opposition, d.h. die der Nachfolger der Chassidim, gegen die Hasmonäer spätestens im Jahre 141 v.Chr. angestachelt haben, als Jonathans Bruder Simon als erster der Makkabäer/Hasmonäer weltliche und geistliche Macht in sich vereinigte (1 Makk 14,41)[8]. Wenn nun "diese Nachkommen aber ... jene Leute (sind), von denen die Qumrantexte Zeugnis

6 Die levitischen Priester wurden Nachkommen Zadoks genannt (vgl. Ez 44,15); nach dem Exil leiteten sich die Zadokiden sogar genealogisch von Aaron selbst ab (vgl. 1 Chr 5,27ff.; 6,35; 24,3; Hag 1,1).

7 Burgmann, Gerichtsherr 4f.

8 Schubert, Gemeinde 37.

ablegen, und aus deren Milieu sie stammen"[9], so haben sie sich schließlich von ihrer sündhaften Umgebung entfernt und wählten sich in oder bei den Höhlen der Wüste Juda am Toten Meer ein Exil. Neben der Ausrichtung nach einem Sonnen- statt nach einem Mondkalender - wodurch natürlich die Berechnung der Festtage jeweils anders ausfiel und damit die jeweiligen jerusalemischen Kulthandlungen nicht anerkannt werden konnten -, war der oben geschilderte Verstoß gegen die geheiligte Überlieferung der Tora Hauptanlaß zu diesem Schritt ins Exil der chassidischen Nachfolger[10].

5.3. Die Rolle der Schrift und der Schriftforschung in Qumran

Aus dem oben Dargestellten erhellt fürs erste - und dies trifft für die gesamte Geschichte der Israeliten und des frühen Judentums zu -, daß für die Chassidim und vor allem deren Nachfolger in Gestalt der Qumrangemeinde Gehorsam gegenüber der Tora unabdinglich war. Angesichts dieser Tatsache gilt es aber jetzt danach zu fragen, ob in Qumran gerade als Ausdruck des Protestes gegen den oben geschilderten Toraverstoß ein darauf antwortendes besonderes Toraverständnis und eine besondere Schriftforschung erwachsen sind. In der Tat finden sich, besonders in der sog. Sektenregel (1QS), Hinweise dafür, daß 1. in der Gemeinde von Anfang an ein besonderes Torabewußtsein wirksam gewesen sein muß, das doch gegenüber der laxen Torabefolgung in Jerusalem eine "Toraverschärfung" darstellt[11], und 2. dieses beson-

---

9 Schubert, ebda.

10 Schubert, ebda. 53; J. Maier/K. Schubert, Die Qumran-Essener 37; H.H. Rowley, Die Geschichte der Qumransekte, in: Grözinger, Qumran 41; Milik, Geschichte, in: ebda. 84.

11 H. Braun, Radikalismus 3. - Vgl. dazu anders: Betz, Offenbarung 18, Anm. 4; wieder anders: E. Stauffer, Qumran und die Evangelienforschung: Univ. 14 (1959) 490.

dere Torabewußtsein von geoffenbarten, aber auch von verborgenen Dingen in der Schrift wußte. - Im folgenden soll es noch nicht um die Technik des Herausarbeitens von Verborgenem in der Schrift gehen, sondern lediglich um das theologische Verhältnis von Schrift und ihrer geoffenbarten wie verborgenen Dinge.

5.3.1. Die Tora in 1QS

Ein Blick in die von H.G. Kuhn herausgegebene "Konkordanz zu den Qumrantexten"[12] zeigt, daß vor allem in der Sektenregel und im Damaskusdokument der Begriff תורה eine auffällige Rolle spielt. Von diesen beiden Schriften ist die Sektenregel für uns von besonderem Interesse: Der Gebrauch des Begriffes "Tora" muß im Zusammenhang mit den in 1QS aufgestellten Statuten ein spezifisches Bedeutungsfeld abdecken. Aus der Sektenregel zumal wird klar, daß u.a. Gesetzesstudium, Schriftauslegung wie fromme Beschäftigung mit dem Gesetz die Pflichten der Gemeindemitglieder ausmachten. Das Studium des Gesetzes ist natürlich auf dem Hintergrund der ersten Forderung in der Sektenregel - so wie sie uns erhalten ist - zu sehen: "Buch der Ordnung der Gemeinschaft: Gott zu suchen (לדרוש אל), mit ganzem Herzen und ganzer Seele, zu tun, was gut und recht ist vor ihm, wie er durch Mose und durch all seine Knechte, die Propheten, befohlen hat" (כאשר צוה ביד מושה וביד כול עבדיו הנביאים - 1QS 1,1-3). Aber die Gottsuche ist auch in direkten Zusammenhang mit der Schriftforschung zu stellen: Derjenige, der sich dem "Rat der Gemeinde" anschließt, muß sich durch einen besonderen Eid zur Rückkehr zum mosaischen Gesetz und allen Anordnungen Mose verpflichten (1QS 5,8: לשוב אל תורת מושה ככול אשר צוה)[13]. Wenn auch die beiden zitierten Stellen der Sektenregel offenbar doch nicht zum ursprünglichen Pro-

---

12 Göttingen 1960, 232.

13 Betz, Offenbarung 16f.

gramm dieser Schrift gehören[14], so erweckt doch ein Begriffspaar in diesem Kontext besonderes Interesse: Die "geoffenbarten" Dinge (הנגלות) und die "verborgenen" (הנסתרות) der Schrift (1QS 5,11f.).

5.3.2. הנגלות

Ein zweiter Blick in die Qumrankonkordanz zeigt, daß הנגלות in 1QS in ausschließlich einer Bedeutung gebraucht wird: Das "Geoffenbarte" oder die "geoffenbarten Dinge". Zieht man zum Vergleich das AT heran, so zeigt sich, daß dort גלה "nicht so etwas wie ein Terminus für Offenbarung geworden ist"[15]. Der Begriff גלה wird nur selten, aber dann reflektiert im Zusammenhang mit göttlichem Sich-Zeigen oder Sich-Offenbaren, etwa bei Wortoffenbarungen an Propheten, gebraucht[16]. Bezeichnend ist auch die Tatsache, daß es eine Nominalbildung zu גלה im Sinne von "Offenbarung" nicht gibt[17]. Die in exilisch-nachexilischer Zeit feststellbare Zunahme von גלה im Danielbuch und in den Qumranschriften "könnte ... unsere Vermutung bekräftigen, daß גלה als Offenbarungsterminus erst im weiteren Verlauf der israelitischen Geschichte größere Bedeutung erlangte"[18]. Dabei gilt es zu beachten, daß der religiöse Gebrauch aus dem profanen abgeleitet worden ist, d.h. daß גלה als nunmehr theologisch gefüllter Begriff "das israelitische Offenbarungsverständnis.... in seinen Grundzügen"[19] ausdrückt. Dadurch

14 J. Pouilly, La règle 68. 84 bzw. 45. 62; zu allen vier Stadien vgl. S. 11. - Pouilly ordnet die beiden zitierten Stellen erst einem 3. bis 4. Entwicklungsstadium zu, wobei er allerdings seine "4 Stadien" als korrekturbedürftige Arbeitsgrundlage versteht (ebda. 12).

15 C. Westermann/R. Albertz, Art. גלה 417.

16 Westermann/Albertz, ebda.

17 Westermann/Albertz, ebda.

18 Zobel, Art. גלה 1029.

19 Zobel, ebda. 1030.

wird die Verbalwurzel glh zum "Offenbarungsterminus in der prophetischen und dieser nahestehenden Literatur"[20]. Diese Offenbarung besteht nun darin, in der Tora den für alle Zeiten gültig geoffenbarten göttlichen Willen zu finden[21]. Dabei geht aus Daniel wie aus den Qumranschriften hervor, daß "unter Offenbarung die dem Apokalyptiker in nächtlicher Vision vermittelte Enthüllung besonderer Geheimnisse" zu verstehen ist[22]. Diese Enthüllung besonderer Geheimnisse bedarf somit auch einer besonderen Offenbarung, so wie sie jedenfalls O. BETZ[23] versteht. Diese besondere Offenbarung kann schon ihrer Sonderheit wegen nicht die Tora selbst sein[24]: Letztere besaßen ja auch die anderen rivalisierenden religiösen Gruppierungen. Vielmehr ist der geistige Akt des Offenbarens der Tora zugeordnet: Die Tora - hier im weiteren Sinne - <u>bedarf</u> der (besonderen) Offenbarung, um völlig richtig verstanden zu werden[25]. Diese Offenbarung wird der Gemeinschaft vermittelt 1. durch Mose als Vermittler des Gotteswillens (vgl. 1QS 1,2f.: כאשר צוה ביד מושה), 2. durch die Propheten (8,15f.: מדרש התורה [אשר] צוה ביד מושה לעשות ככול הנגלה עת בעת <u>וכשאר גלו הנביאים</u> רוח קודשו)[26]. Betz hält richtig fest, daß nur an dieser letzgenannten Stelle in der Sektenregel aktivisch gebraucht wird; ansonsten findet es sich nur als Partizip Passiv, הנגלה oder הנגלות. Auf eine Inhaltsbestimmung dieses Geoffenbarten läßt sicht Betz nicht ein; er weiß nur um dessen Bezug zur

---

20 Zobel, ebda. 1030.

21 Zobel, ebda. 1031.

22 Zobel, ebda.

23 Offenbarung 3-5.

24 Betz, ebda. 6.

25 Betz, ebda. 6f.

26 Betz, ebda. 7.

Tora[27]. - N. WIEDER[28] gelangt zu einem näheren Verständnis von הנגלות, indem er diese als Korrelat zu הנסתרות auffaßt, allerdings als ein antithetisches: Das Geoffenbarte, oder noch besser: Das "Offenkundige", wie F. NÖTSCHER[29] passend übersetzt, meint unzweifelhaft religiöse Praktiken, deren Ausübungsvorschriften unmißverständlich in der Tora im engeren Sinne festgehalten sind und über deren kultisch-ritueller Ausweitung und Verständnis es in der Gemeinde keinerlei Dissens gibt[30]. Es sind gerade die Verstöße gegen diese klaren oder "offenkundigen" Angelegenheiten, welche die Qumranleute den "Männern des Frevels" (אנשׁי העול - 1QS 5,10) aufs schwerste anlasten (vgl. 5,12f.: והנגלות עשׂו ביד רמה לעלות אף למשׁפט ולנקום נקם באלות ברית לעשׂות בם [מ]שׁפטים גדולים לכלת עולם לאין שׁרית).

5.3.3. הנסתרות

Neben dem Verstoß gegen die נגלות wird noch ein weiterer Vorwurf von den Separatisten gegen ihre Feinde erhoben: Die frevelhaften Männer haben nicht gesucht (לוא בקשׁו) und nicht geforscht in den Geboten (ולוא דרשׁהו בחוקיהו), um die verborgenen Dinge zu erkennen, in denen sie schuldhaft irrten (לדעת הנסתרות אשׁר תעו בם לאשׁמה - 1QS 5,11f.); deswegen werden sie auch nicht zum göttlichen Bund gerechnet (כיא לוא החשבו בבריתו - Z.11). Diese verborgenen Dinge müssen aber erforscht werden, um Sünde und Irrtum zu vermeiden[31]. Was nun unter diesen "verborgenen Dingen" zu verste-

27 Betz, ebda.

28 The Judean Scrolls 53ff. - Zu den נסתרות vgl. sogleich unten, Kapitel 5.3.2.

29 Terminologie 49.

30 Wieder, Judean Scrolls 54.

31 Nötscher, Terminologie 71 und Betz, Offenbarung 7; vgl. I. Rabinowitz, der sich gleichermaßen zu den נסתרות in CD 6,10 äußert (vgl. A Reconsideration of "Damascus" and "390 Years" in the "Damascus" (Zadokite) Fragments: JBL 73 (1954) 21, Anm. 50).

hen ist, wird in der Forschung unterschiedlich erklärt: Betz[32] begreift sie als "göttliche Anordnungen, die 'verborgen' sind". Genauer - und konsequent antithetisch zu נגלות - werden die נסתרות von Wieder[33] gefaßt: "... nistaroth, on the other hand, are those commandments which are worded in general and vague terms, lacking detailed instructions as to the method of carrying them out, so that their meaning and scope is 'hidden'". Gerade als Kontrast zu נגלות dürfen die נסתרות nicht als esoterische Lehren begriffen werden[34]. Wieder beweist dies mit einer Erklärung der "verborgenen Dinge" im Damaskusdokument (3,12-16): Denjenigen, die an Gottes Geboten festhalten, will Gott verborgene Dinge offenbaren (לגלות להם נסתרות), derentwegen ganz Israel in die Irre gegangen war: Seine heiligen Sabbate und seine herrlichen Festzeiten, seine gerechten Zeugnisse und die Wege seiner Wahrheit und die Wünsche seines Willens (שבתות קדשו מועדי כבודו עידות צדקו ודרכי אמתו וחפצי רצונו). - Nun ist freilich argumentiert worden, daß es sich gerade bei dieser exegetisch wichtigen Stelle im Damaskusdokument um eine Interpolation handele: 1. "Sabbate" und "Festtage" passen kontextmäßig nicht recht zu "Zeugnissen", "Wahrheiten" und "Willenswünschen"; 2. keiner der in CD 3,14f. genannten Begriffe ist sonst noch in den Qumranschriften oder in der Massora Ziel einer Offenbarung

---

32 Offenbarung 16.

33 Judean Scrolls 54.

34 Wieder, ebda. 53. - Wieder wendet sich damit gegen die von J. Licht geäußerte Auffassung von נסתרות in den Hodayot: "Die Männer der Sekte sind verpflichtet, in den Geheimnissen ihre besonderen Lehren zu bewahren" (J. Licht, The Thanksgiving Scroll - Megillath Ha-hodayot, A Scroll from the Wilderness of Juda. Text, Introduction and Commentary, Jerusalem 1957, 49, hebr.). - Ebenfalls wider נסתרות als Esoterik: Nötscher, Terminologie 71.

gewesen[35]. Demgegenüber hält J. MURPHY-O'CONNOR[36] fest, daß von A. DENIS lediglich der Unterschied zu anderen qumranischen Dokumenten herausgestellt würde, ohne daß aber dieser Unterschied eine Interpolation sein müsse. Die possessivischen enklitischen Personalpronomen drücken die Gottbezogenheit aus: חפצי רצונו reflektiert den Beginn der Ermahnungen in CD 2,15: לבחור את אשר רצה ולמאוס כשאר שׂנא ; beides fügt sich recht gut in den Kontext[37]. Sollte es sich wirklich - wie Murphy-O'Connor mutmaßt - um eine missionarische Schrift oder Ähnliches handeln, bekäme Wieders Erklärung der נסתרות einen verständlichen Sinn, der in der Antithese zu den נגלות angelegt wäre: Die נסתרות müssen nicht nur innerhalb der Gemeinde erklärt, sondern auch an neu zu gewinnende "Gläubige" weitergegeben werden, nachdem ihnen die נגלות sicherlich eher einsichtig sind.
Zu Wieders Verständnis der נסתרות gelangt auch D. PATTE[38], der in diesen den Bezug zu nichtesoterischen "specific teachings" sieht; diese spezifischen Lehren wurden ihrerseits in den Torageboten entdeckt. Eben diese Gesetzesinterpretationen waren ja im palästinischen Judentum der Zankapfel.

5.3.4. Schriftforschung und Offenbarung

Soviel kann aus der Gegenüberstellung von הנגלות und הנסתרות geschlossen werden: Verstoß gegen die ersteren und Vernachlässigung der letzteren zwangen die Qumranleute zur Absonderung vom offiziellen Jerusalemer Judentum: Das Gebot der Schriftforschung gehört also nicht zur Ideologie

---

35 A.M. Denis, Les thèmes de connaissance dans le Document de Damas, Louvain 1967, 35. - So angegeben bei Murphy-O'Connor, Missionary Document 207.

36 Missionary Document 207.

37 Murphy-O'Connor, ebda.

38 Hermeneutic 221.

an sich der Sekte, sondern war - wie schon oben[39] in geschichtlicher Entwicklung sichtbar - zur Notwendigkeit des frühen und klassischen Judentums geworden, mit Ausnahme offenbar jener Zeitgenossen, welche die Absonderung der Qumranleute erlebten und denen die Qumranschriften - wie oben gesagt - die Vernachlässigung der Toraforschung vorwerfen. Somit mußte sich die Qumrangemeinde um der Schrifterforschung willen[40], aber vor allem um der bereits erreichten wie der zu erwartenden Forschungsergebnisse willen vom offiziellen Judentum absondern. Die unterschiedliche Haltung zur Schrift[41] mußte Forschungsergebnisse zeitigen, die in Inhalt und Gehalt der offiziellen jüdischen Religionspraxis konträr liefen. Diese "unterschiedliche Haltung zur Schrift", die - so hat gerade Pouillys Arbeit[42] an 1QS herausgestellt - offenbar doch nicht primär verantwortlich ist für das Schisma zwischen Jerusalem und den chassidischen Nachfolgern[43], ist aber nicht nur durch ein Sich-Befassen mit der Schrift überhaupt gekennzeichnet, sondern offenbar von einer bestimmten Erwartungshaltung, die aus dem Schriftstudium gemeindespezifische und gemeinderelevante theologische und geschichtliche Lehren gewinnen will. Diese gemeindespezifische Relevanz konnte nicht allein aus dem Befolgen der נגלות beansprucht werden; erst die gelungene Sichtbarmachung der נסתרות berechtigte dazu. Um aber zu einem allein rechten und allein richtigen Verständnis von Tora und

---

39 Vgl. oben Kapitel 4.

40 Betz, Offenbarung 17.

41 Patte, Hermeneutic 214.

42 Vgl. oben Anm. 14.

43 Deswegen müssen Betz' und Pattes gerade genannte Auffassungen relativiert werden, denn beide beziehen sich auf 1QS, die anscheinend älteste Schrift aus Höhle 1 (vgl. H.G. Butler, The Chronological Sequence of the Scrolls of Qumran Cave One: RQ 2 (1959-60) 533; Butler selbst hält CD für älter, ebda. 539).

Propheten zu gelangen, bedurfte es aber einer Sonderoffenbarung.

Nun bedarf dieser Begriff dringend einer bedeutungsmäßigen Füllung. Bei Betz wird er zunächst nicht genau gefaßt[44], aber dann fallen entscheidende Sätze: In seiner Untersuchung des Verbums מצא kommt er zu der Feststellung, daß das in 1QS und CD zumeist vorkommende Partizip Passiv der Bedeutung "das Geoffenbarte" nahekommt, ja daß man bei der Wiedergabe der Eintrittseide in CD 15,9f. und 1QS 5,9 jedenfalls im (wahrscheinlich jüngeren) Damaskusdokument הנמצא zu einem Synonym für הנגלה geworden ist[45]: Die Erkenntnis der genauen Bedeutung einer religionspraktischen Anordnung wird von der Gemeinde als mit der göttlichen Offenbarung übereinstimmend verstanden[46]. Wenngleich eine Übereinstimmung noch keine Identität ist und auch der zeitliche Unterschied hinsichtlich der Abfassung bei den einzelnen Qumranschriften in Rechnung gestellt werden muß und dazu die damit möglichen Implikationen theologischer Art zu beachten sind, so drängt sich doch angesichts der Tatsache, daß es ein besonderes Wort für "Offenbarung" auch in Qumran nicht gibt, der Gedanke auf, daß das Verb גלה in den genannten Sektenschriften neben der traditionellen Bedeutung in einem spezifisch technischen Sinn verwendet wird: Der Ausleger macht die in der Tora und in den Prophetenschriften enthaltene (endzeitliche) Offenbarung durch Schriftstudium (דרשׁ) und Auslegung (פשׁר) bekannt[47]. Das heißt letztlich: Der göttliche Offenbarungsvorgang ist von den qumranischen Auslegern als die richtig angewandte Technik der Schriftforschung verstanden worden; die Offenbarung selbst ist keine Voraussetzung zur korrekten Schriftforschung,

---

44 Offenbarung 3-5.7.14f.35.

45 Betz, ebda. 36f.

46 Betz, ebda. 39.

47 Westermann/Albertz, Art. גלה 426.

vielmehr s i n d die Ergebnisse der Qumranexegese Offenbarungen. Zu dieser Schlußfolgerung gelangt Betz auch in seiner Erörterung des Begriffs פשר , der zum "rechten Verständnis der Geschichte" führen soll: "Die geoffenbarten und die durch das Studium gefundenen Dinge in der Tora sind demnach identisch"[48]. Deswegen ist auch die Schaffung eines Weges für Gott (Jes 40,3) das Studium der Tora (1QS 8,14: כאשר כתוב במדבר פנו דרך...ישרו בערבה מסלה לאלוהינו היאה מדרש התורה), d.h. das Schrifttum läßt Gott zur Gemeinde oder eigentlich die Gemeinde erst zu Gott kommen, sofern die Präposition ל hier schon als richtungsweisend verstanden werden kann. Dieses Zu-Gott-Gelangen wäre dann der Endpunkt des Offenbarungsvorgangs. - Das qumranische Schriftforschungsgebot stützt sich also nicht auf empfangene Sonderoffenbarung, sondern diese erweist sich als eine solche in den richtigen Ergebnissen der Erforschung der "problematisch"[49] gewordenen Tora im weiteren Sinne. "Richtig" ist in diesem Zusammenhang das, was Geschichte, Umwelt und Selbstverständnis der Gemeinde erhellt bzw. bestätigt[50]. In seiner Arbeit über jüdische Hermeneutik kommt Patte[51] letztlich zum gleichen Ergebnis: "Actually ... any herme-

---

48 Betz, Offenbarung 44; vgl. auch ebda. 74: Auch die Deutung der prophetischen Botschaft ist Offenbarung.

49 Betz, ebda. 4.

50 D. Lührmann, Das Offenbarungsverständnis bei Paulus und in paulinischen Gemeinden (WUANT 16), Neukirchen-Vluyn 1965, 86. - Auch Lührmann versteht wie Betz Offenbarung als korrespondierend zu מדרש (ebda.). - Zu Elliger vgl. oben S. f. - Ähnlich der qumranische Offenbarungsbegriff bei A.R.C. Leaney, The Rule of Qumran and its Meaning, London 1966, 65.72. - Eine Überlappung von Auslegung und Offenbarung registriert Nötscher, Terminologie 68f.: "Die Offenbarung ... wird ... direkt zum Auslegungsprinzip". - Zum Lehrer der Gerechtigkeit und seiner angeblichen Sonderoffenbarung vgl. nochmals unten Kapitel 6.2.3.4.2.2.2.

51 Hermeneutic 7.

neutic of a text is revelatory: we may anticipate the result of our research by saying, that the Jews themselves considered their hermeneutic of Scripture to be revelatory. This is to say that revelation for them was not ... Scripture considered in itself, but Scripture as prolonged in a new discourse". - Von hier aus ist es doch verständlich, daß bereits erreichte oder zu erwartende Schriftforschungsergebnisse[52] als "Sonderoffenbarung" die chassidischen Nachfolger angesichts Toravernachlässigung ins Exil am Toten Meer trieben. Die Toraverstöße ihrerseits zogen ja die Verunreinigung des Tempels nach sich (vgl. 1QpHab 12,8f.: ויטמא (der Frevelpriester) את מקדש אל), so daß Jerusalem als Heilige Stadt Gottes unbewohnbar geworden war[53].

52 Vgl. die eigene Formulierung oben S.

53 Ein anderes Problem ist freilich die Frage nach einer Sonderoffenbarung des Lehrers in den Hodajoth - sofern vorausgesetzt werden kann, daß er als Verfasser der sogenannten Qumran-Psalmen anzusehen ist (vgl. Jeremias, Lehrer 168f.). So spricht der Verfasser in 1QH 7,26 davon, daß Gott ihn in seiner Weisheit unterwiesen und in seinen wunderbaren Geheimnissen ihm Wissen gegeben hätte (הִשְׂכַּלְתַּנִי באמתכה וברזי פלאכה הודעתני). Nun stellen allerdings die Hodajoth keine exegetische oder die Historie und Gegenwart erforschende Schrift nach Art eines Peschers dar, woraufhin der Gehalt von רז näher bestimmt werden könnte, nämlich in Richtung auf eschatologische Ratschlüsse Gottes (dazu vgl. unten Kapitel 6.2.3.4.2.2.2.), die der Lehrer erfahren hat und durch Schriftstudium bestätigt findet (was nicht etwa heißen soll, daß er der Autor des 1QpHab ist!). Deswegen bietet sich hier eher in diesem Gesamtkontext ein Verständnis von überweltlicher, religiöser, ja vielleicht sogar esoterischer Erfahrung an, die einer Sonderoffenbarung näherkommen mag. Jedenfalls kann auch von den Hodajoth her nicht auf eine exegetische Sonderoffenbarung des Lehrers geschlossen werden, die ihn - oder seine Schüler - zum richtigen Verständnis des Habakukbuches erst befähigt hätte. - P. Schulz nimmt eine zumindest prinzipielle Sonderoffenbarung des Lehrers auf dem Hintergrund der lehrereigenen Hodajoth an (vgl. sein 'Der Autoritätsanspruch des Lehrers der Gerechtigkeit in Qumran', Meisenheim am Glan 1974, 29-34.). -

Im folgenden Kapitel gilt es dann, die gestreifte qumranische Hermeneutik und direkte Deutungstechnik im Spiegel der bisherigen Forschung kritisch darzulegen.

5.4. Zusammenfassung

Im nachexilischen Judentum sind Auseinandersetzungen um das Religionsgesetz als einem typicum judaicum für das Entstehen rivalisierender Religionsparteien (Pharisäer, Sadduzäer, Essener) verantwortlich. Im ersten nachchristlichen Jahrhundert kommen noch die Judenchristen hinzu. Die Zeloten sind davon als eine radikal-politisch orientierte Partei abzuheben.

Profangeschichtlich gesehen war der Anlaß zur Absonderung vom offiziell-normativen Judentum, zu der sich die Qumrangemeinde gezwungen sah, neben der Ausrichtung nach einem Sonnenkalender (wichtig für die Berechnung der Festtage und Sabbate) ein schwerwiegender Verstoß gegen eine Toratradition: Mitglieder der politisch mächtigen Hasmonäerfamilie gelangten zum Hohepriesteramt, obwohl dieses nur von Vertretern der zadokidischen Linie ausgeübt werden durfte.

Deswegen muß schon vor dem gewählten Exil am Toten Meer bei der späteren Sektierergruppe ein besonders frommes und strenges Torabewußtsein gefordert und Toraforschung praktiziert worden sein. Den religiös-politischen Gegnern wird von der Gemeinde nicht nur Übertretung klarer Toragebote (הנגלות), sondern auch Ignorierung der Notwendigkeit des Schriftstudiums (מדרש התורה) vorgeworfen; dieses hätte vor

---

Es deutet sich an, daß der Offenbarungsbegriff hinsichtlich qumranischer exegetischer und nichtexegetischer Schriften differenziert werden muß, d.h. in Sachen Schriftauslegung wandte der jeweilige Autor noch rudimentäre exegetische Techniken an, deren Ergebnisse, nicht deren Voraussetzungen, Offenbarungscharakter trugen. Dies wirft auch Licht auf den Wert exegetischer Techniken in Qumran: Sie sind kein "Denksport", sondern Mittel zum Zweck: Eben der Offenbarung in Gestalt von Schriftforschungsergebnissen.

sündhafter Unkenntnis der verborgenen göttlichen Toraanordnungen (הנסתרות) und damit vor frevelhaftem Wandel vor Gott bewahrt. Somit mußte sich, diesmal geistes-religionsgeschichtlich gesehen, die Qumrangemeinde nicht nur allein um der Forschung willen (Betz) und um einer anderen Haltung zur Schrift (Patte) willen, sondern vor allem wegen der erreichten bzw. zu erwartenden Schriftforschungsergebnisse vom offiziellen Judentum abkoppeln. Dabei hat offenbar der bewußt intensive Rekurs auf die Tora und ihre Erforschung (wohl zu unterscheiden von Torakenntnis!) nicht von Beginn der Sektenexistenz an im Vordergrund gestanden.

Dabei stellt sich die Frage, was für die Erzielung der qumranisch-exegetischen Ergebnisse notwendig ist: Sonderoffenbarung und/oder Deutungstechnik? Der semantische Befund in 1QS und CD läßt zu dem Ergebnis kommen, daß in Qumran selbst eine solche Unterscheidung begrifflich nicht getroffen wurde; הנגלה und הנמצא werden im - allerdings wohl jüngeren - Damaskusdokument synonym gebraucht, die Erkenntnis der genauen Bedeutung einer Toraanordnung wird als göttliche Offenbarung verstanden. Somit hat das Verb גלה in Qumran einen spezifisch-technischen Sinn angenommen: Der Ausleger macht die in der Tora und in den Propheten enthaltene (endzeitliche) Offenbarung durch Schriftstudium (דרשׁ) und Auslegung (פשׁר) bekannt. Deswegen ist die Offenbarung selbst keine notwendige Voraussetzung zur korrekten Schriftforschung, vielmehr s i n d die Ergebnisse dieser Qumranexegese Offenbarungen. Das qumranische Schriftforschungsgebot greift demnach nicht auf eine empfangene Sonderoffenbarung zurück, sondern diese erweist sich als eine solche in den richtigen Ergebnissen der Erforschung der "problematisch" gewordenen Tora.

6. Die bisherige Forschung zur qumranischen Schriftexegese

Auch für dieses Kapitel ist es raummäßig unmöglich, sämtliche auf sein Thema Bezug nehmende Arbeiten zu Wort kommen zu lassen. Einiges wurde zudem schon in einem Forschungsbericht zu den wichtigsten Veröffentlichungen über 1QpHab gesagt[1]. Um dennoch mehr als nur einen Eindruck von allen Arten des Schriftgebrauchs und der Schriftauslegung in Qumran zu hinterlassen, soll folgendermaßen - über dieses Kapitel hinaus - vorgegangen werden: In einer allgemeinen Einführung sollen zunächst sämtliche Arbeiten besprochen werden, welche sich mit Schriftauslegung in Qumran überhaupt auseinandersetzen. Die darin unterscheidbaren Themenkreise sollen dann anhand von Spezialarbeiten kritisch erörtert werden.

6.1. Allgemeine Charakteristika

Aus 1QS 6,6f. wird ersichtlich, daß ununterbrochenes Schriftstudium einen Wesenszug der Gemeinde vom Toten Meer ausmachte: ואל ימש במקום אשר יהיו שם העשרה איש דורש בתורה יומם ולילה תמיד חליפות[2] איש לרעהו - ("Und nicht soll an dem Ort, wo zehn Männer sind, einer fehlen, der im Gesetz forscht Tag und Nacht, beständig, einer nach dem anderen"). Ganz offensichtlich hat der Verfasser der Sektenregel dabei Ps 1,2 und Jos 1,8 wortwörtlich genommen: ובתורתו יהגה יומם ולילה bzw. לא ימוש ספר התורה הזה מפיך והגית בו יומם ולילה למען תשמר לעשות ככל-כתוב בו - ("Der ... über seiner Weisung murmelt bei Tag und bei Nacht" bzw. "Das Buch dieses Gesetzes sei allezeit auf deinen Lippen; sinne darüber Tag und Nacht, daß du darauf achtest, nach allem zu handeln, was darin geschrieben ist"). Nun wurde allerdings, wie schon lange bekannt, in Qumran nicht nur die Tora im engeren Sinne studiert. Diente dieses Studium der Erhellung

1 Siehe oben Kapitel 2.

2 Konjektur für על יפות, vgl. Lohse, Texte 22.

von undeutlichen Stellen (הנסתרות)[3] im Gesetz Mose und der spirituellen Reinigung der Gemeindemitglieder[4], so sollte das Studium der prophetischen Schriften hauptsächlich Gottes Handlungen in der Geschichte, vor allem deren Beendigung durch Gottes Eingriff in den Ablauf der Zeiten verdeutlichen mitsamt dem folgenden "neuen Äon"[5]. Somit finden sich in Qumran Reste einer ansehnlichen Zahl von Bibelkommentaren zu Genesis, Deuteronomium, Josua, Samuel, Jesaja, Ezechiel, Hosea, Micha, Habakuk, Nahum, Zephania, Psalmen, Hiob, Daniel u.a.[6] Für Gesetzes- und Prophetenstudium bedienten sich die Gemeindemitglieder zweier hauptsächlicher Exegesetypen: Eines streng wörtlichen, d.h. hart am Text bleibenden und eines "frei" prophetischen[7]. Dieser exegetische "Synkretismus" ging Hand in Hand mit der Übernahme dreier hauptsächlicher Texttraditionen in die qumranischen Schriften: Eines prototypischen Standardtextes, einer samaritanischen Pentateuchfassung und eines Septuagintatextes[8]. Die literale Exegese hatten wir schon in der Erörterung des Begriffes der הנגלות angedeutet; den "freien" prophetischen Exegesetypus treffen wir in den Prophetenkommentaren an, die aufgrund des häufig vorkommenden Wortelementes פשׁר als exegetischer Eingangsformel den Namen "Pescharim" erhalten haben und deren prominentester und umfangreichster der Kommentar zum Propheten Habakuk ist. - Der Gesetzesauslegung ordnet Lowy[9] die Termini פרוש bzw.

---

3 Siehe oben Kapitel 5.3.2.

4 Trever, The Qumran Covenanters 128.

5 Trever, ebda.

6 Aufzählung bei Vermes, Schriftauslegung 187f.

7 Lowy, Aspects 122.

8 Lowy, ebda. 121f.; Burrows, More Light 159.

9 Aspects 122.

מדרש zu. - Der inhaltliche Unterschied zwischen den beiden genannten Exegesetypen besteht also in Folgendem: "... the Pesher type of exposition refers only to verses, which have some oracular connotation, but not to verses containing laws"[10]. Lowy[11] erklärt dabei den "frei" prophetischen Exegesetypus als von der Allegorese herkommend.
Strukturmäßig gilt es also, innerhalb der Qumranexegese die "einfache Bedeutung" (פשט[12] - die, jedenfalls im talmudischen Umfeld, nicht dasselbe wie die wortwörtliche Bedeutung ist[13]), die allegorische Deutung, den Pescher und noch - wie wir schon bei der Erklärung des Midraschbegriffes sahen - als Sonderform den Targum zu unterscheiden. Zudem ist selbstverständlich auch eine semantische Analyse des Begriffs "Midrasch" innerhalb der Qumranliteratur zu bieten, mit der Fragestellung, ob er einem bestimmten Deutungsinhalt oder einer Deutestruktur zugeordnet werden kann, oder ob er gar einen eigenen Exegesetyp schon in Qumran darstellt. Abschließend wird eine Gegenüberstellung von Deutungsinhalten und -strukturen erfolgen. Mit Beispielen und kritischen Kommentaren dazu sollen nun diese qumranischen Deutestrukturen nähergebracht werden, wobei der Pescher besondere Beachtung finden wird. Soviel läßt sich jedenfalls fürs erste mit Fitzmyer[14] sagen: "There is no evidence at Qumran of a systematic, uniform exegesis of the Old Testament".

---

10 Lowy, ebda. 160, Anm. 205.

11 Aspects 122. - Diese Behauptung wird sich in unserer genaueren Besprechung des Peschers und der allegorischen Deutung (siehe unten Kapitel 6.2.2. und 6.2.3.) zu bewahrheiten haben.

12 Sie scheint in Qumran nur verhältnismäßig spärlich vorhanden zu sein, vgl. Loewe, Plain Meaning 141.

13 Lowy, Aspects 101; Gertner, Terms 20.

14 The Use 331. - Ebenso Roberts, Observations 375.

6.2. Die qumranische Schriftauslegung näher betrachtet

6.2.1. Peschaṭ-(פשט-)Auslegung

6.2.1.1. Begriffliches

In seinem schon erwähnten Aufsatz charakterisiert Lowy[15] das Verhältnis zwischen rabbinischer und nichtnormativer Bibelinterpretation folgendermaßen: "While the Rabbis, constantly aware of the divine origin of their traditions, expanded or contracted the letter of the Scripture to accomodate this content to their work, the 'non-normative' interpreters achieved the same end by means of a literal interpretation which in some cases expanded or contracted the scope of the text even more than the Rabbis". Diese 'literal interpretation' (פשט), die nach Lowy[16] ja nicht dekkungsgleich mit 'literal meaning' ist, sondern nur eine 'plain meaning' anstrebt, ist eine midraschische Verfahrensweise. Der Terminus פשט, der sein hebräisches Äquivalent in פשוט hat, wurde also solcher zuerst von den babylonischen Amoräern gebraucht[17]. Gegenüber dem Verb פשט ("ausbreiten", "ausziehen") wird die abgeleitete Bedeutung des Nomens gewöhnlich mit "einfacher Schriftbedeutung" wiedergegeben und von der midraschischen, allegorischen oder frei rabbinischen Auslegung abgehoben[18]. Nun hat allerdings R. LOEWE[19] in einer eingehenden Aufsatzstudie die Richtigkeit dieser allgemeingültigen Auffassung bewzeifelt. Bis zum Ende der talmudischen Zeit und der Midraschim sieht er in den Quellen nur vereinzelte und selten klar zu diesem herkömmlichen Bedeutungsfeld gehörende Hinweise[20]. Loewe versteht

---

15 Aspects 102.

16 Ebda. 101.

17 Wright, Midrash 119; Gertner, Terms 20.

18 Wright, ebda.; Gertner, ebda.

19 The 'Plain' Meaning 140-185.

20 Loewe, ebda. 176ff.; siehe besonders die herkömmlichen Forscheransichten in den Literaturangaben S. 178f.

unter "Peschaṭ" eher autoritatives Lehren, und zwar autoritativ von einem Lehrer her oder aber ein von einer Öffentlichkeit, einer Zuhörerschaft anerkanntes autoritatives Lehren, das Gewohnheit und Tradition entspricht. Dieses autoritative Lehren zeitigt dann auch Halacha und Haggada[21].

Selbst wenn wir uns auf das Loewesche Verständnis von "Peschaṭ" einigen, wäre zu prüfen, ob sich auch schon in der Qumran-Literatur Beispiele von פשט -Exegese finden, wenngleich in Qumran, wie übrigens auch in der Mischna[22], der Fachterminus פשט noch unbekannt war und erst in der talmudisch-midraschischen Literatur begegnet, auf die sich Loewe beschränkt. Im positiven Falle wäre erwiesen, daß autoritatives Lehren bzw. der Rückgriff darauf auch in Qumran praktiziert wurde, ohne daß es terminologisch feststellbar ist. Einem terminologischen Anachronismus wäre dann gewehrt.

6.2.1.2. Beispiel CD 11,17

J. VAN DER PLOEG[23] erörtert in einem Aufsatz über die Qumranexegese den Gesetzesteil der Damaskusschrift und bemerkt dazu, daß ebendort nirgends ein verborgener Sinn vorausgesetzt wird. So führt er als Beispiel CD 11,17f. an, worin Lev 23,38 frei zitiert wird: אל יעלה איש למזבח בשבת כי אם עולת השבת כי כן כתוב מלבד שבתותיכם - ("Niemand soll am Sabbat etwas auf den Altar bringen außer dem Sabbatbrandopfer; denn so steht geschrieben: 'ausgenommen eure Sabbatopfer'")[24]. Das aus dem Zusammenhang gezogene und er-

---

21 Loewe, ebda. 176. - In seinem Artikel "Peshaṭ" stellt L.I. Rabinowitz Halacha und Haggada als unabhängig vom Peschaṭ dar, welchen er aber eher als äußerst eng mit "literal meaning" wiedergibt (vgl. seinen Artikel in: EJ XIII, Jerusalem 1971, 330).

22 Loewe, Plain Meaning 178.

23 Bijbelverklaring 18.

24 Vgl. auch Übersetzung bei Ch. Rabin, The Zadokite Documents, Oxford 1954, 57f.

weiterte Leviticus-Zitat (מלבד שׁבתת יהוה ומלבד מתנותיכם ומלבד כל-נדריכם ומלבד כל-נדבותיכם אשׁר תתנו ליהוה) gestattet also der Gemeinde kein Opfer am Sabbat außer eben dem Sabbatbrandopfer (כי אם עולת השׁבת) von Num 28,9f. Andererseits wird eben in Num 28,10 abgesehen vom Sabbatbrandopfer noch an das Tamid, das tägliche zweimalige Opfer, erinnert, welches seinerseits in CD 11,17 keine Erwähnung findet. L. H. SCHIFFMANN[25] löst dieses Problem, indem er annimmt, daß die Präposition על in Num 28,10 (עלת שׁבת בשׁבתו על-עלת תמיד ונסכה) als "anstelle von" ausgelegt wurde. - J.M. BAUMGARTNER[26] liefert eine Erklärung für das aus dem Zusammenhang gerissene מלבד שׁבתותיכם : Im rabbinischen Sprachgebrauch wurde "Sabbate" auf die Sabbatopfer bezogen, die selbst dann dargebracht werden durften, wenn ein Festtag mit einem Sabbat zusammenfiel. מלבד wird also bei den Rabbinen als "neben", "zusätzlich", "besonders" verstanden. Gerade gegen eine solche Interpretationsübereinkunft verwahrte sich die Qumrangemeinde strengstens; dazu diente ihr auch der Sonnenkalender, der einen Festtag nie auf einen Sabbat fallen ließ[27].
Als Fazit ist festzuhalten: Durch eine einfache Schriftauslegung von Lev 23,38 in einem halachischen Kontext, wobei מלבד im ursprünglichen Sinne als "ausgenommen", "außer" verstanden wurde, wird das Verbot von zusätzlichen Opfern neben dem Sabbatgebot ausgesprochen[28].

6.2.2. Allegorische Schriftauslegung

6.2.2.1. Begriffliches

Die allegorische Schriftauslegung oder Allegorese, die, im

25 The Halakha at Qumran (Studies in Judaism in Late Antiquity 16), Leiden 1975, 128.

26 Studies in Qumran Law (Studies in Judaism in Late Antiquity 24), Leiden 1977, 69.

27 Baumgartner, ebda. 69f.

28 Vgl. L. Ginzberg, Eine unbekannte jüdische Sekte, New York 1922 (= reprint Hildesheim 1972), 287f.

Unterschied zum Symbol, bei welchem dem Wortsinn nach eine Wesensverwandtschaft mit dem Bezeichneten vorliegt, und im Unterschied zur Parabel, bei der Bezüge zum eigentlich Gemeinten offen zu Tage liegen, Anderes, nicht unmittelbar Gemeintes, bezeichnet[29], ist in allen Religionen, die heilige Urkunden aufweisen, praktiziert worden; sie diente der Beifügung eines neuen, zeitgenössischen Inhalts von bekannten religiösen Äußerungen wie auch der Bewahrung der Autorität kanonischer Schriften[30]. Als solche fand sie schon Anwendung bei den Griechen im 6. vorchristlichen Jahrhundert, und zwar bei den den Vorsokratikern nachfolgenden Homererklärern[31]. Wenn z.B. der Anaxagorasschüler Metrodoros von Lampsakos unter Zeus den νοῦς, unter Achilleus die Sonne und unter Hellena die Erde versteht, so steht dahinter der griechische Glaube, daß die Götter in Rätseln, Orakeln und Mysterien sprechen[32]. Wenn nun der Wortsinn des Gesprochenen als unmöglich erscheint, muß dieses allegorisch im wissenschaftlichen Sinne aufgefaßt werden[33].

Neben dieser "Allegorese" hält I. HEINEMANN[34] die "Allegoristik" fest: Diese definiert er als eine grundsätzliche Neigung der nichtwissenschaftlichen Exegese zur Allegorisierung. Sie findet Verwendung auch bei einem durchaus akzeptablen Wortsinn und als Apologetik[35].

---

29 G. Siewerth. Art. Allegorie, in: LThK, Bd. I, Freiburg 1957, 342f.

30 L. Goppelt, Art. Allegorie, in: RGG, Bd. I, Tübingen ³1957, 238.

31 Goppelt, ebda.

32 Goppelt, ebda.

33 Heinemann, Allegoristik 10.

34 Ebda. 10f.

35 Heinemann, ebda. 11-14.

Rätsel, Orakel und Geheimnisse gibt es nun auch schon in der hebräischen Bibel, oder es ist von ihnen direkt die Rede, man denke an Ez 17,2 oder Sir 8,8. Von Josef und Daniel wissen wir, daß sie Träume deuteten. Allegorien selbst finden sich wiederum bei Ezechiel, etwa Kapitel 16 und 23, wo er Jerusalem bzw. Israel/Juda personifiziert, und in Ps 80,9-17, wo sich Israel mit einem umgewühlten und abgefressenen Weinstock vergleicht. Auch die Visionen der Apokalyptiker (Daniel, Äthiopischer Henoch, 4 Esra) gehören hierhin[36]. Die Allegoristik selbst wurde allerdings soweit getrieben, daß ursprünglich nicht allegorisch gemeinte Texte des AT allegorisch gedeutet wurden, so jedenfalls im hellenistischen Judentum von den hellenistisch-jüdischen Religionsphilosophen Aristobul und Philo, wohingegen sich das palästinische Judentum in Allegorese wie in Allegorisierung zurückhielt[37]. Die hellenistisch-jüdische Allegoristik ist ihrerseits planmäßiger und ernster aufgebaut: Die Bibel soll an eine fremde Lebensanschauung angepaßt werden; stärker ist sowohl der Glaube an einen vom Wortlaut weit entfernten Sinn der Bibel wie der mystische Gehalt, allerdings auch auf Kosten schlichter Wahrheit, und dies des öfteren[38]. Das rabbinische Judentum allerdings hat in der Allego-

---

36 Goppelt, Allegorie 239.

37 Goppelt, ebda.; Heinemann, Allegoristik 82. - Zu den zwei Arten von Allegorie in der Schrift bemerkt E. Mangenot: "On y (= in der Bibel) rencontre des allegories au sens classique du mot: des figures de rethorique par lesquelles les écrivains sacrés disent une chose pour en laisser entendre une autre, de metaphores continuées ou développées ... Mais il y a, dans l'Ecriture, des allegories dans une autre sorte que celles de rheteurs ... Sous le sens littéral du récit biblique se cache un autre sens, le sens allégorique, qui préfigure et annonce l'avenir; la narration dit autre chose que ce que les termes signifient" (vgl. Art. Allegories, in: Dictionnaire de Théologie catolique, Bd. I, Paris 1930, 833f.).

38 Heinemann, Allegoristik 83f.

rie niemals eine gängige Auslegungsmethode gefunden. Die allegorische Haggada sollte den Wortsinn der Bibel nur bereichern und erweitern, sofern der Bibelvers nur einen geeigneten Anknüpfungspunkt für einen vorzutragenden Gedanken bot[39]. Die Freude der Allegoristik "an der freien Bewegung des Geistes, am Rätsel, am Dämmerlicht der Illusion" weist einen recht geringen rationalen Einschlag auf und somit einen wesentlichen Unterschied zur griechischen allegorischen Methode der Textbehandlung[40].

6.2.2.2. Beispiel 1QpHab 12,3-4

Nachdem aus dem Vorangegangenen wohl ersichtlich geworden ist, daß das Frühjudentum neben anderen Auslegungsmethoden Allegorese bzw. Allegoristik betrieb, stellt sich natürlich die Frage nach Allegoristik - der Heinemannsche Terminus sei im folgenden beibehalten - in Qumran und nach deren Ausmaß. Van der Ploeg[41] hält zunächst fest, daß die Qumranexegese beim ersten Hinsehen an die alexandrinisch-allegorische Exegese erinnere, die zuerst auf heidnische und dann auf christliche Texte angewendet worden sei, bevor er das Schwergewicht auf die qumranähnliche neutestamentliche Exegese des AT legt. J.M. ALLEGRO[42] versteht die qumranische Exegese als Aufdeckung göttlicher Geheimnisse in der Endzeit. Damit ist freilich das Kapitel der Qumranapokalyptik angesprochen, in deren literarischen Kreis der Pescher gehört: "Superficially, it (= der Pescher) appears to coincide with the general type of interpretation common to apocalyptic literature, where an oracle, be it vision or re-

---

39 M. Guttmann, Das Judentum und seine Umwelt, Bd. I, Berlin 1927, 250. - So auch angegeben bei Heinemann, Allegoristik 71.

40 Heinemann, Allegoristik 75ff. 85.

41 Bijbelverklaring 4.

42 Die Botschaft vom Toten Meer. Das Geheimnis der Schriftrollen, Frankfurt 1957, 116.

vealed 'word' is supplied with an allegorical explanation, which attaches to it a set of circumstances"[43]. Von allegorischen (und symbolischen) Auslegungen wimmelt es nach Roberts[44] in den Schriftrollen, wobei er allerdings das proportionale Verhältnis nicht festlegt. Mit einer spiritualisierenden Tendenz, die an frühchristliches Verständnis des AT erinnere, verbindet P. WERNBERG-MÖLLER[45] die allegorische Interpretation in Qumran: "Hand in hand with the allegorizing use of biblical passages goes a spiritualizing tendency which has much in common with the approach to the Old Testament Scriptures which we find in the writings of the early christians (i.e. the New Testament and the apostolic fathers)". - Bei Betz ist diese spiritualisierende Tendenz im Zusammenhang mit der Allegoristik näher charakterisiert als geistliche Schriftauslegung. In dieser hat die Allegoristik vor allem die Aufgabe, die Notwendigkeit der Toraforschung und die bedeutende Gestalt des Gemeindelehrers durch das Schriftwort aufzuweisen: "Die Aufgabe der Auslegung gleicht nun der Öffnung einer verschlüsselten Botschaft, und die Begriffe eines Schriftzitats werden als Metaphern betrachtet, die es in die theologische Sprache der Sekte zu übersetzen gilt"[46]. Trotz der dahinterstehenden schulmäßigen Auslegung würden keinerlei feste Regeln befolgt: Einmal werden Schriftworte "in eine andersartige Welt" übertagen, ein andermal "verbleibt man im gleichen Bereich"[47].

---

43 Roberts, Some Observations 368.

44 Ebda. 373.

45 Some Reflections on the Biblical Material in the Manual of Discipline: StTh 9 (1955) 63.

46 Betz, Offenbarung 176.

47 Betz, ebda. 181. - Dies dürfte den Unterschied zwischen allegorischer und symbolischer Auslegung treffen. - W. Pompetzki zieht die Bezeichnung "symbolisch-typologisch" vor (vgl. Der Habakukkommentar/DSH aus dem Lederrollenfund von Ain Feschha, theol. Diss., Jena 1952, 71.) -

Nun hat uns allerdings schon Philo eine Notiz über exegetische Praktiken der Essener hinterlassen. Sie sei für diese Studie zitiert - mit der vorsichtigen, ja riskanten Annahme, daß die Qumrangemeinschaft echt essenisch oder doch mit den Essenern eng verwandt ist[48]:Εἶθ' εἷς μέν τις τὰς βίβλους ἀναγινώσκει λαβών, ἕτερος δε τῶν ἐμπειροτάτων ὅσα μὴ γνώριμα παρελθὼν ἀναδιδάσκει. Τὰ γὰρ πλεῖστα διὰ συμβόλων ἀρχαιοτρόπῳ ζηλώσει παρ' αὐτοῖς φιλοσοφεῖται[49]. H.J. Schoeps charakterisiert diese Auslegungsart als "symbolisch-allegorisch"[50] und bezieht dazu auch die im folgenden näher zu besprechende Stelle 11,16; 12,2-4 des Habakukkommentars ein: [כיא חמס לבנון יכסכה..]...פשר הדבר על הכוהן הרשע לשלם לו את גמולו אשר גמל על אביונים כיא לבנון הוא עצת היחד. Die entscheidende an den Text zu richtende Frage ist, wieso die "Gemeinde der Einheit"[51] mit dem Libanon identifiziert werden kann, ein Problem, auf das schon G. VERMES[52] aufmerksam geworden ist. Andere, von ihm auch genannte Autoren[53] waren nicht in der Lage, zu einer endgültigen und überzeugenden Lösung zu gelangen. So hält zwar C. RABIN[54] fest, daß "Libanon" ein üblicher Deckname für

---

Silberman, Riddle 331, spricht von "substitutional method".

48 Vgl. dazu etwa die argumentativ gewichtige Skepsis bei Rengstorf, Ḫirbet 35-42.

49 Ausgabe L. Cohn/P. Wendland, Philonis Alexandrini opera quae supersunt, Bd. VI (Cohn-Reiter Hg.), Berlin 1915, 23 (= Quod omnis probus liber sit § 28).

50 Habakukkommentar 77. Er unterscheidet also nicht zwischen Symbol und Allegorese, oder aber er sieht beide gleichzeitig am Werk.-

51 Zum Begriff יחד in der Qumran-Literatur vgl. J. Maier, Zum Begriff יחד in den Texten von Qumran, in: Grözinger, Qumran 225-248.

52 Car le Liban 316-325; ders., Schriftauslegung 196.

53 Vermes, Schriftauslegung 196f., Anm. 37.

54 Notes 158.

den Tempel war, wie schon L. GINZBERG[55] aufgezeigt hatte. Auch hier könnte sich der 1QpHab wie offensichtlich sonst in seinen allegorischen Gleichungen auf den Prophetentargum stützen. Immerhin konnte der Targum, wenn die Gliederung in 1QpHab nicht eine selbständige sein sollte, seine ursprüngliche Gleichung "Libanon" = "sein Heiligtum" selbst geändert haben. Jedenfalls stellt Rabin[56] fest: "As for the equation of 'Lebanon' with the council of the community, the reasons evade us". - Delcor[57] vermutet hier noch einen historischen Hinweis auf die Identität der Sekte, wie auch Del Medico[58].

Erst Vermes[59] vermag in der Tat die fehlenden Kettenglieder aufzuzeigen: Er stellt zunächst eine im palästinischen Judentum bestehende exegetische Tradition fest, die in der rabbinischen Literatur, im palästinischen Targum und in allen tannaitischen Midraschim außer Sifra die Gleichung Libanon = Tempel aufweist. Der nächste entscheidende Schritt ist der Nachweis, daß die Qumrangemeinde sich als zeitweiligen Ersatz für das befleckte Heiligtum in Jerusalem ansah: In 1QS 8,4-6 versteht sich die Gemeinde als in der Wahrheit für die ewige Pflanzung gegründet, als ein heiliges Haus für Israel (בית קודש לישראל) und als Gründung des Allerheiligsten (וסוד קודש קודשים), welche für das Land sühnen und den Gottlosen ihre Taten vergelten soll (לכפר בעד הארץ ולהשב לרשעים גמולם). Auch kommt dies innerhalb einer

---

55 The Legends of the Jews, Bd. VI, Philadelphia 1959, 395.

56 Notes 157f.

57 M. Delcor, Essai sur le Midrash d'Habacuc (Lectio divina 7), Paris 1951, 38.

58 H.E. del Medico, Deux Manuscrits hebreux de la Mer Morte, Paris 1951, 129. - So auch angegeben bei Vermes, Car le Liban 318.

59 Car le Liban 319-324.

hierarchischen Ordnungsaufstellung in der Kriegsrolle zum Ausdruck (2,1-7): ראשׁי השׂבטים ואבות העדה אחריהם התיצב תמיד בשׂערי המקדשׁ - ("Und die Häuptlinge der Stämme und die Familien der Gemeinde kommen nach ihnen, um ununterbrochen an den Toren des Heiligtums zu stehen" - Z. 3). Offenbar war für die Gemeinde das Jerusalemer Heiligtum wegen seiner frevlerischen Priesterschaft nicht länger Zentrum des wahren Gottesdienstes; vielmehr glaubten die Exulanten, selber diese Funktion auszuüben[60]. Für Vermes ergibt sich aus diesen Tatbeständen folgender Syllogismus, der die zunächst rätselhafte Stelle in 1QpHab 12,3f. erklärt:

Libanon = Tempel	(exegetische Tradition des palästinischen Judentums)
Rat der Qumrangemeinde = Tempel	(1QS 8,4-6; 1QM 2,1-7)

folglich:

Libanon = Rat der Qumrangemeinde (1QpHab 12,3f.).

Wohlgemerkt fand Allegoristik auch außerhalb von Qumran statt; in den Schriftrollen der Gemeinde wurde bei diesem Beispiel von Allegoristik nur noch eine qumranspezifische Note beigefügt.

6.2.3. Der Pescher und seine Deutungsverfahren

6.2.3.1. Begriffliches

Innerhalb der wissenschaftlichen Literatur zur qumranischen Schriftforschung hat der Pescher seit der Veröffentlichung des Habakukkommentars 1950 das größte Interesse auf sich ziehen können. Diesem ist bis heute (1984) eine stattliche Zahl von veröffentlichten Pescharim nachgefolgt, und zwar nicht weniger als 18. Sie stellen - allerdings fragmentarische - Kommentare zu den Propheten Micha (2), Zefanja (2), Jesaja (6), Nahum und Hosea (2 Fragmente) dar. Daneben finden sich Pescharim zu Psalmen (4), was zugleich auf ein

60 Vermes, Car le Liban 324, und: Schriftauslegung 197.

prophetisches Verständnis der Psalmen hinausläuft[61], sowie 13 Fragmente zu unidentifizierten Texten (4QpUnid; 4Q 172)[62]. Alle Texte bestehen aus einem fortlaufenden Kommentar oder einer Auslegung eines einzelnen biblischen Buches. Den Namen "Pescher" haben diese Qumranschriften deswegen erhalten, weil den einzelnen Auslegungsabschnitten eine einleitende Interpretationsformel vorausgeht, die in verschiedenen exegetischen Einleitungsformeln das spätklassisch-hebräische Wort פשׁר aufgenommen hat[63]. Allerdings kommt das Wort "Pescher" nicht nur in ausgesprochenen Exegeseschriften von Qumran vor; es erscheint auch vereinzelt, um gewissermaßen eingestreute Deutungen anzukündigen, z.B. 4Qflor 1,14f.: מ[ד]רשׁ מאשׁרי [ה]אישׁ אשׁר לא הלך בעצת רשׁעים פשׁר הדב[ר על] סרי מדרך - ("Eine Aus[le]gung von: Wohl dem Mann, der nicht wandelt im Rat der Gottlosen. Die Deutung des Wor[tes bezieht sich auf] diejenigen, die abgewichen sind vom Wege"). Aus letzterem ergibt sich das Charakteristikum zweier wichtiger Elemente in der Pescher-Deutung, nämlich des Schriftworts und seiner Auslegung, d.h. daß sich der jeweilige Pescherabschnitt innerhalb des gesamten Peschers immer nur auf ein einziges Schriftwort bezieht[64]. Um den Zweck der Pescher-Deutung besser zu verstehen, bedarf es einer genaueren philologischen Analyse.

In der hebräischen Bibel treffen wir פשׁר nur in Koh 8,1 an: מי כהחכם ומי יודע פשׁר הדבר. Es hat hier offenbar die ein-

---

61 Horgan, Pesharim 248.

62 Vgl. die Aufzählung bei Horgan, Pesharim VII.

63 Brownlee, Background 187f., nimmt an, daß der Gebrauch von פשׁר die hebräische Auslegung vom hebräischen Zitat abheben sollte. Dies kann aber höchstens sekundär sein, denn bei der "Bibelfestigkeit" der Qumranleute mußte Auslegung nicht unbedingt gegenüber Zitat herausgestellt werden. Zudem wird die Auslegung vom Zitat durch einen auffallenden Zwischenraum ohnehin schon getrennt.

64 Schwarz, Erster Teil 110.

fache, nichttechnische Bedeutung von "Auslegung", "Interpretation" oder "Auflösung". Letztere Bedeutung spiegelt sich auch in der griechischen Übersetzung dieser Stelle wieder: καὶ τίς οἶδε λύσιν ῥήματος[64a]. Finden wir פֵּשֶׁר nicht mehr in den hebräischen Stücken der Bibel, so doch gleich reihenweise sowohl als Nomen als auch als Verb im gleichen Bedeutungsfeld innerhalb der aramäischen Teile des Danielbuches. Hier wird es sowohl in Zusammenhang mit der Deutung von Träumen (Kapitel 2 und 4) wie mit der Erklärung der an der Wand auftauchenden Schrift gebraucht (Kapitel 5). Bei beiden Gebrauchsarten, der hebräischen und der aramäischen, liegt die semitische Wurzel pšr zugrunde, welche die Hauptbedeutung von "(los)lösen" hat; dies ist auch im Akkadischen und Arabischen bezeugt[65]. das Hebräisch-/Aramäische hat sich anscheinend dieser akkadischen Wurzel bedient[66]. Dabei erweckt vor allem der Gebrauch von pašāru im Akkadischen Interesse: Dort bezieht es sich auf Traumdeutung, wobei die Wurzel nach L. OPPENHEIM[67] folgendes Bedeutungsfeld abdeckt:

1. Ein Traum wird einer anderen Person erzählt, wobei die Symbole des Traums in Sprache übertragen werden müssen.
2. Ein Traum wird einer anderen Person erzählt, die den

64a Zu dem etwas abweichenden Verständnis von פֵּשֶׁר an dieser Stelle vgl. O. Eissfeldt, Die Menetekel-Inschrift 108f., Anm. 4.

65 Horgan, Pesharim 231.

66 I. Rabinowitz, Pesher 220, Anm. 2. - Vgl. a. KBL[3], Lfg. III, 923, - Deswegen ist auch פֵּשֶׁר als Arabismus auszuschließen, vgl. H.H. Rowley, The Zadokite Fragments and the Dead Sea Scrolls, Oxford 1956, 26ff.

67 Interpretation 217-225. - Folgendes so wiedergegeben bei Horgan, Pesharim 231; vgl. auch Ch. Rabin, Qumran Studies (Scripta Judaica 2), Oxford 1957, 117; Rabin stellt fest, daß die qumranische "Umfunktionierung" von pašāru "einen Traum auslegen" und pišru "Auslegung" auf Textdeutung sich besonderen Umständen verdankt: So sei die Schriftauslegung in Qumran eine Form der Inspiration gewesen (ebda.).

symbolischen Inhalt des Traums enträtselt, aber nicht in Form einer mehr oder weniger langen Darlegung, sondern als Offenbarung der Botschaft einer Gottheit, welche Botschaft die Zukunft betrifft.

3. Böse Folgen oder Omina eines Traums werden magisch gebannt bzw. ihrer Wirkung beraubt.

Kurz nach Abfassung des Danielbuches erscheint nun פשר in den Qumranschriften, und zwar als Nomen wie als Verb; als letzteres ist es allerdings selten anzutreffen, wie etwa in 1QpHab 2,8f.: הכוהן אשר נתן אל מ[תוך העד]ה לפשור [א]ת כול דברי עבדיו הנביאים - ("... des Priesters, den Gott [in die Gemeinde] stellte, um alle Worte seiner Knechte, der Propheten, zu deuten")[68]. In 4Q Enoch Giants[b] 2,14.23 erscheint zweimal das Qal Imperfekt יפשור, hier allerdings in aramäischen Texten, die von Traumdeutung handeln: יפשור לנא חלמיא bzw. יפשור חלנא[69]. Bis auf eine Ausnahme stellt sonst pšr das Hauptwort innerhalb einer im Wesen stereotypen Formel dar, welche die Einleitung zu einer Exegese eines vorher zitierten Bibeltextstücks darstellt. Bei der Ausnahme handelt es sich um 1Q30, Zeile 6: ופשריהם לפי, wobei sich "... ihrer Auslegungen gemäß ..." möglicherweise auf geschriebene Kommentare bezieht[70]. Im späteren, mischnaischen Hebräisch ist die Bedeutung von "auslegen" aufgegeben worden, wohingegen im Aramäischen der gleichen und auch der späteren Periode pšr durchaus die Bedeutung von "(Traum-) Auslegung" beibehalten hat. Im mischnaischen Hebräisch hat diese Funktion das Verb pšr und das Nomen פתר übernommen, ein Nomen, das in gleicher Bedeutung schon im 40. und 41. Kapitel der Genesis Verwendung findet[71]. In Qumran

68 Text von Elliger. - Lohse ergänzt die Lacuna mit ב[לבו בינ]ה, vgl. Texte 228.

69 Horgan, Pesharim 233, bzw. J.T. Milik, Turfan et Qumran 122.

70 Horgan, Pesharim 233.

71 Horgan, ebda. 235.

jedenfalls hat פשר eine technische Bedeutung angenommen, wobei es normalerweise übersetzt wird mit "(seine) Auslegung". Abweichend von dieser Wiedergabe stellt I. RABINOWITZ[72] für den Gebrauch des qumranischen פשׁר ein anderes Bedeutungsfeld fest: Er versteht zunächst das Wortpaar "pesher/pittaron" im Zusammenhang mit Traumdeutungen in den hebräisch-aramäischen Schriften der Bibel nicht im Sinne des Erlangens und der Weitergabe eines intellektuellen Verstehens eines Problems; dafür sei die hebräische Wurzel byn (בין) vorgesehen. Hierbei stützt sich Rabinowitz auf L. Oppenheim[73], der in seiner Erörterung der akkadischen "Ahnwörter" pašāru, pišru und piširtu klarstellt, daß im Alten Orient keine exegetischen oder hermeneutischen Grundvoraussetzungen für Traumdeutungen angenommen werden dürfen. Für die im AT anzutreffenden Traumdeutungen,vor allem bei den danielischen, bemerkt Rabinowitz[74] folgendes: "This 'translating' of the dreams's phantasmagoria into statements of the realities they are held to *presage* is, of course, 'interpretation' of a sort; it is not, however, interpretation for the sake of exposition, but rather a finding of clues to a reality believed on the way to *becoming fully manifest*". Gleiches hält Rabinowitz[75] für die Deutung der Schrift an der Wand im 5. Kapitel des Danielbuches fest: "The pesher of the mysterious handwriting on the wall that so terrified King Belshazzar ... must also be regarded as something more than an intellectually satisfying 'interpretation'". Für die qumranischen Prophetenkommentare gilt deswegen nach Rabinowitz[76] folgendes: "The term pe-

72 Pesher 225.

73 Interpretation 220, so wiedergegeben bei Rabinowitz, Pesher 225.

74 Pesher 223.

75 Ebda. 224.

76 Pesher 225f.- Hervorhebungen von mir.

sher, in fine, never denotes just an explanation or exposition, but always a presaged reality either envisaged as emerged or else observed as already actualized". - Hier freilich ist zunächst einmal entgegenzufragen, inwiefern der פשר-Gebrauch in Daniel und auch in den Qumrankommentaren sich noch mit dem ursprünglichen Bedeutungsfeld des Akkadischen und des Genesisgebrauchs von פתרון (40,5) deckt: Der Terminus פֵּשֶׁר hat doch im Zusammenhang mit einer spezifisch danielischen und auch qumranischen Schriftdeutungstechnik seine Bedeutungsrichtung verschoben[77]. Auch Horgan[78] kritisiert an Rabinowitz' Übersetzung von פֵּשֶׁר als "Omen" oder "Vorbedeutung" (engl. presage), daß sie die Grundbedeutung des "Lösens" nicht zum Ausdruck brächte: "Rather than emphasizing the 'foretelling' aspect of the word, it seems to me better to stress the nuances of the unravelling of mysteries or the 'translating' of symbols, and so I retain the 'translation' with this in mind." Die Rabinowitzsche Übersetzung stellt für Horgan[79] keineswegs einen wesentlichen Unterschied zur sonst üblichen dar, sondern lediglich eine unterschiedliche Nuancierung.

6.2.3.2. Die Pescher-Struktur (incl. Einleitungsformeln)

Die Pescharim folgen bis auf eine Ausnahme diesem Schema[80]: Abschnittweise Zitierung eines einzelnen biblischen Buches; jedem Lemma folgt eine Interpretation. Diese Interpretationen folgen kontinuierlich den Abschnitten des auszulegenden Textes. Allerdings stellt hier 4QIsa^{c} in zweifacher Hinsicht eine Ausnahme dar: Zunächst finden sich im

---

77 Zum Problemkreis der Traumdeutungen und ihrer Voraussetzungen bzw. Techniken und überhaupt der Deutungsvorgehensweise im Danielbuch vgl. unten Kapitel 6.2.3. 4.2.3. und 7.5.

78 Pesharim 237.

79 Pesharim 244. - Vgl. dagegen Brownlee, Midrash Pesher 198.

80 Vgl. bis auf weiteres Horgan, Pesharim 237-239.

Kommentar implicite und explicite Zitate von anderen Propheten; ist der fragmentarische Text richtig rekonstruiert, so heißt es in 4QIsa^{c} 1,4: "[Wie es g]eschrieben steht bezüglich auf ihn in Jere[mia]" - ([כאשר כ]תוב עליו בירמ[יה]). Desgleichen lautet der rekonstruierte Kommentar zu Jesaja 14, 26f. in 4QIpIsa^{c} 8-10,8: "[Wie ge]schrieben steht im Buch Sacharja aus dem Munde [Gottes]" - (כאשר [כ]תוב בספר זכריה מפי [אל]). Das Zurückgreifen auf andere Bibeltexte kommt in den sogenannten kontinuierlichen Pescharim[81] sonst nicht vor, wohl in den sogenannten thematischen Pescharim[81], und zwar in 11Q Melchizedek und 4Q Florilegium. Wegen des Gebrauchs des Terminus פשׁר werden beide als Pescher angesehen, wenn dies auch in den qumranologischen Abkürzungen nicht direkt erkennbar ist[82]. So ist in 4QMelch Zeile 25 innerhalb einer - allerdings sehr fragmentarisch erhaltenen - Auslegung von Jes 52,7[83] ein Rückgriff auf Jes 8,11 festzustellen: "... diejenigen, die den Bund errichten, die vom Gang auf dem Weg des Volkes abgewichen sind" - מקימי הברית הסרים מלכת בדרך העם[84]. - Statt "Florilegium" möchte W. R. LANE[85] 4Qflor lieber einen "Midrasch" nennen - wie auch der rabbinische Midrasch weist jener unter anderem messianisch-eschatologische Orientierung auf, handelt es sich doch im ersten Teil (Zeile 1-13) um einen Pescher zu 2 Sam 7,10b-14a. Dieses Stück aus 2 Sam ist in drei zu interpretierende Abschnitte aufgeteilt, und das Auffallende dabei ist, daß zur Unterstützung der Auslegung auf Exodus und Amos zurückgegriffen wird. So heißt es im Anschluß zur Aus-

---

81 Zu dieser Unterscheidung vgl. unten Kapitel 6.2.3.3.

82 J. Carmignac, Le Document 360; W.R. Lane, A New Commentary Structure 344ff.

83 Vgl. rekonstruierten hebräischen Text und die wohl vom Original abweichende französiche Übersetzung bei Carmignac, Document 350f. und 357-359.

84 Die Jesaja-Anspielung ist hervorgehoben.

85 Commentary Structure 346 bzw. 343.

legung von 2 Sam 7,11c-14a: "... wie geschrieben steht: 'und ich werde die zerfallene Hütte Davids wieder aufrichten'" - (כאשׁר כתוב והקימותי את סוכת דויד הנופלת). Lane[86] stellt dazu fest: "Actually they (die zwei Bibelkommentare, aus denen sich 4Qflor zusammensetzt) belong to a more complex type of pesher - one that employs additional biblical material to expound the biblical passage under consideration".
Des weiteren fällt an 4QpIsa^{c} [87] auf, daß die Kontinuität der Pescher-Auslegung insofern gestört ist, als Verse oder ganze Stücke von Jesaja ausgelassen sind, wobei diese Auslassungen anscheinend noch absichtlich vorgenommen worden sind[88]. Dieses Phänomen ist auch von 4QIsa^{b} col.2 bekannt.

Im allgemeinen weisen die Pescharim die gleiche Verseinteilung wie die Massora auf. Die zu interpretierenden Zitate bestehen zumeist aus $1^{1}/_{2}$ bis 2 Versen; sie können auch nur $^{1}/_{4}$ des Verses oder auch gleich 5 Verse umfassen. Zwei bis drei Zeilen durchschnittlich kommentieren die Zitate; es können aber auch bis zu $9^{1}/_{2}$ Zeilen sein, wie in 1QpHab 2,1-10. Auch können Teile des Zitats innerhalb des Auslegungsteiles mehrfach und serienhaft wiederaufgenommen und eigens kommentiert werden, wenn sie nicht einen Auslegungsabschnitt abschließen[89].

Von besonderem Interesse ist in diesem Zusammenhang die Struktur der Formeln, die eine Interpretation und/oder Zitate einleiten. Sie sind detailliert bei Horgan[90] aufge-

---

86 Ebda. 346. - Zur Bedeutung dieses "more complex type of pesher" vgl. unten Kapitel 6.2.4.

87 Diese Form des Qumran-Sigels wurde so von Horgan übernommen.

88 Horgan, Pesharim 238.

89 Horgan, ebda.

90 Horgan, ebda. 239-244.

führt, weswegen hier nur das Wesentliche davon wiedergegeben sei. Horgan unterscheidet zwischen Formeln, die Interpretationen von Bibeltexten einführen, und solchen, die Lemmata vorausgehen. Bei der ersteren Formelgruppe erscheint der Begriff פשר in den verschiedensten Kombinationen (פשרו , פשר הדבר etc.). Statt seiner sind aber auch Formeln ohne פשר oder formelhafte Sätze innerhalb von Interpretationen möglich, z.B. כיא המה . Bei den Formeln, die Zitate einführen, ist zu differenzieren zwischen solchen, die ein Lemma zum erstenmal einbringen (ואשר , Gebrauch der Wurzel כתב), und solchen, die es wiederholen (ואשר אמר; כיא הוא אשר אמר)[91]. Formeln wie אשר אמר oder ואשר אמר stellen dabei Abkürzungen längerer Paradigmata dar, wie sie beispielsweise im Damaskusdokument 7,10f. (בבוא הדבר אשר כתוב בדברי ישעיה) gebraucht werden. Diese Paradigmata dürften sich ihrerseits wieder aus älteren כתוב -Formeln ableiten, wie sie schon im AT vorhanden sind, z.B. in 1 Kön 21,11, wo von den Briefen Isebels die Rede ist: כאשר כתוב בספרים , oder in Dan 9,13: כאשר כתוב בתורת משה[91a].

6.2.3.3. Der Pescher-Inhalt

Innerhalb der verschiedenen Schriftauslegungsarten, die in Qumran praktiziert wurden, hat sich die Pescherexegese als aktualisierende Schriftauslegung herausgestellt: "The function of the Pesher is mainly to prove how the ancient Biblical prophecy is actually fulfilled in its details, according to the sect's opinions"[92]. Die Erfüllung von biblischer Prophetie und ihr schriftliches Festhalten haben

---

91 Vgl. zu letzterem auch Rabinowitz, The Second and Third Columns of the Habacuc Interpretation Scroll: JBL 69 (1950) 46f

91a Vgl. zu letzterem F.L. Horton jr., Formulas 513f.

92 Lowy, Aspects 160, Anm. 206; Schwarz, Erster Teil 107.

dabei sowohl eine inhaltliche Voraussetzung wie ein äußerliches Kennzeichen: "(1) The pesher texts themselves purport to be interpretations made known by God to selected Qumran commentators of mysteries revealed by God to the biblical writers. (2) It is observed that the pesharim are a group of sectarian writings that present, section by section, continuous commentaries on biblical books, namely, prophets and psalms"[93]. Näher ausgeführt wird letzteres von Rabinowitz, indem er die Analyse von Einleitungsformeln mit einer Inhaltscharakterisierung verknüpft: In einem Fall ist der direkte Bezugspunkt des Terminus פשׁר eine Person, Gruppe oder Epoche, auf die mit der Präposition על (z.B. 1QpHab 12,2: פשׁר הדבר על הכוהן הרשע) Bezug genommen wird; im zweiten Fall verbindet sich פשׁר mit אשׁר, was einen Verbalsatz einleitet und auf irgendeine Aktualität, sei sie eine Handlung, eine Tatsache oder ein Umstand, hinweist (z.B. 4QpHos[a] 2,12: פשׁרו אשׁר הכם ברעב)[94]. In den 'continuous pesharim' sind die gegebenen Interpretationen ziemlich heteroklitisch, d.h. sie beziehen sich auf verschiedene Themen oder haben verschiedene historische Horizonte. Der Grund dafür ist, daß diese Auslegungen sich nur nach der Abfolge der Sätze des vorgegebenen biblischen Textes richten. Der "Sitz im Leben" für diese Art Pescharim mögen dabei die ununterbrochenen Schriftstudien gewesen sein, in denen Satz für Satz einer biblischen Schrift ausgelegt wurde oder aber auch Auslegungen in Gottesdiensten der Gemeinde[94a]. - Von diesen "zusammenhängenden" Pescharim unterscheidet Carmignac ja[95] die "diskontinuierlichen"

93 Horgan, Pesharim 248.

94 Pesher 226ff.

94a J.T. Milik, Fragments d'un midrash de Michée dans les manuscrits de Qumran: RB 59 (1952) 418 und ders., Ten Years of Discovery in the Wilderness of Judaea, London 1959, 41. - So auch angegeben bei Horgan, Pesharim 3.

95 Document 360f.

oder "thematischen" Pescharim: Der Ausleger wählt biblische Texte aus verschiedenen biblischen Büchern, die ihm für ein bestimmtes Interpretationsthema geeignet erscheinen; ein solcher diskontinuierlicher oder thematischer Pescher ist z.B. 4Qflor oder 11QMelch. Allerdings sind diese diskontinuierlichen Pescharim in sehr schlechtem Zustand und sehr lückenhaft erhalten[96]. Abschließend kann festgehalten werden, daß das Kontinuierlichkeitskriterium im Falle des fortlaufenden Peschers ein zusammenhängender biblischer Text, im Falle des thematischen Peschers ein Interpretationsthema ist.

6.2.3.4. Die Auslegungsvoraussetzungen und -methoden des Peschers

6.2.3.4.1. Allgemeines

In ihrem erschöpfenden Werk über die Qumranpescharim hat Maurya P. Horgan vier allgemeine Auslegungskategorien für diese Kommentare festgehalten. Diese Kategorien schließen sich bei ihrer Anwendung auf einen Pescher nicht aus, ja manchmal treffen sogar mehrere von ihnen auf einen kommentierten Text zu. Sie seien hier in deutscher Umschreibung wiedergegeben:

1. Der Pescher, d.h. sein auslegender Teil, hält sich eng an Handlungen, Ideen und Worte des Lemmas, allerdings innerhalb eines anderen Kontextes.
2. Der Pescher erwächst aus einzelnen Schlüsselwörtern, Wörtern oder Ideen, behandelt diese aber isoliert vom ursprünglichen biblischen Kontext.
3. Der Pescher bietet metaphorische Identifizierungen von Personen oder Gegenständen des Lemmas, wobei er manchmal die Handlung beschreibt oder ausarbeitet.
4. Der Pescher scheint bisweilen nur lose mit dem Lemma

96 Quantitativ gesehen scheinen aber die kontinuierlichen Pescharim im Vordergrund des Interesses der qumranischen Autoren gestanden zu haben.

verknüpft zu sein[97].

Im Anschluß daran zählt Horgan noch Techniken auf, mittels derer der Pescher aus den Lemmata gewonnen wird: Gebrauch von Synonymen und gleichen Wurzeln; Wortspiele; Wortumstellungen innerhalb des Lemmas; Gebrauch einer anderen Texttradition; Rückbezug auf ein früheres Lemma oder Vorwegnahme eines folgenden.
Es soll in den folgenden Unterkapiteln nun darum gehen, diese Techniken nicht nur ausführlich darzulegen und durch das Anführen weiterer zu ergänzen, sondern Auslegunsmethoden von Auslegungsvoraussetzungen zu unterscheiden und abzuhandeln. Sodann müssen ein oder mehrere Kriterien gewonnen werden für den Vorrang einer Auslegungsvoraussetzung oder -methode. Schließlich muß noch einmal und endgültig auf das Problem einer angeblichen Sonderoffenbarung in den Pescharim - und besonders in 1QpHab - zurückgegriffen werden.

6.2.3.4.2. Auslegungsvoraussetzungen

6.2.3.4.2.1. Das eschatologisch-hermeneutische Prinzip

Im Vorausgehenden[98] wurde festgestellt, daß wohl nicht die qumranische Toraforschung und deren vom offiziellen Judentum abweichende Ergebnisse vom Beginn der Gemeindeexistenz an hauptsächlich prägend waren, sondern ein schwerwiegender Verstoß gegen die Toratradition. Daraus wurde gefolgert, daß ein besonders strenges und frommes Torabewußtsein das Typicum katexochen der Gemeinde darstellte. Weiterhin ergibt sich daraus, daß die Gemeinde selbst sich nicht nur als toratreu schlechthin auffaßte, sondern darüber hinaus der Auffassung war, einzig und allein von allen religiösen Gruppierungen des Frühjudentums die Tora richtig auszule-

97 Zu diesen Punkten vgl. Horgan, Pescharim 244f.

98 Vgl. oben Kapitel 5.

gen. Innerhalb der Auslegungsschriften von Qumran nehmen nun die Pescharim als "charakteristischster Schriftgebrauch"[99] eine ganz bestimmte Stellung ein: Die Prophetenkommentare beziehen in aktualisierender Weise die Aussagen des biblischen Sehers auf Zeit und Umstände der Gemeinde, obwohl diese Vorhersagen eigentlich für Zeit und Tag des Propheten selbst gemeint waren[100]. Dabei muß man sich vergegenwärtigen, daß für diese Art der Auslegung Anwendung und Erfüllung der Schrift nicht so weit auseinanderliegen wie es uns Heutigen erscheinen mag; ja die eschatologische Grundhaltung des frühjüdischen Erklärers läßt die Grenze zwischen Anwendung und Erfüllung undeutlich erscheinen[101]. Mit dem allgemein frühjüdischen Verlangen, dem altehrwürdigen Schriftwort durch Aktualisierung Gegenwartsbezug zu verleihen, verbindet sich der Auserwähltheitsglaube der Qumrangemeinde, der die prophetische Vision ausschließlich auf Geschichte und Schicksal der Exulanten am Toten Meer bezieht. Dieser Auserwähltheitsglaube, bedingt durch die oben[102] kurz geschilderte Vorgeschichte der Entstehung der Gemeinde, erwartet Gottes Eingreifen in den Lauf der Geschichte und endgültige Rettung und Belohnung für die Jahwetreuen: Entsprechend werden die Prophetenschriften als die zukünftige Geschichte enthaltend gelesen. Den Hintergrund für diese aktualisierende Technik stellt für J.C. GREIG[103] der kanonische Status auszulegender Schriften dar, der, ist er einmal bewußt oder nach allgemeiner unausgesprochener Überzeugung aufgestellt, das Aussprechen neuer, die Zukunft betreffender Aussagen für viel spätere Generationen

---

99 Patte, Hermeneutic 299.

100 J.C.G. Greig, Gospel Messianism 596.

101 Van der Ploeg, Bijbelverklaring 19f.

102 Vgl. nochmals oben Kapitel 5.

103 Gospel 596. - Zur Unwahrscheinlichkeit eines Kanons in Qumran vgl. Osswald, Hermeneutik 256, Anm. 52.

ermöglicht. Diente nun das Studium der Tora der spirituellen Reinigung der Gemeindemitglieder, so sollte die Beschäftigung mit den Propheten die Handlungen Gottes in der Geschichte verdeutlichen, und zwar in besonderer Hinsicht auf die Vollendung der geschichtlichen Zeiten[104]. Die damit angesprochene eschatologische Ausrichtung der qumranischen Prophetenauslegung und auch gekennzeichnete Motivierung zur Prophetenauslegung überhaupt (vgl. wiederum 1QS 8,15f.: היאה מדרש התורה..וכאשר גלו הנביאים) ist nun keineswegs ein Novum in der israelitisch-jüdischen Religionsgeschichte: So wurden viele Prophetenbücher durch Zusätze innerhalb des Textes und gerade an dessen Schluß in Bücher eschatologischen Wissens verwandelt[105]. Die dementsprechende Auffassung findet sich bei den Rabbinen (z.B. Sanh 99c: כל הנביאים כולן לא נתנבאו אלא לימות המשיח) und auch im NT (vgl. 1 Petr 1,10f.: περὶ ἧς σωτηρίας ἐξεζήτησαν καὶ ἐξηρεύνησαν προφῆται οἱ περὶ τῆς εἰς ὑμᾶς χάριτος προφητεύσαντες, ἐρευνῶντες εἰς τίνα ἢ ποῖον καιρὸν ἐδήλου τὸ ἐν αὐτοῖς πνεῦμα Χριστοῦ προμαρτυρόμενον τὰ εἰς Χριστὸν παθήματα καὶ τὰς μετὰ ταῦτα δόξας). Am deutlichsten wird die Auffassung von Prophetenschriften und deren Auslegung in 1QpHab 7,1-5: "Und Gott sprach zu Habakuk, er solle aufschreiben, was kommen wird über das letzte Geschlecht. Aber die Vollendung der Zeit hat er ihm nicht kundgetan. Und wenn es heißt: 'Damit eilen kann, wer es liest', so bezieht sich seine Deutung auf den Lehrer der Gerechtigkeit, dem Gott kundgetan hat alle Geheimnisse der Worte seiner Knechte, der Propheten" (וידבר אל אל חבקוק לכתוב את הבאות על על[106] הדור האחרון ואת גמר הקץ לוא הודיעו ואשר אמר למען ירוץ הקורא בו פשרו על מורה הצדק אשר הודיעו אל את כול רזי דברי עבדיו הנביאים). Der Lehrer und die in den letzten

---

104 Trever, Qumran Covenanters 128.

105 Osswald, Hermeneutik 248f.

106 Nach Lohse, Texte 234 Dittographie.

bzw. nach Carmignacs Übersetzung "zukünftigen Tagen" Lebenden werden auch sonst noch im Habakukkommentar angesprochen, so in 2,5f.: "Und ebenso bezieht sich die Deutung des Wortes [auf alle Ab]trünnigen am Ende der Tage" (וכן פשר הדבר [על כול הבו]גדים לאחרית הימים); in 2,9f. wird die Aufgabe des Lehrers wiedergegeben mit der Deutung der Prophetenworte: "...[durch d]ie Gott verkündigt hat alles, was kommen wird über sein Volk ..." ([אשר ב]ידם ספר אל את כול הבאות על עמו [ו]על עדת[ו])[107]. Dabei konnte sich die Gemeinde auf schon vorangegangene Prophetien und deren Erfüllung berufen: Judas Deportation nach Babylon und Exil wie der Neuaufbau der Gemeinde Gottes unter Esra und Nehemia waren prophezeit und verwirklicht worden[108]. הבאות ist überdies in 1QpHab 2,8ff. ein terminus technicus der eschatologischen Sprache, wie er auch in den bereits oben zitierten Zeilen 7,1-5 des Habakukkommentars auftaucht[109]. Der ebenfalls eschatologische Ausdruck הדור האחרון, auf den sich הבאות bezieht, erscheint sonst noch innerhalb der Qumranliteratur in 1QpMi 18,5[110]: ויושביה לשרקה פשרו על הדור האחרון, und noch zweimal in der Damaskusschrift: מורה הצדק...ויודע לדורות אחרונים את אשר עשה בדור אחרון (CD 1,11f.). Das, was den letzten Geschlechtern bevorstand, konnte gemäß obiger Voraussetzung nur aus dem Studium der Prophetenschriften erschlossen werden, so daß die Aufklärung der "letzten Ge-

---

107 Lohse hat hier וארצו (vgl. Texte 230). - Habermann, Megiloth Midbar Jehuda 43, ergänzt ואשר אמר כיא. - Horgan, Pesharim (Textbuch) 2 setzt ועל עדתו ein. In der Tat deutet die etwas nach links orientierte Federführung eher auf ein ע als auf ein א (vgl. Fotographie bei Burrows, Dead Sea Scrolls, Nr. 55).

108 Gärtner, Habakkuk Commentary 7.

109 Elliger, Studien 150. - Der ebenso wie "apokalyptisch" schwammige Begriff "eschatologisch" ist hier am besten mit "vorläufig-zukünftig" wiederzugeben. - Carmignac, Eschatologie 323.

110 Vgl. Text und Übersetzung wieder bei Horgan, Pesharim (Textbuch) 12.58 (Hauptteil).

schlechter" über das Kommende durch den Lehrer als deutliches Zeichen dafür angesehen werden konnte, daß "das Ende der Zeit", der גמר הקץ, unmittelbar bevorstand[111]. Somit verbindet der Lehrer in seiner Person das Studium der Prophetenworte mit der eschatologischen Erwartung der Qumrangemeinde; das Prophetenstudium verstärkte also sowohl die eschatologische Erwartung wie es seinerseits wiederum zu einem Neuverständnis der Propheten innerhalb der qumranspezifischen Naherwartung führte. Der Umstand, daß nun der "Lehrer der Gerechtigkeit" (oder besser: "der rechtmäßige" oder "Recht sprechende Lehrer"[112]?) als von Gott autorisierter <u>prophetischer</u> Ausleger der Propheten auftrat, und zwar in einer Epoche, in welcher der Geist der Prophetie als erloschen galt, mußte der Gemeinde ihr endgültiges eschatologisches Selbstverständnis geben. Die bedeutet für das qumranische Prophetenverständnis folgendes:

> "Erstens, die Worte der Propheten sind voller Geheimnisse; sie haben einen verborgenen Sinn, welcher durch weitere Offenbarung aufgedeckt werden muß.
> Zweitens, dieser verborgene Sinn betrifft die Geschehnisse beim Weltende.
> Drittens, das Ende der Welt steht nahe bevor; die Prophetie spricht folglich von des Schreibers eigener Generation.
> Viertens, und das ist das Wichtigste, die Person, der alle diese Geheimnisse geoffenbart wurden, war der Lehrer der Gerechtigkeit selbst"[113].

---

111 Bruce, Biblical Exegesis 9.

112 Zum Problemfeld der eigentlichen Bedeutung des Titels מורה הצדק vgl. Milik, Geschichte 95; noch ausführlicher: J. Weingreen, The Title Môrēh Ṣedeḳ, in: ders., From Bible to Mishna, Manchester 1976, 100-114. Er begreift besagte Bezeichnung als Ausdruck von Rechtsautorität und Funktionsstatus zugleich.

113 Vermes, Schriftauslegung 193.

Diese Feststellungen bestätigen voll Elligers hermeneutisches Prinzip, das er in 1QpHab wirksam sah[114]: Prophetische Verkündigung beinhaltet die Endzeit, welche ihrerseits die Gegenwart des Prophetenauslegers ist. Somit ist die Schriftauslegung und gerade die Prophetendeutung auf die Existenz der Gemeinde bezogen, denn deren Geschichte und Lehren sind schon in den prophetischen Schriften enthalten. Deswegen müssen letztere im Licht der ersteren angegangen und verstanden werden[115].

6.2.3.4.2.2. Der Begriff רז

Wenn nun Geschichte und Lehren der Gemeinde Explikationen der prophetischen Schriften darstellen und letztere ihrerseits ihre volle reale Bestätigung in jenen erfahren, so stellt sich doch die Frage nach dem in 1QpHab 7,4f. ausgedrückten Prophetenverständnis des Lehrers: מורה הצדק אשר הודיעו אל את כול רזי דברי עבדיו הנביאים - ("... den Lehrer der Gerechtigkeit, dem Gott kundgetan hat alle Geheimnisse der Worte seiner Knechte, der Propheten"). Aufgrund der Ausführungen im letzten Kapitel wurde zunächst deutlich, daß das Prophetenstudium mit der Erwartung angegangen wurde, neben spirituellen und theologischen vor allem die Gemeinde betreffende geschichtliche Erkenntnisse zu erlangen. Der in 1QpHab auftauchende Begriff רז muß durch eine semantische Analyse darüber näher Auskunft geben, wie er im AT, in den Qumranschriften, im NT in der Übersetzung μυστήριον bzw. μυστήρια und schließlich in Talmud und Midrasch verwendet wird.

רז - ein persisches Lehnwort - kommt im alttestamentlichen Hebräisch nicht vor. Allerdings findet sich der Ausdruck רזי-לי in Jes 24,16b: ואמר רזי-לי רזי-לי אוי לי בגדים בגדו

114 Vgl. oben Kapitel 2.3.2. und Osswalds Erläuterungen zu Elligers hermeneutischem Prinzip (Hermeneutik 247-256).

115 Vermes, Schriftauslegung 193.

ובגד בוגדים בגדו. J. BARTH[116] leitet רזי in Jesaja eher vom Adjektiv bzw. Verb רזה mit der Qal-Bedeutung "hinschwinden machen" ab. E. LIEBERMANN[117] schließt die Wiedergabe von רזי als "mein Geheimnis" von vornherein aus, weil רז dann dem Aramäischen entliehen sein müßte. Auch E. KÖNIG[118] zieht die Übersetzung "schwinden" vor. In diesem Falle handelte es sich um ein hapax legomenon. Anders versteht J. NIEHAUS[119] רזי, nämlich doch als "mein Geheimnis", das heißt als רז mit enklitischem Personalpronomen. Zur Unterstützung führt er die Septuaginta, die Vulgata, den Targum und die Peschitta an. Vor allem aber scheint ihm ein Vergleich zwischen Dan 5,25-28 (Einführung und Deutung der menetekelschrift) und eben Jes 24,16b-18c ertragreich: Beide Stellen folgen einem Raz-pešar-Muster; zwar wiederholt der Verfasser nicht wie "Daniel" die zu erklärenden Worte, aber seine Interpretationen zu פחד, פחת und פח (24,17) sind deutlich ausmachbar, und sie werden - nach Niehaus - mit רזי-לי eingeführt. Nun sieht H. WILDBERGER[120] Kapitel 24-27 als in der Zeit von 500 bis 450 v.Chr. entstanden, wobei er 24,14-20 zu einer sogenannten Grundschicht zählt. Aber רזי hier mit "mein Geheimnis" zu übersetzen, erscheint doch zu riskant, da in der uns vorliegenden Literatur rāz erst in der Pahlavi-Periode erscheint[121], d.h. zu Zeiten des Mittelpersischen und somit seit dem 3. vorchristlichen Jahrhundert. Ein doch früher anzusetzender Gebrauch von רז

---

116 Die Nominalbildung in den semitischen Sprachen, Hildesheim 1967 (reprint von Leipzig ²1894), 83.

117 Der Text zu Jesaja 24-27: ZAW 23 (1903) 237.

118 Historisch-kritisches Wörterbuch der hebräischen Sprache, Leipzig 1881-97, 2. Band, 1. Teil, 134.

119 Raz-peshar in Isajah 24: VT 31 (1981) 376f.

120 Jesaja 934.

121 Brown, Semitic Background 6.

könnte sich aus einem aramäischen Papyrus aus dem 5. Jahrhundert v.Chr. ergeben[122]. Wildberger[123] entscheidet sich zu keiner Deutung von רזי, sondern referiert nur die bisherigen Erklärungsversuche. Abgesehen von den bei Brown aufgeführten sprachlichen Gegebenheiten paßt aber auch רזי als Ausruf "mein Geheimnis! mein Geheimnis!" nicht recht in den Zusammenhang dieser Jesaja-Stelle.

Ansonsten findet sich רז gleich neunmal in den aramäischen Teilen des Danielbuches, konzentriert vor allem im 2. Kapitel. Dort wird es in den meisten Bibelübersetzungen mit "Geheimnis" wiedergegeben. So heißt es etwa in 2,28, daß es einen Gott im Himmel gäbe, der Geheimnisse oder verborgene Dinge offenbaren könne (גלא רזין[124]). Daß רז überhaupt mit dem Begriff des Geheimnisses denotiert wurde, rührt daher, daß man sich die alten Propheten als bei himmlischen Ratsversammlungen gegenwärtig dachte, so daß sie dabei zu Mitwissern der geheimen göttlichen Pläne für die kosmische Geschichte würden[125]. Außerdem stellt רז als "eschatologisches Geheimnis" die Entwicklung einer Grundvorstellung von "Geheimnis" dar, freilich nur insofern als sich die Art der Kundbarmachung geändert hat: Jetzt sind Symbole die Träger der Botschaft[126]. Daß רז gerade im 2. Kapitel des Danielbuches für "eschatologisches Geheimnis" steht, also eine spezifische Bedeutung angenommen hat, ist das Ergebnis einer Studie von A. MERTENS[127]. Daniels Deutung von Nebukadnezzars Traum in Form einer symbolisierten Geschichtsvision

---

122 Brown, ebda.

123 Jesaja 932f.937.

124 Zum äußerst wichtigen Zusammenhang von גלא und רז vgl. unten Kapitel 7.5.

125 Horgan, Pesharim 237. - Vgl. dazu biblisch Jer 23,18.22.

126 Brown, Semitic Background 8.

127 Das Buch Daniel im Licht der Texte vom Toten Meer (SBM 12), Stuttgart 1971.

ist deswegen geschichtstheologisch-eschatologisch, weil sie die Statue und ihre Zerstörung als Geschichtsablauf und damit als Nebukadnezzars Schicksal (2,38: אנתה-הוא ראשה די דהבה) versteht: "Der Gang der Geschichte ist in einzelne Perioden weltlicher Herrschaft gegliedert. Diese sinkt stets tiefer und macht schließlich dem von Gott heraufgeführten, ewig währenden Reich der Endzeit Platz, mit dem das Ziel der Geschichte erreicht ist"[128]. רז kann schon wegen dieses Zusammenhangs nicht irgendein vages Geheimnis bedeuten - dafür steht im (späteren) Hebräisch סוד[129]. Entsprechend wird סוד in der LXX auch nicht mit μυστήριον übersetzt[130]. Im Aufweis von Gottes Geschichtsmächtigkeit durch die Danielische Traumdeutung hat also "רז ... zum ersten Mal bei Daniel den für die weitere Geschichte des Begriffes bedeutsamen Sinn eines eschatologischen Geheimnisses, d.h. einer verhüllten Ankündigung der von Gott bestimmten zukünftigen Geschehnisse, deren Enthüllung und Bedeutung allein Gott ... und den von seinem Geist Inspirierten vorbehalten ist"[131]. In der Absicht, Gottes schließliche

---

128 Betz, Offenbarung 86. - So auch wiedergegeben bei Mertens, Daniel 118.

129 Mertens, Daniel 118.

130 Brown, Semitic Background 2. - Ben Sira 3,19 könnte eine Ausnahme darstellen (ebda.): 3,19 findet sich zwar nur in wenigen LXX-Handschriften, nicht aber im HT; andererseits haben wir wenigstens teilweise eine Doublette zu 3,20, wo im HT סוד steht. - Diese allgemeine Bedeutung von סוד nahm den Platz einer ehemals differenzierteren ein (Brown,ebda. 5), nämlich der Bedeutung einer himmlischen Versammlung, zu der die Propheten Zutritt hatten, um deren Beschlüsse zu erfahren (siehe oben Anmerkung 125). Dazu gesellt sich noch die allgemeine Bedeutung von סוד als "Versammlung", "Rat". Diese Übersetzung ist auch für den סוד -Gebrauch in Qumran zutreffend (Brown, ebda. 24f.). Vgl. hierzu auch M. Saebø, Art. סוד , in: Jenni/Westermann, THAT Bd. II, 147f.

131 Bornkamm, Art. μυστήριον 821. - So auch angegeben bei Osswald, Hermeneutik 252 und Mertens, Daniel 118.

Weltherrschaft anzukündigen, welche Ziel seiner geheimen geschichtlichen Ratschlüsse ist, mag dann רז sogar eine heilsgeschichtliche Komponente haben[132].

Abschließend wäre noch darauf hinzuweisen, daß auch im deuterokanonischen Ben Sira der Ausdruck רז vorkommt: "Einem Fremden gegenüber lüfte kein Geheimnis" (לפני זר אל תעש רז)[133]. Allerdings hat es hier eine allgemein-weisheitliche und nicht eine geschichtstheologisch-eschatologische Implikation (vgl. Sir 8,18)[134].

Auch für die Qumranschriften ist eine differenziertere Wiedergabe von רז als nur mit "Geheimnis" notwendig. Der Begriff kommt in den wichtigsten Qumranschriften (etwa 1Qp Hab, Kriegsrolle, Hodajot, Damaskusschrift) ziemlich häufig vor, am meisten in den qumranischen "Psalmen", eben den Hodajot[135]. Gerade bei dieser Art Literatur mag die gehäufte Verwendung von רז - vordergründig einmal als "Geheimnis" genommen - nicht verwunderlich sein. - Wie verstehen nun die einzelnen Forscher רז in seinem qumranischen Gebrauch? Brown[136] hat רז in mehreren qumranischen Vorstellungsbereichen untersucht, aber danach nur resümierende Feststellungen getroffen. Nötscher[137] übersetzt רז noch mit "Geheim-

---

132 M. Delcor spricht genau von "mystère de salut", vgl. Le livre de Daniel, Paris 1971, 76.

133 D. Barthélemy/O. Rickenbacher, Konkordanz zum hebräischen Sirach. Mit syrisch-hebräischem Index. Göttingen 1973, 368.

134 Brown, Semitic Background 5, Anm. 21. - Nichtsdestoweniger ist hier das Wortspiel רז - זר beachtenswert, welches ja an typische midraschische Elemente erinnert (vgl. unten Brownlees 13 "hermeneutic principles", Kapitel 6.2.3.4.3.2.; auch: M.Z. Segal, Sefer Ben Sira Hasch-schalem, Jerusalem 1958, 55, hebr.).

135 Kuhn, Konkordanz 203f.

136 Semitic Background 22-30. - Dazu noch Genaueres gleich unten.

137 Terminologie 68ff.

nis", in dem Sinn, daß alle göttlichen Pläne undurchschaubare Geheimnisse seien. Besonders betont er dabei den Offenbarungsvorgang. W.D. DAVIES[138] bindet רזים schon genauer an die göttlichen Taten am Ende der Geschichte, wie es aus der Sektenregel ersichtlich sei; dies erkläre auch den Charakter des Habakukkommentars. In eine benachbarte Richtung steuert G. VERMES[139]: "Le pešer est la rêvêlation des mystêres, de ceux notamment qui concernent la fin des temps, la lutte finale entre la justice et l'iniquitê". Wie diese Offenbarung vor sich geht, erklärt Vermes nicht. - Wie Vermes betont auch Betz[140] den endgeschichtlichen Bezug der רזים. - Auf dem Hintergrund dreier qumranischer Auslegungsprinzipien, nämlich 1. daß Gott den Propheten seine Absichten offenbart, die Auslegung dieser Offenbarung aber erst dem Lehrer der Gerechtigkeit mitteilt, 2. daß alle Prophetenworte sich auf das Ende der Geschichte beziehen, welches 3. nahe bevorsteht, versteht F.F. BRUCE[141] den Pescher als Offenbarung eines רז. Die Offenbarung ist nämlich - so Bruce[142] - aufgeteilt in Pescher und רז. Der Pescher selbst ist dabei "an interpretation which passes the power of ordinary wisdom to attain; it is given by <u>divine illumination</u>. But it follows that the problem which requires interpretation of this order is no ordinary problem; it is in fact a <u>divine mystery</u>. This kind of mystery is denoted in the Qumran texts by the term rāz"[143]. Erst, wenn Pescher und rāz zusammengebracht werden, wird die Bedeutung der Gesamt-

---

138 'Knowledge' 134.

139 A propos 98f.

140 Offenbarung 82-88.

141 The Dead Sea Habacuc Scroll, in: ALUOS I (1958-59), Leiden 1959, 6f.

142 Biblical Exegesis 9.

143 Bruce, ebda: 8. - Hervorhebungen von mir.

offenbarung herausgestellt[144]. Als Fundament seiner Thesen führt Bruce 1QpHab 7,1-5 an. Die Bedeutung von רז als "Geheimnis" kann er von Daniel herleiten; daß auch der Pescher geoffenbart ist, schließt Bruce[145] offenbar aus der eben erwähnten Stelle des Habakukkommentars. Dadurch nun, daß Bruce die Offenbarung als vor allem mit der Endzeit und mit der letzten Generation gekoppelt sieht, gibt er sowohl רז als auch dem Pescher eine eschatologische Bedeutungsrichtung, ohne רז, wie es sich vom Danielbuch her anbietet, expressis verbis als "göttliches Geschichtsgeheimnis" zu bezeichnen. Daß רז und der Pescher geoffenbart sein müssen, schließt Bruce wohl daraus, daß das göttliche Wissenlassen an sich eine Offenbarung ist (1QpHab 7,4: אשׁר הודיעו אל) und folglich das Objekt dieses Wissenlassens (את כול רזי דברי עבדיו) ebenfalls geoffenbart ist. Dies wird noch zu prüfen sein.

R.E. BROWN und J. COPPENS haben sich um ein eingehendes Verständnis des רז-Gebrauchs überhaupt innerhalb der qumranischen Literatur bemüht. Coppens[146] unterscheidet kosmische, historische, die Schrift betreffende Geheimnisse wie auch Geheimnisse der Sünde und Ungerechtigkeit; er streift dazu noch die Frage nach der Gegebenheit eines liturgischen Geheimnisses[147]. - Brown[148] nimmt eine etwas andere Einteilung vor: Er spricht zunächst von Geheimnissen der göttlichen Vorsehung für die Zukunft Israels. Als bestes Beispiel

---

144 Bruce, ebda. 9.

145 Ebda.

146 Le Mystère 146.

147 Coppens, ebda. 147, Anm. 1. - Die von Coppens angesprochene Stelle CD 3,18-20 (Z. 18: ואל ברזי פלאו כפר בעד עונם) bezieht sich wohl auf kosmische Geheimnisse des Frevels: In seiner kosmisch-geheimnisvollen Macht (ברזי פלאו) vermag Gott alle Sünde zu sühnen (כפר בעד עונם).

148 Semitic Background 22f.

erscheint ihm dabei 1QpHab 7,1-5, welche Stelle er als unbezweifelbare Bezugnahme auf Am 3,7 versteht; dort heißt es: "Nein, Jahwe, der Herr, tut nichts, ohne seinen Plan seinen Knechten, den Propheten zu offenbaren" - (כי לא יעשׂה אדני יהוה דבר כי אם גלה סודו אל-עבדיו הנביאים). Hier müssen wir allerdings auf die Ausführungen zur Sprachgeschichte von סוד zurückkommen, die Brown[149] selbst dargelegt hat: Ausgehend vom biblischen Gebrauch von סוד als "himmlischem Rat" oder "Versammlung" nahm dasselbe Wort im späteren Hebräisch die zusätzliche Bedeutung von "Geheimbeschluß" oder "Rat" im allgemeinen Sinne an, bis daß es in Sapientia Salomonis (hier natürlich als μυστήριον), Ben Sira und Qumran in einfachem Sprachgebrauch auch von "Geheimnis" gebraucht wurde.
Gerade aber angesichts der im Hintergrund stehenden, von Brown selbst angeführten Amosstelle 3,7 zu 1QpHab 7,4f. ergibt sich die Notwendigkeit eines - jedenfalls an dieser Stelle des Habakukkommentars - differenzierteren Verständnisses von סוד bzw. רז mit weitreichenden Konsequenzen, die im Folgenden dargestellt werden sollen.

Wenn סוד in Qumran den einfachen Sprachgebrauch von "Geheimnis" angenommen hat, wie Brown[150], Mertens[151] und auch Nötscher[152] angeben, dann hätte im Falle der Verwendung von סוד in der höchstwahrscheinlichen Anspielung auf Am 3,7 in 1QpHab 7,4f. sich der Qumrankommentator eines entscheidenden Hinweises begeben, nämlich daß man sich aus den Prophetenschriften Aufschluß über Schicksal und unmittelbare Zukunft der Gemeinde erhoffte. Denn nur dies kann der Sinn der Amosanspielung sein, wenn man sich die ursprüngliche Bedeutung von סוד nochmals vergegenwärtigt: Verweist סוד

149 Ebda. 2-6.

150 Ebda.

151 Daniel 118.

152 Terminologie 76.

ursprünglich auf das Beiwohnen himmlischer Ratsversammlungen und damit auf das Teilhaftigwerden geschichtlich-eschatologischer Beschlüsse[153], dann stand der Lehrer der Gerechtigkeit nach Auffassung seiner Gemeinde und wohl auch seiner eigenen in eben dieser Tradition der großen Propheten, wie aus dem oben Dargelegten[154] wohl ersichtlich geworden ist. Dabei tut nichts zur Sache, daß es sich bei Am 3,7 um einen deuteronomistischen Einschub handelt[154a]: Das deuteronomistische Geschichtswerk versteht die Propheten als Warner vor dem kommenden Gerichtsereignis[155], und der Lehrer der Gerechtigkeit ist ein in eben diesem Kontext stehender geschichtlich-eschatologischer Prophet. Zudem gilt es herauszustreichen, daß gemäß der Gedankenwelt frühjüdischer Apokalyptik, der die Qumrangemeinde durch das Geheimwissen des Lehrers und durch Erwartung des eigenen eschatologischen Schicksals - man denke etwa an die Kriegsrolle - nahesteht, die Geheimnisse als in den Höhen existierend gedacht werden und "den Apokalyptikern ... durch ihre Entrückung in den Himmel gleichsam an Ort und Stelle geoffenbart werden"[156].

---

153 Diesem Teilhaftigwerden muß keine vorübergehende Entrückung entsprechen, bzw. es darf diese nicht mit einer solchen verwechselt werden, denn expressis verbis ist eine solche auch nicht im AT erwähnt, vgl. A. Schmitt, Entrückung, Aufnahme, Himmelfahrt. Untersuchungen zu einem Vorstellungsbereich im Alten Testament (FzB 10), Stuttgart 1973, 310.

154 Vgl. oben Kapitel 6.2.3.4.2.1.

154a Vgl. Schmidt, Deuteronomistische Redaktion 185-188.

155 Schmidt, ebda. 187.

156 Bornkamm, μυστήριον 822; auch J. Gnilka, Art. Mysterium, in: LThK², Bd. 7, 728. - Das Entrücktwerden zur Beiwohnung einer göttlichen Ratsversammlung könnte in den beiden dunklen Stellen von CD gemeint sein, wo es in 19,35f. und 20,13f. heißt: מיום האסף מורה היחיד bzw. יורה היחיד; zu Beginn des endzeitlichen Kampfes also erfährt der Lehrer schon im Voraus den siegreichen Ausgang für die Getreuen Gottes. - Aber wahrscheinlicher ist Miliks Erklärung, daß es sich um eine abgekürzte alttestamentliche Redeweise handelt, z.B. Gen 25,8: ויאסף אל עמיו (vgl. Geschichte 98), die eher von einem gewaltsamen Tod des Lehrers sprechen will.

Dazu fügt sich dann das soeben angesprochene Geheimwissen des Gemeindepropheten, das zum Ausdruckt kommt in den "Wor-ten] des Lehrers der Gerechtig[keit] aus dem Munde Gottes" (1 QpHab 2,2f.: דברי[[156a] מורה הצדק[ה] מפיא אל): Durch göttliche Belehrung über den Geschichtsplan ist der Lehrer befähigt, den Prophetentext eben diesem Geschichtsplan entsprechend zu verstehen und auf den konformen Geschichtsverlauf hin auszulegen[157]. (vgl. 1QpHab 2,1 bzw. 7,3: למען <u>ירוץ</u> <u>הקורא</u> בו). Diese דברי ... מפיא אל stehen also nicht als Ermöglichung "exegetischer" Fähigkeiten des Lehrers, sondern sie sind von apokalyptischem Gedankengut her zu verstehen. רז steht im 1QpHab somit aus folgenden Gründen anstelle von סוד:

1. סוד wäre in seiner späteren Bedeutung von einfachem "Geheimnis" inhalts- und gehaltsmäßig zu schwach gewesen, um den geschichtlich-eschatologischen Sinn, wie wir ihn vom Danielbuch her kennen, zum Ausdruck bringen zu können.
2. סוד hätte die Rolle des Lehrers als des Vertreters der wiedererwachten Prophetie in Israel nicht genügend herausstreichen können.
3. Innerhalb des Qumran-Hebräischen konnte sich wie schon in dem der Qumrangemeinde wohlbekannten Danielbuch der (aramäische) Terminus רז wie von selbst anbieten, um das "<u>eschatologische</u> Geheimnis" zu artikulieren.

So ist denn auch van der Ploegs[158] entsprechende Auffassung: "Daroom is er veel voor te zeggen de uitdrukking rāz in de text 'de geheimen van alle woorden van zijn dienaren de profeten' (7,4-5) op dezelfde wijze te verstaan als in Daniel, zolang geen andere verklaring zich opdringt. Het zullen dus de <u>goddelijke raadsbesluiten</u> zijn, met de woor-

---

156a Habermann ergänzt hier את אשר פשר מורה.

157 Was damit gemeint ist, wird unten aus den Kapiteln 6.2.3.4.3.2. und 7.5.2. wie 7.5.3. deutlich. - Anders: Betz, Offenbarung 85ff.

158 Bijbelverklaring 9. - Hervorhebung von mir.

den der profeten aangeduid". Unter Berücksichtigung der gerade vorangegangenen Stelle 1QpHab 7,1f. erklärt auch K.H. SCHELKLE[159] 1QpHab 7,4f. innerhalb eines eschatologisch-apokalyptischen Zusammenhangs: "Dieses Ende der Endzeit aber, das sich jetzt erfüllt, wurde dem Lehrer der Gemeinde von Qumran, dem Lehrer der Gerechtigkeit mitgeteilt". Dazu fügt sich wiederum van der Ploegs[160] Feststellung: "Voor zover ik kan zien, heet de uitleg van een profetie te Qumran nimmer rāz". Der grundsätzlich geschichtliche Bezug von רז wird dadurch nocheinmal bestätigt. Deshalb muß dem früheren Mißverständnis von רזי דברי עבדיו הנביאים als exegetischen Geheimnissen gewehrt werden[161]. Noch wichtiger ist die daraus sich ergebende Schlußfolgerung, daß - negativ ausgedrückt - diese innerhalb der Forschung zur Qumranexegese berühmte Stelle des Habakukkommentars nicht als Beweis einer Schriftforschung durch Offenbarung bzw. als Beweis des Glaubens an eine solche innerhalb der Gemeinde angeführt werden kann. Auch ist an besagter Stelle in 1QpHab unbedingt darauf hinzuweisen, daß gar nicht das Verbum גלה - auch nicht im qumranspezifischen exegetischen (!) Sinn[162] - gebraucht wird, sondern das Hiphil von ידע! - B. RIGAUX[162a] befindet sich auf der richtigen Spur, wenn er 1QpHab 7,4f. an 2,7-10 angenähert sehen will (2,8f.: "... des Priesters, in [dessen Herz] Gott [Einsi]cht gegeben hat, um zu deuten alle Worte seiner Knechte der Propheten" -

159 Die Gemeinde von Qumran und die Kirche des Neuen Testaments, Düsseldorf ²1965, 57.

160 Bijbelverklaring 8.

161 Gegen Brownlee, Biblical Interpretation 62; ders., Midrash Pesher 34. - Gegen Coppens, Le Mystère 145. - Gegen Roberts, Observations 384. - Aber mit G. Friedrich, der רזי דברי עבדיו in 1QpHab als "endzeitliche Geheimnisse" versteht (vgl. Art. προφήτης, in: ThWNT, Bd. 6, Stuttgart 1959, 821).

162 Vgl. oben Kapitel 5.3.4.

162a Révélation 237-262.

(הכוהן אשר נתן אל ב[ל]בו בינ[ה לפשור [א]ת כול דברי עבדיו הנביאים.
Er bezieht aber offensichtlich die "Einsicht" (בינה) auf die Deutekunst des Lehrers und nicht auf die Prophetenworte, nicht auf den einsehbaren Gegenstand, die Schrift, sondern auf die Einsichtsmittel. Rigaux kommt auf diese nicht textgemäße Interpretation, weil er, auf einem falschen Verständnis von רז aufbauend, von "mystères prophetiques" spricht, also Geheimnissen der prophetischen Schriften, die der Lehrer mit einer vermeintlichen Sonderoffenbarung lüftet. Rigaux macht deswegen seinen eigenen richtigen Ansatz zunichte, wenn er bemerkt: "Le Pešer obtient le même resultat (nämlich neue Erkenntnisse der Apokalyptik vom Danielbuch an) par affirmation pure et simple. Il n'est pas une explication ni une explicitation du texte. Il contient une nouvelle révélation ajoutée au texte lui-même"[163]. Diese Offenbarung charakterisiert er so: "La révélation ne peut plus se dire biblique, elle est propre à Qumran"[164]. - Richtig - und messianisch erweiternd - versteht Patte[165] רז: "Thus רז referred to the divine plan to bring about the messianic age". - Ebenso J.H. EYBERS[166]: "en die geheimnisse is gewoonlijk Goddelike raadsbesluite aangaande die 'laaste dinge'". Allerdings erklärt derselbe Autor[167] den Weg zu diesen "letzten Dingen" als nur durch die göttliche Erleuchtung begehbar, was einem Verständnis von vorausgesetzter Offenbarung recht nahekommt. -

---

163 Rigaux, Révélation 247.

164 Rigaux, ebda. 248.

165 Hermeneutic 226.

166 Eksegese 36 (in Africaans).

167 Eybers, ebda. - Deswegen beruht auch Eybers' Behauptung, der Anspruch der Qumrangemeinde auf eine besondere Offenbarung hätte zum Bruch mit dem "offiziellen" Judentum beigetragen, auf falschen Voraussetzungen.

H.G. GABRION[168] spricht richtig von den רזים als "présumes eschatologiques", trennt aber die objektiven Schriftauslegungsergebnisse a l s Offenbarung von der angeblich vorgängigen Offenbarung der Ausleger als deren subjektivem Bewußtsein. - Für alle Pescharim stellt J.M. CASCIARO RAMIREZ[169] mit einem universalgeschichtstheologischen Verständnis von רז fest, es beziehe sich "a la futura y maravillosa salvación de los justos y a la perdición de los impios". Was die kritische Stelle des 1QpHab 7,5 angeht, so versteht sie Casciaro Ramirez ebenfalls in einem eschatologisch-soteriologischen Rahmen. Damit ist der Charakter der "Geheimnisse" in Qumran als ein eschatologischer, d.h. geschichtstheologischer - und nicht etwa exegetischer! - bestärkt. Die Exegesetechnik führt erst zur Auflösung der רזים, ist jedoch nicht identisch mit diesen. - Aus den dargestellten Auffassungen der Forschung bzw. deren teilweiser Widerlegung folgt, daß eine Art vorgeschalteter Offenbarung das Substrat der exegetischen Tradition des Frühjudentums unnötigerweise mit christlich-theologischen Assoziationen belastet, ja es sogar verfälscht, bestand dieses zunächst doch in der schriftlichen Tora als dem im Pentateuch aufgezeichneten Gotteswillen,der sodann in der traditionellen Lehre expliziert und erläutert wurde[170]. Dies ist

168 L'Interpretation de l'Ecriture à Qumran, in: H. Temporini/W. Haase (Hg.), Aufstieg und Niedergang der römischen Welt, Bd. 19, Berlin-New York 1979, 829f.

169 El 'Misterio' divino en los escritos posteriores de Qumran: ScrTh 8 (1976) 467.

170 E. Lohse, Art. Gesetz, III. Judentum, in: RGG, Bd. II, Tübingen 1958, 1515. - J. Schmid, Art. Gesetz, II. Im Spätjudentum, in LThK, Bd. 4, Freiburg 1960, 818. - Lowy, Aspects 98. - E. Levinas, La Révélation dans la tradition juive, in: E. Haulotte/P. Ricoeur/P. Geffré (Hg.), La Révélation (Publications des Facultés Universitaires, S. Louis 7) Bruxelles 1977, 55-77, bes. 57-69.

auch rabbinische Auffassung[171]. Die Propheten selbst sind dabei - nach dieser Sicht - schon als Fortführer und Ausleger der Tora im engeren Sinne zu verstehen. - Eine gegensätzliche Auffassung zum Problem einer (Sonder-)Offenbarung hat F. GARCIA MARTINEZ[172] geäußert. So wirft er Silberman vor, dieser habe die Tatsache der Offenbarung als Voraussetzung der Pescherinterpretation von Bibeltexten nicht genügend gewürdigt (127), ohne aber seinerseits Silbermans höchst verdienstvollen Nachweis des Zusammenspiels zwischen Lemma und Kommentar gehörig in Betracht zu ziehen. Aufgrund dieses Zusammenspiels war es Silberman ja gerade zweifelhaft erschienen, eine Sonderoffenbarung als Deutungsvoraussetzung des Peschers anzunehmen[173]. Die Voraussetzung nun einer vorgängigen Offenbarung mag Garcia Martinez dazu verführt haben, den Begriff רז in den Qumranschriften nicht weiter zu erörtern und ihn in einem vagen Sinn von "Geheimnis" zu nehmen, das "geoffenbart" wird (128). Auch parallelisiert er unzulässigerweise Dan 2,28 "Aber es ist ein Gott im Himmel, der Geheimnisse offenbart (גלא רזין)" mit 1Qp Hab 7,4f.: "... Lehrer der Gerechtigkeit, dem Gott kundgetan hat alle Geheimnisse (אשר הודיעו את כול רזי) der Worte seiner Knechte, der Propheten", ohne auf den bedeutsamen Unterschied im Sprachgebrauch einzugehen, wie er hier

171 E.L. Dietrich, Art. Offenbarung, III. Im Judentum, in: RGG, Bd. IV, Tübingen [3]1960, 1602. - Silberman, Riddle 323-326. - Patte, den Rahmen erweiternd, bemerkt dazu (vgl. Hermeneutic 7): "The Jews themselves considered their hermeneutic to be revelatory. This is to say, that revelation for them was not Scripture considered in itself, but Scripture prolonged in a new discourse" (Hervorhebung von mir). Die qumranischen Prophetenauslegungsprinzipien stellen einen solchen 'new discourse' dar.

172 El pesher: interpretación profetica de la Escritura: Salm. 26 (1979) 125-139. - Seitenverweise entsprechend.

173 Riddle 331 bzw. 326f. - Im Folgenden wieder Angaben zu Garcia Martinez.

optisch noch einmal herausgestellt ist. Der Umstand, daß nur durch Offenbarung das "Geheimnis" gelüftet werden kann (129), muß ihn natürlich aussagen lassen, daß das Wesentliche des Peschers nicht in der Kunst des Verstehens alter prophetischer Texte liegt (129), wenngleich er im selben Satz die Anwendung hermeneutischer Techniken zugesteht. Aber er hat das Wesentliche des Peschers gerade verkannt, wie es sich schon in Form des qumranischen רז-Begriffes und des implizierten qumranischen Offenbarungsbegriffes anbot. - Damit ist aber die Bedeutungsbreite von רז in Qumran noch nicht erschöpft. Brown[173a] unterscheidet neben dem von ihm Festgestellten die qumranische Auffassung von Geheimnissen in der Toraauslegung. Er erinnert an die weit ausgeführte Allegorie des (betreffenden) Verfassers der Hodajot, der die Gemeinde mit aus Bäumen des Lebens (= den Israeliten) ersprießenden Schößlingen einer ewigen Pflanzung versinnbildlicht (1QH 8,6: נצר למטעת עולם); diese ewige Pflanzung wächst zu einem mächtigen Baum, sieht sich aber auch gleichzeitig den Angriffen anderer Bäume ausgesetzt, die ihrerseits als Widersacher der Gemeinde zu verstehen sind (Z. 9: וירמו כליו כול ע[צי] מים). Glücklicherweise aber erwachsen aus der ewigen Pflanzung verborgene, nicht geachtete und nicht erkannte Blüten zur Pflanzung der Wahrheit, die sein, Gottes, geheimnisvolles Siegel ist (Z. 10: ומפריח נצר קודש למטעת אמת סותר בלא נחשב בלא נודע חותם רזו). Was diese verborgene "Wahrheit" ist, hat Betz[174] herausgearbeitet: Sie ist "die geoffenbarte Tora" selbst. Gott selbst hat die Pflanzung, die Frucht "beschützt durch das Geheimnis kraftvoller Helden" (Z. 11: ואת[ה] א[ל] שׂכתה בעד פריו ברז גבורי כוח), mit denen offenbar engelhafte Mächte angesprochen werden[175]. Entscheidend ist für Brown[176] offenbar

173a Semitic Background 26.

174 Offenbarung 55.

175 Brown, Semitic Background 27.

176 Brown, ebda.

der Ausdruck למטעת אמת in Z. 10: Da die Tora schon vor der Gemeinde vorhanden war, kann mit der "Pflanzung der Wahrheit"[177] nur ihre allein in Qumran gültige Auslegung gemeint sein, unter der Voraussetzung, daß der Wahrheitsbegriff im Frühjudentum ohnehin mit der Tora assoziiert werden muß. Die Auslegung derselben bemüht sich um das "geheimnisvolle Siegel" (חותם רזו - Z. 11), welches gewissermaßen an der Pflanzung der Wahrheit haftet. So kann Brown[178] die Tora und ihre rechte Auslegung als eine der Gemeinde anvertraute geheime Lebensquelle charakterisieren, wobei eben dieses von Gott der Gemeinde anvertraute Gut ein Geheimnis ist und nicht etwa die Toraauslegung als solche geheimnisvoll aufgefaßt wird. רז hat also hier nicht die in 1QpHab nachgewiesene Bedeutung eines geschichtsträchtigen, endzeitlichen und geheimen Ratschlusses Gottes. Dies verdankt sich dem spezifischen Hodajot-Gedankengut, das liturgisch-spiritueller Art ist und somit anders ausgerichtet ist als geschichtsforschende Prophetenauslegung.
Des weiteren wird in Qumran von kosmischen Geheimnissen gesprochen. Wieder die Hodajot aufnehmend, verweist Brown[179] auf 1,9ff., wo von Gottes Schöpfungstaten die Rede ist, auch von "Leuchten für ihre (= der Engel oder der Himmel) Geheimnisse" (מאורות רזיהם). Die Leuchten, d.h. die sichtbaren Himmelkörper, werden also den kosmischen Geheimnissen zugeordnet, für welche die Ohren des Qumranpsalmisten aufgetan werden (1,21: כיא גליתה אוזני לרזי פלא). Jedoch dürfte insgesamt wieder eine durchaus wahrnehmbare Nähe zwischen den רזים von 1QH und denen des 1QpHab feststellbar sein, wenn man sich folgendes ins Bewußtsein ruft: Das gesamte Weltgeschehen spielt sich innerhalb dieses Kosmos

---

177 מטעת אמת סותר (V. 10, = Toraauslegung) ist also wohl zu unterscheiden von מטעת עולם (V. 6, = Qumrangemeinde)!

178 Semitic Background 27.

179 Ebda.

ab. Auch die Schließung eines Neuen Bundes im Lande Damaskus (CD 6,19) ist Teil dieses in der ersten Hälfte des ersten Kapitels von 1QH angesprochenen kosmischen Geschehens, in dem unwiderrufliche und unabänderliche Entscheidungen Gottes (vgl. רזים) gefällt werden[180], so eben auch das Entstehenlassen der gotteigenen Gemeinde vom Toten Meer. Die Qumran betreffenden göttlichen Geheimnisse stellen somit Besonderheiten der kosmischen Geheimnisse dar.
Diese Wesenhaftigkeit der kosmischen Geheimnisse, welche die anderen רזים übergreift - wobei natürlich den qumranischen Schriftstellern eine solche Begriffssystematisierung bewußtseinsmäßig nicht unterstellt werden kann -, findet sich auch bei der vierten und letzten, von Brown[181] so unterschiedenen Geheimnisgruppe, nämlich den Geheimnissen der Sünde oder des Übels. Auch hier wählt Brown[182] u.a. ein Beispiel aus den Qumranpsalmen: Der (betreffende) Hodajotverfasser spricht dort (5,36) von den "Geheimnissen der Sünde, die die Werke Gottes durch ihre Verschuldung verändern" (כרזי פשע משנים מעשי אל באשמתם). Brown beläßt es bei dieser Übersetzung, ohne eine genauere Erklärung anbieten zu wollen. Für das Dasein des Bösen in den Schriftrollen hat aber J. LICHT[183] entscheidende Hinweise gegeben: So hält er neben einem Geschichtsdeterminismus eine schöpfungstheologisch-dualistische Prädestination fest, die vor allem in 1QS und in 1QM die Engel in zwei große, miteinander verfeindete Lager mit ihren jeweiligen Fürsten, dem des Lichts bzw. dem der Finsternis, aufteilt. Das Übergewicht der Bosheit in der Welt ist das Ergebnis der Herrschaft Belials, womit "das Böse ... so zu einem kosmischen Prinzip erhoben, zu einem notwendigen Bestandteil des dualistischen, gott-

---

180 Licht, Lehre 285.

181 Semitic Background 27.

182 Ebda.

183 Lehre 282f.

gewollten Systems (wird)"[184]. Auch der und das Böse können in ihrer Existenz auf göttliche Schöpfung zurückgeführt werden. Das heißt aber gleichzeitig: Auch die Geheimnisse der Bosheit (5,36 רזי פשע) sind einbaubar in die Schöpfungstheologie der Hodajot; sie sind gleichsam nur der negative Aspekt dieser Theologie. Innerhalb des Geschichtsdeterminismus können auch die Frevler mitsamt ihrer Bosheit ihrem Schicksal nicht entgehen. So heißt es im Buch der Geheimnisse (1Q27, Z.3f.): "Und sie haben das zukünftige Geheimnis (רז נהיה) nicht gewußt und die Vergangenheit nicht bedacht; auch haben sie nicht gewußt, was über sie kommen wird. Und sie haben ihre Seelen nicht vor dem künftigen Geheimnis retten können"[185]. Rabinowitz[186] erklärt zu dieser Stelle: "This 'mystery to be' ... is the expected consommation in which the idolatrous enemy-nations and the apostates of Israel should be destroyed forever, while Israel's righteous remnant should enjoy eternal dominion". רז נהיה ist dabei nicht etwa mit "vergangenes Geheimnis" zu übersetzen, sondern als ein auf die Zukunft bezogenes, weil es gerade den Kontrast zum Vergangenen (קדמוניות) in Z.4 von 1Q27 (קדמוניות לוא התבו[נ]נו) bildet[187]. So hat Licht[188] schon recht, wenn er schreibt: "Die deterministische Weltauffassung der Rollen ist eng mit einem dualistischen Standpunkt verbunden", nur fehlt noch eine Verhältnisbestimmung von Prädestination und Dualismus. Hinsichtlich der רזים kann folgendes geschlossen werden: Die kosmisch-<u>dualistischen</u> Geheimnisse sind letztlich in den deterministischen aufgehoben, denn den Gerechten Israels ist

---

184 Ebda.

185 Zu Text und Übersetzung vgl. Rabinowitz, Autorship 20f.

186 Ebda. 23.

187 Rabinowitz, ebda. 22. - Auch Nötscher versteht רז נהיה als zukunftsausgerichtet und vermutet ein damit gemeintes Strafgericht, vgl. ders., Terminologie 74.

188 Lehre 281.

die ewige Herrschaft vorbehalten. Die in Qumran unterscheidbaren "Geheimnisse" geschichtlicher, toraoffenbarungsmäßiger, kosmischer, unheilsmäßiger und liturgischer Art sind somit Facetten des göttlichen רז schlechthin: d.h. das des göttlichen Ratschlusses allgemein, wie er sich in den verschiedenen Bereichen, und zwar besonders im Geschichtlich-Deterministischen, auswirkt. Freilich ist der göttliche Ratschluß als solcher aber schon implicite geschichtlich ausgerichtet, da ein Ratschluß immer für Zukünftiges bestimmt ist.

Dem Begriff μυστήριον im NT ist schon so manche Arbeit gewidmet worden, und zwar vor allem mit der Fragestellung nach Berührungspunkten mit griechischen Mysterienreligionen. Dazu sei zunächst einmal festgestellt, daß die LXX "Geheimnis" mit μυστήριον wiedergibt, aber auch mit den Synonymen κρύπτα und ἀπόκρυφα[189]. In der Apokalyptik sind sprachliche Verflechtungen mit Mysterienkulten und Gnosis unübersehbar (Engel als Mystagogen, vom Gnostiker und Apokalyptiker visionär erfahrene Himmel- und Hadesfahrt), aber gegenüber diesen Gemeinsamkeiten stellt Bornkamm[190] drei wesentliche Unterschiedlichkeiten heraus:

"1. die apokalyptischen Mysterien beziehen sich nicht auf ein Schicksal, das die Gottheit oder der himmlische Erlöser erleiden, sondern das die Gottheit verfügt und bestimmt;
2. der Empfang der Mysterien ist in der Apokalyptik nicht als Vergottung verstanden;
3. die Mysterien der Apokalyptik sind auf eine eschatologische, kosmische Offenbarung ausgerichtet".

Auch das Neue Testament teilt insofern die zeitgenössische apokalyptische Sicht, als das von ihm bezeugte Geheimnis z.B. der Gottesherrschaft (Mk 4,11 - bei Mt 13,11 und Lk

---

189 Brown, Semitic Background 2.

190 μυστήριον 822f.

8,10 findet sich der Plural μυστήρια) bisher verborgen war und jetzt geoffenbart ist. Allerdings wird der Unterschied gegenüber der Apokalyptik sogleich deutlich: Das μυστήριον τῆς βασιλείας τοῦ θεοῦ ist "Jesus selbst als der Messias"[191]. Dieses μυστήριον ist nur den Jüngern offenbar geworden, nicht der breiten Volksmasse[192].
Der paulinische μυστήριον-Gebrauch erinnert an Qumran: In erster Linie meint μυστήριον den geheimen Plan des universalen Heils, das sich in Christus verwirklicht hat und sich durch die geglaubte göttliche Botschaft der gesamten Menschheit anbietet[193]. Dabei ist in den deuteropaulinischen Schriften eine Konzentrierung des Mysterionverständnisses feststellbar: Betont Paulus in seinen entfalteten Darlegungen des μυστήριον zunächst die Berufung der Heiden (vgl. Röm 11,25), weiß er sich als Verkünder der christlichen Botschaft gleichzeitig auch als Verkünder der göttlichen Mysterien (1 Kor 4,1), sagt er die Verwandlung der Überlebenden bei der Parousie voraus (1 Kor 15,51) und beschreibt er als größtes Mysterion die Liebe (1 Kor 13,2), so wird Christus in den Briefen aus der Gefangenschaft der Mittelpunkt des "Geheimnisses"[194]. Hier gilt es vor allem, Epheser- und Kolosserbrief heranzuziehen: Nach Kol 1,26 war das Geheimnis vor Urzeiten und Geschlechtern verborgen (τὸ ἀπο-

---

191 Bornkamm, ebda. 825. - Weniger pauschal Gnilka: "Es ist das Wissen darum, daß das Reich Gottes mit Jesus, dem verborgenen Messias, bereits in die Zeit eingebrochen ist ... Jesus verbietet den bösen Geistern zu reden. Diese wissen, daß er der 'Heilige Gottes' (Mk 1, 24f.), der 'Sohn Gottes' (3,11; vgl. 1,34) ist. Auch von hier aus ergibt sich, daß das 'Geheimnis des Gottesreiches' in engster Beziehung zur Persönlichkeit Jesu steht" (J. Gnilka, Die Verstockung Israels. Isaias 6,9-10 in der Theologie der Synoptiker (StANT 3), München 1961, 44).

192 J. Gnilka, Art. Mysterium, in: LThK, Bd. 7. Freiburg [2]1967, 728.

193 Coppens, Mystère 142f.

194 Coppens, ebda. 143.

κεκρυμμένον ἀπὸ τῶν αἰώνων καὶ ἀπὸ τῶν γενεῶν), und zwar in Gott (Eph 3,9ff.: ἡ οἰκονομία τοῦ μυστηρίου τοῦ ἀποκεκρυμμένου ἀπὸ τῶν αἰώνων ἐν τῷ θεῷ). In Epheser und Kolosser als Deuteropaulinen mag sich somit eine Einengung des μυστήριον -Begriffes vollzogen haben[195]. Der Epheserbrief betont auch im Umfeld der letztgenannten Stelle die Vermittlerrolle des Heiligen Geistes in der Enthüllung des Geheimnisses (3,5: ὡς νῦν ἀπεκαλύφθη τοῖς ἁγίοις ἀποστόλοις αὐτοῦ καὶ προφήταις ἐν πνεύματι). Zu dieser "Funktion" des Heiligen Geistes bei der paulinischen Geheimnisvermittlung bemerkt Rigeaux[196]: "La science n'est point oeuvre humaine; elle est participation à une puissance qui envahit l'humanitê et transforme les croyants". Zu beachten ist dabei, was bei den Rabbinen, in deren zeitlicher wie örtlicher Nähe Paulus bzw. die paulinische Literatur ja steht, mit 'Heiligem Geist' gemeint ist: "entweder der dem Menschen den Willen Gottes kundtuende Geist der Prophetie, oder der Geist, der die alttestamentlichen Autoren bei Abfassung ihrer Schriften anleitet (Geist der Inspiration). Sachlich berühren sich aber beide Bedeutungen oft sehr nahe"[197].

---

195 Ebenso: H. Krämer, Art. μυστήριον, in: H. Balz/ G. Schneider (Hg.), EWNT, Bd. II, Stuttgart-Berlin-Köln-Mainz 1981, 1103.

196 Rêvêlation 261f.

197 H. Strack/P. Billerbeck, Kommentar zum Neuen Testament aus Talmud und Midrasch, Bd. II, München 1924, 127. - Vgl. dazu auch P. Schäfer, Die Vorstellung vom Heiligen Geist in der rabbinischen Literatur (StANT 28), München 1972, 62-69. Als wichtig streicht Schäfer im späteren Verlauf seiner Untersuchungen folgendes heraus: "Der entscheidende Unterschied zu den bisher behandelten Aussagen ist demnach der, daß der hl. Geist hier (m Sot 9,15; b AbZa 10b; b AbZa Hs München; j Sheq K3 H4; WaR 35,7 u.a. - vgl. Schäfer, ebda. 148 f.; zu den Abkürzungen vgl. ders. 165-170) nicht als nationales Charisma, sondern als individuelles Charisma aufgefaßt wird; nicht mehr das Volk Israel in seiner Gesamtheit steht im Mittelpunkt des Interesses, sondern der einzelne, der unter bestimmten Voraussetzungen der Gabe des hl. Geistes teilhaftig werden kann"

Dies deckt sich auch mit W. BÜCHSELs[198] Feststellung zur rabbinischen Heilig-Geist-Vorstellung: "Daß die Schrift aus dem Geist stammt, und daß die Propheten und Frommen der Schrift im Geist geredet haben, steht im Vordergrund".

Es kann hier nicht das Verhältnis von frühjüdischer Exegese, Prophetenverständnis und Heiligem Geist bei Paulus geklärt werden; nur dürfte klar geworden sein, daß sich Paulus in den Augen vieler Neutestamentler heute in seinem Sprachgebrauch von μυστήριον auf jüdische Autoren vor ihm stützt[199]. Daß Paulus bzw. seine "Schüler" in den Gefangenschaftsbriefen auf eine betont apokalyptische Auflösung des "Geheimnisses" verzichten, ist ein Kennzeichen dafür, daß die Eschatologie als Vorzeichen der Apokalyptik in der Chronologie der paulinischen Briefe stetig schwindet[200]. Auch K. Prümm[201] versteht das paulinische μυστήριον nicht als Kulthandlung, sondern als von Paulus so gemeintes apokalyptisches Geheimnis, wobei er allerdings eher auf ein weisheitliches als auf ein apokalyptisches Sprachregister zurückgreift[202]. Aufgrund seiner eigenen Untersuchungen kommt auch Brown[203] zu dem Ergebnis: "We believe it no ex-

---

(ebda. 149). - Dies kommt dem paulinischen individuellen Geistverständnis recht nahe, vgl. 1 Kor 2,4: καὶ ὁ λόγος μου καὶ το κήρυγμα μου οὐκ ἐν πειθοῖς σοφίας λόγοις ,ἀλλ' ἐν ἀποδείξει πνεύματος καὶ δυνάμεως.

198 Der Geist Gottes im NT, Gütersloh 1926, 135.

199 Coppens, Mystère 160. - Gnilka, Mysterium 229. - Bornkamm,μυστήριον 821.

200 E.E. Wolfzorn, Realized Eschatology. An Exposition of H. Dodds Thesis: EThL 38 (1962) 45.

201 Mysterion von Paulus bis Origenes: ZKTh 71 (1937) 396. - Ders., Zur Phänomenologie des Paulinischen Mysterion und dessen seelischer Aufnahme. Eine Übersicht: Bib 37 (1956) 158f.

202 Coppens, Mystère 161.

203 Semitic Background 69.

aggeration to say that, considering the variety and currency of the concept of divine mysteries in Jewish thought, Paul and the NT writers could have written everything they did about mysterion whether or not they ever encountered the pagan mystery religions. 'Mystery' was a part of the native theological equipment of the Jews who came to Christ".

In Talmud und Midrasch ist die Ausbeute viel geringer als in den vorangegangenen Kapiteln zu diesem Thema. In einer Baraitha von Aboth 6, also einer nicht "offiziell" zum Talmud gehörenden Schrift, ist von Geheimnissen der Toralehre die Rede (מגלין לו רזי תורה). - In pSan 94^a wird die - auch oben[203a] behandelte - Jesajastelle 24,16 (רזי לי רזי לי) innerhalb eines haggadischen Deutungsrahmens wiedergegeben mit "weh mir, weh mir!", und zwar als Hinweis auf die Verzögerung der messianischen Ankunft (אוי לי אוי לי עד מתי)[204].
Im Ritual des Versöhnungstages heißt es im Bußgebet: אתה יודע רזי עולם: "Du kennst die Geheimnisse der Welt". Im Zusammenhang mit der Ablehnung von eschatologisch-apokalyptischen Spekulationen - nach 135 n.Chr. verständlich - faßte das rabbinische Judentum רזים wohl im ganz allgemeinen Sinne auf; hier also dürfte gemeint sein, daß Gott seine eigene Schöpfung sehr gut kennt.
Die gleiche Tendenz ist nachweisbar in einem Midrasch zu Prov 27,26 in jAZ 41^d, 6-9[205]. Dort ist von der Aufforderung zur Offenbarung der Geheimnisse an reife, erwachsene

---

203a Vgl. S. 173f.

204 J. Levy, Wörterbuch über die Talmudim und Midraschim Bd. 4, Darmstadt 1963, 437. Er bezieht sich hierbei auf pSanh 94^a.

205 Auch in Schir ha-schirim Rabba 1,2 (5c) wie in Jalqut Schimeoni Schir ha-Schirim § 981 (532d). - Zu diesen Angaben vgl. folgende Anmerkung.

Schüler die Rede. G.A. WEWERS[206] versteht darunter "die Thora in ihrer Sinn-Abgründigkeit ..., welche den Wissenden und Unterrichteten zugänglich ist. 'Geheimnisse der Tora' und 'Die Tora als Geheimnis' korrespondieren". - In einem weiteren Text mit razē tora (Aboth VI, 1 1-1) vermittelt die Beschäftigung mit der Tora die Offenbarung ihrer Geheimnisse. Hier denkt Wewers an "eine Einweihung in die inneren Strukturen der Thora oder in besondere esoterische Lehrgebiete"[206a].

6.2.3.4.2.3. Zum Verständnis des Verhältnisses von Traum und Prophetie im Frühjudentum

K. Elliger[207] hatte in seinem Buch über den Habakukpescher eine Übernahme des Terminus פשׁר vom Danielbuch in 1QpHab nahegelegt. Allerdings weist Patte[208] mit Recht darauf hin, daß Elliger es unterlassen hat darzulegen, wieso diese Übertragung eigentlich möglich war. Gleichzeitig verweist er dabei auf Silbermans Artikel "Unriddling the Riddle", der eine stichhaltige Lösung für diese Frage anbietet. Ausgehend von der Grundbedeutung von פתר als "einen Traum auslegen" stellt Silberman[209] für den Gebrauch פתר/פשׁר vom Danielbuch an fest, daß dieser Terminus nicht nur Traumauslegungen einleitete, sondern auch Prophetenauslegungen. Dieser erweiterte Gebrauch erklärt sich durch Silbermans[210] Hinweis auf Klgl 2,9: "Ihre Propheten (des zerstörten Jerusalem) empfangen kein Gesicht (חזון) von Jahwe". Nach

---

206 Geheimnis und Geheimhaltung im rabbinischen Judentum (RVV 35) Berlin 9175, 103f.

206a Ebda. 115.

207 Studien 156f.

208 Hermeneutic 301.

209 Riddle 330.

210 Ebda. 330f.

Silberman[211] bestünde mehr als die Hälfte der Prophetenschriften aus Visionen[212], und in Sifre Numeri 83, einem Midrasch also zu Num 12,6, heißt es bezeichnenderweise: "Gott sprach zu allen Propheten außer zu Mose in Träumen und Visionen" (בחלום וחזיון). Aufgrund dessen kommt Silberman[213] zu dem Schluß: "Thus the biblically sanctioned term referring to dream interpretations and riddle solutions in Daniel was available to the Qumran writers as an introductory term for their unriddling the words of the prophets which were, after all, reports of visions". Die gerade angeführte Stelle Klgl 2,9 weist in diesem Zusammenhang auch noch auf den Unterschied hin, daß im nachexilischen Judentum die Prophetie als erloschen galt oder nur noch in epigonalen[214] Formen weiterbestand, und daß man sich eben deswegen den überkommenen prophetischen Texten verstärkt zuwandte, um Aufschlüsse über Gegenwart und Zukunft zu erlangen. Die Visionen der klassischen Propheten - "Habakuk" selbst spricht in 1,1 von einem "Ausspruch" (משׂא), den er geschaut hatte (אשר חזה חבקוק הנביא), wie auch, daß er die Vision aufschreiben solle (Hab 2,2: כתוב חזון) - wurden somit als Chiffren, als Kryptogramme aufgefaßt, die es aufzulösen galt[215].

---

211 Ebda. 331.

212 Diese Äußerung ist freilich nur akzeptabel, wenn man die sehr späten, sekundären Überschriften der Prophetenbücher als sachgemäß wertet!

213 Riddle 331.

214 Der Ausdruck "epigonal" stammt hier von J. Lindblom, Prophecy in Ancient Israel, Oxford 1963, 421.

215 Patte, Hermeneutic 307. 312. - Vgl. auch passenderweise ebda. 312: "The Covenanter's hermeneutic was therefore a reading of Scripture in terms of the contemporary salient history: a typology and an interpretation of Scripture as dream, a pesher". - Man achte auch auf Silbermans treffende Überschrift für seinen Artikel: "Unriddling the Riddle".

Deswegen kommt Silberman[216] zu der entscheidenden Feststellung: "Here then is the connecting link between the relevant passages in Daniel and in the later developments and particularly between them and the Pesher. It's not, that they are revealed interpretations, but far more simply, they are i n t e r p r e t a t i o n s o f d r e a m s". Nach der eschatologisch und prädestinatorisch ausgerichteten Auffassung der Pescherautoren bezogen sich dabei diese - nunmehr als solche aufgefaßten - Prophetenträume auf die geschichtliche Lage der Gemeinde vom Toten Meer. Die prophetischen Texte beziehen sich also im Pescher nicht auf Zeit und geschichtliche Umstände der Propheten selbst.
In diesem Zusammenhang ist eine Untersuchung von E.L. EHRLICH[217] von Interesse. Diese legt offen, daß noch im AT selbst, vor allem aber in nachexilischer Zeit, der Traum als Offenbarungsmittel auf Ablehnung stieß (so Jeremia, Deuteronomium bzw. Deuterosacharja, Kohelet, Jesus Sirach, apokrypher Aristeasbrief)[218]. Allerdings nehmen folgende Schriften eine offenere Haltung ein: Joel, Ijob, Daniel, das 2. Makkabäerbuch, die Sapientia Salomonis, Philo und Josephus. Daraus folgert Ehrlich[219]: Man kann "nicht etwa eine einheitliche ablehnende Linie dem Traum gegenüber in der nachexilischen Zeit durchführen". Wenn also im spätantiken, d.h. vorrabbinischen Judentum, die prophetischen Aussagen als Träume und Visionen begriffen wurden, konnte

---

216 Riddle 331. - Hervorhebungen von mir. - Diese "Traumauflösung" hat Brownlee (Midrash Pesher 26) nicht erkannt, wenn er bezüglich des Deuteterminus פֵּשֶׁר schreibt: "Hence there is no semantic equation of PŠR with the loosening of knots".

217 Der Traum im Alten Testament (BZAW 73) Berlin 1953. Vergleiche auch A. Resch, Der Traum im Heilsplan Gottes. Deutung und Bedeutung des Traums im Alten Testament. Freiburg-Basel-Wien 1964.

218 Ehrlich, Traum 155-170; Resch, Traum 129-137

219 Traum 170.

auch der Verfasser des 1QpHab die Vision des Propheten als Traum verstehen, um durch Traumdeutung Aufschlüsse geschichtlicher Art, d.h. Offenbarung im weitesten Sinne, zu gewinnen. Wenn er nun Habakuk in diesem Sinne "las", muß er sich an Traumdeutungstraditionen im AT orientiert haben, die sich ihrerseits nur deswegen bilden konnten, weil der Traum als göttliches Offenbarungsmittel aufgefaßt wurde. Schaut man sich nun die bei Ehrlich entsprechend zusammengestellte Literatur an[220], so ist - ohne daß hier eigens eine selbständige Studie erstellt werden kann - folgender Schluß erlaubt: 1. Die qumranischen Prophetendeuteschriften bewegen sich angesichts der positiven Wertung des Traumes an sich hauptsächlich im Strom der nachexilischen, z.T. weisheitlichen Literatur. 2. Der Traum mußte sich dem vorgegebenen eschatologisch ausgerichteten Deutungsbestreben als ein ergiebiges, vielversprechendes Deutungsobjekt anbieten. Weil nun der Lehrer die prophetischen Schriften als Träume und Visionen versteht, deutet und somit die implizite Forderung von Klgl 2,9 erfüllt, ist er selbst ein Prophet.

6.2.3.4.3. Auslegungsmethoden

6.2.3.4.3.1. Die Aktualisierung

Zur Aktualisierungsmethode der Pescharim wurden schon oben[221] die theoretischen Voraussetzungen dargelegt. Hier soll nun eine Reihe von Beispielen aufgeführt werden, aus denen die Anwendung der Aktualisierungstechnik in 1QpHab deutlich wird. Zuvor aber noch einige nähere Ausführungen theoretischer Art.

Die grundsätzliche Funktion des Peschers ist es aufzuweisen, wie sich die prophetischen Geschichtsvoraussagen - als solche wurden ja die Prophetenschriften von der Gemeinde

---

220 Traum VIII (Inhaltsverzeichnis)

221 Vgl. oben Kapitel 4.5.3.2. und 6.2.3.4.2.1.

aufgefaßt - an Schicksal und geschichtlichem Umfeld der Qumranleute erfüllten oder noch erfüllen sollten, und dies nicht nur zufällig, galten doch besagte Voraussagen a priori als auf die Gemeinde bezogen[222]. Die geschichtlichen Ereignisse vor, zu oder nach Lebzeiten der Pescherautoren wurden also im Licht der Heiligen Schrift gesehen[223].
In der Schrift selbst freilich findet sich offenbar schon eine inhaltliche Vorstufe zum aktualisierenden Pescher, nämlich in der Rede des Ezechiel gegen "Gog im Lande Magog". In Ez 38,17 heißt es: "Du bist ja der, von dem ich in früheren Tagen durch meine Diener, die Propheten Israels, geredet habe,die damals geweissagt haben (הנבאים בימים ההם שׁנים), daß ich dich gegen sie heraufführen werde". Diese Stelle ist deswegen rätselhaft, weil keine vorezechielische Prophetie des AT "Gog im Lande Magog" erwähnt. Daß es sich hier "um einen atl. Ansatz zu jener Methode von Schriftaktualisierung (handelt), wie sie im späteren Pescher-Midrasch vorkommt"[224], kann nicht von der Hand gewiesen werden: Unter der nicht unbestrittenen Voraussetzung, daß Ez 38,17 auch wirklich von Ezechiel ist[225], muß beachtet werden, daß "gerade die Exilszeit ganz besonders

---

222 Lowy, Aspects 160.

223 O.J.R. Schwarz nennt diese Art der Aktualisierung den "Schriftbezug" (Der erste Teil der Damaskusschrift und das Alte Testament (theol. Diss.) Lichtland/Diest 1965, 90). In der Damaskusschrift erkennt sie aber noch eine zweite Art der Schriftaktualisierung: "Ausgehend vom Zitat eines Schriftbezugs ... werden die Elemente desselben auf Gegebenheiten in der Gemeindegeschichte gedeutet" (ebda.). Sie resümiert: "Während der Schriftbezug eine bestimmte Situation von der Bibel her beleuchtet, fällt das Licht in dieser zweiten Art von Schriftaktualisierung von der Gemeindegeschichte auf den Bibeltext" (ebda.).

224 Schwarz, ebda. 134. - Nach J. Wellhausen, Skizzen und Vorarbeiten, Berlin 1899, 227, hat Ezechiel Jeremia und Zefanja aktualisiert.

225 Zimmerli, Ezechiel 943f.

dringlich von der Frage nach der Einlösung göttlicher Versprechen bewegt war"[226]. Dieses Anliegen zeigt sich beispielsweise auch in CD 8,21, wo von den Männern, die in den Neuen Bund im Lande Damaskus eingetreten sind (באו בברית החדשה), die Rede ist; diese ברית חדשה ist Anspielung und Einlösung zugleich an bzw. von Jer 31,31: וכרתי את-בית ישׂראל ואת-בית יהודה ברית חדשה.

Wie bereits dargelegt[227], ist für diese Aktualisierungstechnik das eschatologische Selbstverständnis der Gemeinde verantwortlich zu machen. Dabei wurde in Qumran der Unterschied zwischen Anpassung und Erfüllung prophetischer Worte an bzw. in geschichtliche(n) Tatsachen nicht so genau beachtet wie es etwa unser sprachliches Unterscheidungsvermögen verlangen würde[228]. Die aktualisierende Auslegung hatte zudem - so van der Ploeg - nur einen erbaulichen, nicht etwa einen normativen oder endgültigen Charakter. Letztere Feststellung erklärt wiederum die Freiheit in der Auslegung[229], d.h. daß sich der Pescher-Kommentar zuweilen deutlich von seinem zugrundeliegenden Zitat zu entfernen scheint und die Bezugnahme auf für die Gemeinde aktuelle geschichtliche Ereignisse anscheinend willkürlich ist. Allerdings ist gegen van der Ploeg Folgendes zu bedenken: Wenn sich diese aktualisierende Auslegung Einsichten des Lehrers verdankt, dann ist darin sicherlich viel mehr als nur Erbaulichkeit zu sehen; denn diese Einsichten des Lehrers sind in Hinblick auf die Andeutung, wie sie erlangt wurden[230], typisch für die apokalyptisch-esoterische Litetatur des zwischentestamentlichen Judentums, und der Leh-

---

226 Zimmerli, ebda. 944.

227 Vgl.oben Kapitel 6.2.3.4.2.1.

228 Van der Ploeg, Bijbelverklaring 25.

229 Van der Ploeg, ebda.; Roberts, Observations 369. 373.

230 Vgl. etwa 1QpHab 1,2f.; 7,4f.

rer seinerseits offenbart damit eine Auslegungsfähigkeit, die in seinem Charisma, seiner Prädestiniertheit und Privilegiertheit begründet ist. Immerhin geht es um Schicksal und Auserwähltheit der Gemeinde und ihres Lehrers, die beide sicherlich Norm und Endgültigkeit beanspruchen. - Auch E.Osswalds Kritik an H. BARTKE[231], der aktualisierende Auslegung in 1QpHab feststellt, geht am Eigentlichen vorbei. Osswald[232] hebt als das alles Beherrschende im Habakukkommentar hervor "das Bewußtsein, in der Endzeit zu leben, in der die Geheimnisse den Auserwählten bereits enthüllt sind". Nun ist sicherlich das Bewußtsein, in der Endzeit zu leben, für die qumraneigene Anschauungswelt allgemein wesentlich. Da aber der 1QpHab zweifelsohne in seinem Grundcharakter eine A u s l e g u n g sschrift ist, hat die in ihr praktizierte Aktualisierung sicherlich eine wesentliche Funktion. Ideologie[233] und Schriftauslegungstechnik müssen also auseinandergehalten werden. Auch sei daran erinnert, daß nach Seeligman die Aktualisierung <u>das</u> Kennzeichen des Midrasch Haggada ist[234], und daß damit der 1QpHab als ein solcher apostrophiert werden kann.
Ein ausgeführtes Beispiel soll nun die direkte Anwendungstechnik der Aktualisierung verdeutlichen.
In 1QpHab 6,8f. wird Hab 1,17 zitiert: "Deswegen zückt er beständig sein Schwert, um Völker zu morden, und kennt

---

231 Die Handschriftenfunde am Toten Meer, Berlin 1952, 134.

232 Hermeneutik 256.

233 Hier wieder im ursprünglichen Sinn von "Gedankenwelt", "Weltanschauung(ssystem)" genommen.

234 Seeligmann, Voraussetzungen 170; ders., Rezension 42f. Die Ignoranz in diesem Punkt wirft Seeligmann Elliger ja gerade vor: הרי יש לומר בכל זאת שחסרה לו (Elliger) הבנה של ממש לקו המשותף <u>שיש באקטואליזציה כאן ובמדרש חז"ל</u>. - Hervorhebung von mir.

keine Schonung"[235]. Dieser Satz Habakuks ist, wie der ganze Abschnitt Hab 1,12-17, als Klage über die Zulassung frevelhafter Tyrannei durch Gott zu verstehen[236]. Die Exegese hat, hauptsächlich durch die Erwähnung der Chaldäer in Hab 1,6 (כי הנני מקים את הכשׂדים הגוי המר הנמהר), aber auch durch die Exegese einzelner Passagen, die Entstehungszeit des Gesamttextes als innerhalb der babylonischen Periode mehr als wahrscheinlich gemacht[237]. Daß Jahwe die grausamen Chaldäer in seinen Dienst gestellt hat und dies auch bewußt von Habakuk akzeptiert worden ist[238], hat Horst[239] in seinem Kommentar nicht durchblicken lassen. Das "Er" in Hab 1,17, enthalten im Hebräischen יריק, bezieht sich also, wie der ganze Satz, auf die Chaldäer[240] als Jahwes Werkzeug, wie jener "Er" vielleicht als Gottloser in V.13 (בבלע רשׁע צדיק מננו) zuletzt genannt ist[241]. - Wie man es vom Habakukkommentar gewohnt ist, folgt die Ausdeutung dieses Verses auf dem Fuße (1QpHab 6,10-12): "Seine Deutung (פשׁרו) bezieht sich auf die Kittäer (הכתיאים), die viele mit dem Schwert vernichten: Junge, reife Männer und Greise, Frauen und Kinder, und mit der Frucht im Mutterleibe haben sie kein Erbarmen". Der Deuter hat also die Bedrücker in Gestalt der Chaldäer oder der Assyrer, wie sie Habakuk selbst noch sah, ausgetauscht gegen die Kittim oder Kittäer, ein

---

235 Im qumranischen Habakuktext fehlt das den Satz im masoretischen Text einleitende He interrogativum; vgl. auch Septuaginta und Peschitta.

236 F. Horst, in: Th. Robinson 176.

237 W. Rudolph, Micha-Nahum-Habakuk-Zephanja 194.

238 Rudolph, ebda.

239 Horst, Kommentar 173.

240 Horst sieht von den Chaldäern ab und bezieht die ganze Passage auf die Assyrer, vgl. Kommentar 173.

241 Auch davon nimmt Horst Abstand, ebda. 178f.: Er denkt an Ägypten.

grausames Heidenvolk, das - dies sicherlich noch im Sinne Habakuks - als Geißel des göttlichen Zorns Israel angreift, auch zunächst Erfolge aufweist, dann aber - wie der Sektenkanon (15,2) und auch die Kriegsrolle[242] (1,1-4) es beschreiben -, gegen die Kriegsmänner des wahren, gottgetreuen Israel antreten muß, um am Tag der Rache unterzugehen. Nur zwei Völker können sich bekanntermaßen hinter den Kittim des 1QpHab verbergen: Griechen oder Römer; in den Qumranschriften setzt sich offenbar die Bandbreite der biblischen Bezeichnung "Kittim" fort[243]. Aber wichtiger als die historische Identifizierung ist hier der Hinweis, daß der Qumrankommentator das Kriegsgeschehen bei Habakuk (1,17) überträgt, d.h. auf das (erwartete?) Kriegsgeschehen zu seiner, des Kommentators, Zeit bezieht. Er hat damit den originalen Habakuktext "aktuell" gemacht, er hat ihn "a k t u a l i s i e r t".

242 In 1QM 1,4 ist von den Kittäern in Ägypten die Rede

243 Maier/Schubert, Qumran-Essener 86; Maier/Schubert, ebda. 271 und Maier, Texte 140 weisen allerdings auf einen wichtigen Datierungsfixpunkt in 1QpHab hin: Dort wird in 9,4-7 das von Hab 2,8a geschilderte Plündern und Widerplündern auf die Jerusalemer Priester bezogen, die Reichtum und Beute durch Ausplünderung anderer Völker an sich raffen werden (יקבוצו הון), um schließlich aber von den Kittim ihrer Beute beraubt zu werden (ולאחרית הימים ינתן הונם עם שׁללם ביד חיל הכתיאים). Maier/Schubert schließen daraus ein Entstehungsdatum des 1QpHab innerhalb des ersten vorchristlichen Jahrhunderts, offenbar deshalb, weil die Seleukiden sich nicht mehr und die Römer sich noch nicht in Palästina bemerkbar machen. Terminus ante quem wäre demnach 63. v.Chr. - Ebenso datiert Flusser, מלכות רומא 161f., Anm. 37, der 1QpHab 4,10-13 plausibel auf die römischen Verhandlungsgesandten bezieht, die Jahr für Jahr vor Pompeius' Einzug in Jerusalem 63 v.Chr. zu den Provinzen geschickt werden.

6.2.3.4.3.2. Brownlees dreizehn "hermeneutic principles"

Ein auffälliges Diskussionsobjekt haben im Rahmen der Versuche, den 1QpHab gattungsmäßig zu bestimmen, W.H. BROWNLEEs[244] 13 "hermeneutische Prinzipien" oder "Grundregeln" dargestellt, die er im 1QpHab ausfindig machen zu können glaubte. Ein Nachweis der Anwendung solcher hermeneutischer Prinzipien ist deswegen von allererster Wichtigkeit, weil eben diese gleichfalls in den klassischen Midraschim angewendet wurden[245]. Neben der Aktualisierung könnte damit ein zweites starkes Kriterium dafür gefunden werden, daß der 1QpHab in die Nähe der klassischen Midraschim anzusiedeln ist, ohne daß damit bereits eine endgültige Entscheidung über seine gattungsmäßige Zugehörigkeit ausgesprochen werden könnte.

Es seien diese Brownleeschen Regeln zunächst im Originaltext wiedergegeben, bevor sie näher erläutert, mit Beispielen versehen und abschließend kritisch gewertet werden sollen.

Folgende 13 "hermeneutische Prinzipien" hat Brownlee für den 1QpHab geltend gemacht:

"1. Everything the ancient prophet wrote has a veiled, eschatological meaning.

2. Since the ancient prophet wrote cryptically, his meaning is often to be ascertained through a forced, or abnormal construction of the biblical text.

3. The prophet's meaning may be detected through the stu-

---

244 Biblical Interpretation 54-76; zum Begriff "hermeneutisch" sei in diesem Kontext angemerkt, daß mit Brownlees "Prinzipien" (ebda. 60-62) exegetische Auslegungsregeln gemeint sind - im Unterschied zur sonst gängigen Bedeutung von "hermeneutisch" als einem prämissenspezifischen Ansatz, einen Text als ganzen inhaltlich auszulegen. Vgl. auch Patte, Hermeneutic 1f., der selbst zwischen "hermeneutics" und "hermeneutic" unterscheidet.

245 Brownlee, Biblical Interpretation 72-75.

dy of the textual or orthographic pecularities in the transmitted text. Thus the interpretation frequently turns upon the special readings of the text cited.

4. A textual variant, i.e. a different reading from the one cited, may also assist interpretation.
5. The application of the features of a verse may be determined by analogous circumstance or by
6. Allegorical propriety.
7. For the full meaning of the prophet, more than one meaning may be attached to his words.
8. In some cases the original prophet so completly veiled his meaning, that he can be understood only by an equation of synonyms, attaching to the original word a secondary meaning of one of its synonyms.
9. Sometimes the prophet veiled his message by writing one word instead of another, the interpreter being able to recover the prophet's meaning by a rearrangement of the letters in a word, or by
10. The substitution of similar letters for one or more of the letters in the word of the Biblical text.
11. Sometimes the prophet's meaning is to be derived by the division of one word into two or more parts, and by expounding the parts.
12. At times the original prophet concealed his message beneath abbrevations, so that the cryptic meaning of a word is to be evolved through interpretation of words, or part of words, as abbreviations[246].
13. Other passages of scripture may illumine the meaning of the original prophet."

246 Diese Regel ist später von Brownlee selbst gestrichen worden, siehe ders., Habkkuk Midrash 179, Anm. 38: "- not as being impossible, but as no longer needed to explain the interpretations of the scroll".

Zu 1. Die erste hermeneutische Regel ist schon oben[247] des langen und breiten ausgeführt worden. Auch Brownlee bespricht sie nicht näher, weil sie sich durch den gesamten Kommentar zieht[248]. I.H. Eybers[249] bemerkt in seiner Besprechung dieses Punktes, daß die neutestamentliche Auslegung des AT ebenso wie die qumranische den ursprünglichen historischen Kontext des Auszulegenden nicht beachtet. Noch wichtiger als dies ist sein Hinweis[250], daß diese Methode der Verdeutlichung einer geheimnisvollen eschatologischen Bedeutung alter Schriften ebenfalls in der rabbinischen Literatur vorkäme, allerdings nicht sonderlich geregelt. Er verweist dabei in einer Fußnote auf Brownlees Erörterung der rabbinischen Midraschim, die sowohl Haggadot als auch Halachot ableiten; ein zeitweilig gemeinsames Kennzeichen des Midrasch Haggada und des 1QpHab ist das Element der "predictive prophecy"[251]. - Es sei daran erinnert, daß bereits Wright u.a. auf die Tendenz auch exegetisch-klassischer Midraschim wie Bereschit Rabba und Midrasch Tehillim hinwies, Bezüge geschichtlicher und lebensumweltmäßiger Art zwischen Bibeltext und klassisch-jüdischem Ausleger herzustellen, d.h. "it being characteristic of the midrash to view the personages and conditions of the Bible in the light of contemporary history"[252]. Allerdings be-

247 Vgl. oben Kapitel 2.2., 2.3.3., 6.2.3.4.2.1.

248 Biblical Interpretation 62.

249 Eksegese 50, Anm. 19.

250 Ebda. 38f.

251 Brownlee, Biblical Interpretation 71.

252 Wright, Midrash 125. - Darüber hinaus wendet sich Wright bewußt gegen Lane, New Commentary Structure 346, der das Fehlen von Messianismus und Eschatologie in der rabbinischen Midrasch-Literatur behauptet, aber auch gegen Silberman, Riddle 329, der keine Aktualisierung im rabbinischen Midrasch entdecken kann (Wright, ebda. 135, Anm 88).

steht ein wichtiger Unterschied zwischen 1QpHab und den klassisch-exegetischen Midraschim, auf den schon Silberman[253] aufmerksam gemacht hat: In letzteren fehlt a p o k a l y p t i s c h e s Gedankengut, d.h. radikalisierte Eschatologie als geschichtsideologische Motivation, denn die apokalyptische Literatur des Frühjudentums wird in der rabbinischen Literatur nicht überliefert. Silberman[254] begründet dies mit der geschichtlichen Zäsur des gescheiterten Bar-Kochba-Aufstandes 135 n.Chr. Andererseits qualifiziert P. SCHÄFER[255] die Folgerung aus besagter Begründung nur als argumentum e silentio: Aus dem Fehlen apokalyptischer Literatur dürfe man kein radikal antiapokalyptisch eingestelltes rabbinisches Judentum erschließen; schließlich sei - nach langem Hin und Her - ein so deutlich apokalyptisches Buch wie Daniel in den rabbinischen Kanon aufgenommen worden; zudem gäbe es in demselben zwar keine weitere selbständige apokalyptische Literatur, wohl aber zahlreiche apokalyptische Traditionen[256]. - Somit wird Silbermans Schlußfolgerung doch relativiert, wenn auch nicht ad absurdum geführt.

Zu 2. Zur zweiten hermeneutischen Regel bietet Brownlee[257] folgendes Beispiel an: In der dritten Kolumne teilt

---

253 Riddle 329.

254 Ebda.

255 Zur sogenannten Synode von Jabne. Zur Trennung von Juden und Christen im 1./2. Jahrhundert n.Chr., in: ders., Studien 61.

256 Vgl. hierzu A.J. Saldarini, Apocalyptic and Rabbinic Literature: CBQ 37 (1975) 348-358, bes. 355f.358; ders., The Uses of Apocalyptic in the Mishna and Tosephta: CBQ 39 (1977) 396-409.

257 Biblical Interpretation 63.

der Kommentator den Habakuktext anders auf, als wir es vom massoretischen Text her kennen. Dies ist vom auslegenden Teil her ersichtlich: So heißt es in 1QpHab 3,11 zu Hab 1,8f.: "(Und von fernher) kommen sie, von den Inseln des Meeres, um alle Völker zu fressen" (לאכול את כול העמים), wohingegen bei Hab 1,8 der Text lautet: "Sie fliegen wie ein Geier, der zum Fraße eilt" (חש לאכול). Es folgt 1,9: "Alles geht auf Gewalttat los" (כלה לחמס יבוא). - Was in Habakuk aufgrund der Skandierung getrennt worden ist[258], wurde vom Pescherautor zusammengebracht[259], um den radikal bösartigen Charakter der Kittim besser zu kennzeichnen.
In seiner Kommentierung dieser Regel meint Eybers[260], daß Brownlee hier vor allem die Atomisierungstechnik des 1QpHab im Auge gehabt habe. Diese Technik besagt, daß der Ausleger einen Vers oder sogar nur einen Versteil nach seiner, des Auslegers, grundsätzlichen, allgemeinen Auslegungsintention und damit ohne Rücksicht auf den ursprünglichen Sinn und Geschichtszusammenhang des Originaltextes auslegt[261]. So wird Hab 1,13a ("Mit zu reinen Augen") gleich zweimal vom Qumrankommentator ausgelegt (1QpHab 5,1-12): Zunächst als Strafandrohung gegen die Frevler an den göttlichen Geboten (Z.5f.), um dann als Einzelstück, somit noch verstärkt atomisiert, abermals zur Auslegung zu dienen, wobei עינים direkt zum Lemma bestimmt ist (Z.7f.): "Seine Deutung ist, daß sie nicht gehurt haben hinter ihren Augen her in der Zeit des Frevels" (פשרו אשר לוא זנו אחר עיניהם בקץ הרשעה).- In diesem

258 Brownlee, Midrash Pesher 69.

259 Silberman, Riddle 338.

260 Eksegese 39f.50f., Anm. 24.

261 Bruce, Biblical Exegesis 11f.; Elliger, Studien 139f.

Sinne legt der Qumran-Kommentator die Prophetenschriften auf Geschichte und Schicksal seiner Gemeinde hin aus, als ob Habakuk oder Nahum tatsächlich die Qumran-Sektierer in ferner Zukunft im Auge gehabt hätten. Diese Atomisierung ist somit konsequenterweise ein notwendiger Bestandteil der eschatologisch-apokalyptischen Aktualisierungstechnik. Sie findet sich allgemein in der jüdischen Exegese und auch schon in den Targumim[262]. - Es muß aber Eybers dahingehend korrigiert werden, daß die von Brownlee[263] zu seiner 2. Regel angeführten Beispiele sich auf Umgestaltung _am_ und nicht auf Sinnerschließung _aus_ dem Text beziehen, er also hier nicht zuvörderst an die Atomisierungstechnik dachte. Diese Beispiele könnten sich auch teilweise bei einigen nachfolgenden Regeln anwenden lassen, vor allem bei derjenigen der sogenannten _Double_ oder _Dual Readings_.

Zu 3. Aus dem massoretischen Text kennen wir die Lesart des Anfangs von Hab 2,5: "Vielmehr ist der Wein (היין) treulos ...", wobei die Lesart היין noch vom Targum, der LXX und der Vulgata bestätigt wird, wohingegen die Übersetzung der Peschitta sich mehr an die Lesart des 1QpHab 8,3 hält: ואף כיא הון יבגוד גבר יהיר ("Vielmehr wird _Reichtum_ den hochmütigen Mann im Stich lassen")[264]. Beide, Stendhal und Brownlee, stimmen darin über-

---

262 P. Seidlin, Der ^{c}Ebed Jahwe und die Messiasgestalt im Jesaiatargum: ZNW 35 (1936) 195. 216. - Vgl. auch andererseits die Kritik Seeligmans an Elliger: לא עלה בדעתו שדוקא שיטת _הפירוק אפינית היא למדרש חז׳׳ל_ (vgl. Rezension 42; Hervorhebung von mir: gemäß Seeligman hätte Elliger also die Atomisierungstechnik als gemeinsames Typicum für Pescher und klassischen Midrasch erkennen müssen).

263 Biblical Interpretation 63. 65. 66. 68 (zweimal).

264 Stendhal, School 188. - Vgl. dagegen etwa W. Rudolph, Micha-Nahum-Habakuk-Zephanja (KAT XIII,3) Gütersloh 1975, 213.

ein, daß diese Lesart הון gut ins essenische Armutsideal paßte[265]. Brownlee[266] weist darüberhinaus darauf hin, daß hier der Reichtum, von einem unersättlichen, gierigen Menschen angesammelt, letztlich doch an das Schicksal des Frevelpriesters erinnern soll. Auch bemerkt A. FINKEL[267], daß gemäß der Damaskusschrift (4,17) der Reichtum das zweite Netz Belials neben Unzucht und Befleckung des Heiligtums ist. - Die gleiche Stelle untersucht Slomović[268] anhand der rabbinischen Deuteregel der Asmakhta. Er geht davon aus, daß mittels der Al-Tiqrei-Lesart - diese rabbinische Regel ("Lies nicht ..., sondern ...") verlangt eine andere Lesart als der Massoretische Text zwecks exegetischer Ergebnisse - היין in הון umgewandelt wurde; sodann wird jedes Wort oder jeder Satzteil in Hinblick auf Geschichte und Tätigkeiten des Frevelpriesters ausgelegt, wobei - und dies ist das Entscheidende bei der Asmakhta - aufgrund eines Lemmas oder mehrerer Lemmata eine Assoziation zu einem beliebigen Bibelvers hergestellt werden kann, der seinerseits den Hintergrund für den geschriebenen Kommentar abgibt[269]. - Eybers[270] fällt bezüglich dieser Regel der Nichtgebrauch der hebräischen Finalbuchstaben

---

265 Stendhal, ebda. 188 bzw. Brownlee, Biblical Interpretation 67, Anm. 39.

266 Brownlee, ebda. - הון u.U. adjektivisch aufzufassen im Sinne von "anmaßend" oder "verwegen" geht grammatisch schlecht, vgl. ders., The Placarded Revelation of Habakkuk: JBL 82 (1963) 323f.

267 Finkel, Pesher 367.

268 Exegesis 15.

269 Slomović, ebda. - Slomović weiß selbst um das Spekulative seines Unterfangens, zumal die Rabbis ihre Assoziationen angeben.

270 Eksegese 41.

auf, der dazu dient, neue Wortkombinationen zu schaffen, eine Methode, die auch den Rabbinen nicht fremd war.

Zu 4. Hier haben wir es mit einem der merkwürdigsten hermeneutischen Prinzipien zu tun, den textual variants, auch double oder dual readings genannt. Voraussetzung sind hierfür zwei Lesarten irgendeiner alttestamentlichen Textstelle, von denen die erste zitiert, die zweite ebenfalls benutzt, d.h. bei der Kommentierung des Bibeltextes mit eingearbeitet wird[271], wobei die erste Lesart vom Massoretischen Text abweicht, die zweite aber diesen wiedergibt[272]. Dieses Verfahren ist in 1QpHab dreimal festzustellen[273]. Brownlee[274] spricht sich für vier deutliche Lesevarianten aus, nachdem er eine nachträglich eliminiert hat. Nach A. Finkel[275] gibt es deren gleich sieben in 1QpHab, welche dazu dienen sollen, dem Text eine neue Bedeutung zu geben. Gärtner[276] sieht allerdings gerade als ein Kriterium gegen das Vorhandensein solcher double readings folgendes an: "the significance of the words in the commentary is quite different from that in the M.T.". Dies bedeutet, daß verschiedene Lesarten nur dann in erträglicher Spannung zueinander stehen und als double readings gewertet werden können, wenn sie kein völlig anderes Bedeutungsfeld mit sich bringen.

---

271 Braun, Qumran 307. - Brown selbst wendet sich gegen das Vorhandensein von double readings in 1QpHab (ebda. 307f.).

272 Gärtner, Habakkuk Commentary 2.

273 Gärtner, ebda. 2f., bei Gärtner jeweils besprochen.

274 Text 121f.

275 Pesher 367f.

276 Habakkuk Commentary 2f.

- So beispielsweise liest die Massorah in Hab 2,16: שתה גם אתה והערל - "Trinke auch du und zeige die Vorhaut". Der 1QpHab hat aber anstelle des הערל eingesetzt: הרעל - "Taumle!" (1QpHab 11,9), wie übrigens auch LXX, Peschitta, Vulgata und Aquila[277]. Im Kommentar nun zu diesem Habakukvers in qumranischer Lesart ist aber überraschend doch von "Vorhaut" die Rede (1QpHab 11,13: "Denn er beschnitt die Vorhaut seines Herzens nicht": כיא לוא מל את עורלת לבו. Dieser Umstand legt doch nahe, daß der Kommentator zwar von der massoretischen Lesart Kenntnis hatte, er aber doch הרעל in den Habakuktext einsetzte[277a], um den unmittelbar nachfolgenden Vers 1QpHab 11,13f. vorwegnehmen bzw. aktualisierend bestätigen zu lassen: "und (der Priester) wandelte auf den Wegen der Völlerei" (וילך בדרכי הרויה). Rabin[278] bezieht allerdings הרעל auf Z. 14f.: "Aber der Becher des Zornes Gottes wird ihn verschlingen" (וכוס חמת אל תבלענו) und spricht treffend von "simultaneous interpretations of two variant readings". - Die Einsetzung von עורלת לבו ist nach Gärtner eine eindeutige Anspielung auf Dtn 10, 16: "So beschneidet denn die Vorhaut eures Herzens" (ומלתם את ערלת לבבכם), eine geprägte Wendung, die mehrmals im AT wie im NT vorkommt[279]. Gärtner versteht diese Anspielung offenbar noch eher als Argument für das Vorhandensein von dual readings, bevor er im nachfolgenden Abschnitt seines Aufsatzes seiner Skepsis gegenüber Mehrfachlesarten Ausdruck verleiht: "It might be called an advanced play on words,

---

277 Stendhal, School 189.

277a So sieht es auch Horgan, Pesharim 50.

278 Notes 158f.

279 Gärtner, Habakkuk Commentary 3.

and it is not a question of dependence upon readings"[280]. Auch Silberman[281] sieht an dieser Stelle des 1QpHab nicht den massoretischen Text im Hintergrund, sondern meint: "as is evident, the commentator has no hesitation about dealing freely with the biblical text. Granted that the biblical text reported here is correct ... the commentator has merely metathesized ayin and resh for interpretation purposes".- Braun[282] verhält sich gegenüber besagter Stelle skeptisch.- H. YALON[283] vermag sich nicht recht zu entscheiden, ob hier vielleicht eine Al-Tiqrei-Deutung auf Seiten des Kommentators vorliegt. Dieser dürfte freilich kein wissenschaftliches Interesse daran gehabt haben, auf verschiedene Textlesarten hinzuweisen oder gar zu konjizieren[284]. Dies ist umso weniger zu vermuten, als schon selbst in der rabbinischen Literatur die Al-Tiqrei-Deutungsmethodik keine Textkritik darstellen sollte[285]. - Elliger[286], der עורלת לבו

---

280 Ebda. 4.

281 Riddle 361.

282 Qumran, Bd. II, 307f.

283 הערות, 175. - Die meisten mit אל תקרי eingeleiteten Lesarten verweisen nicht auf abweichende Lesarten, sondern wollen nur mit Hilfe von Wortspielen bestimmte exegetische Ergebnisse erzielen. Vgl. Seeligmann, Voraussetzungen 160.

284 Siehe vorausgehende Anmerkung; dies auch gegen M.D. Goldmann, The Isaiah MSS of the Dead Sea Scrolls: ABR 1 (1951) 13, so wiedergegeben bei Stendhal, School 189, Anm. 1. - Anders in dieser grundsätzlichen Frage: Rengstorf, Ḫirbet 29-31. 62.64, Anm. 129-131, hinsichtlich der rabbinischen Literatur.

285 A. Rosenzweig, Die Al-tiqri-Deutungen. Ein Beitrag zur talmudischen Schriftdeutung; in: M. Brann/J. Elbogen, Festschrift zu I. Lewys 70. Geburtstag, Breslau 1911, 220.

286 Riddle 361.

nicht auf das massoretische הרעל bezieht, sondern es - unverständlicherweise - vom nachfolgenden כוס חמת ונבלעני אל auslegen läßt, wird von Silberman[287] vorgeworfen: "He has, unfortunately, raised the question of a variant text at this point where it need not be raised". Andererseits schließt dies ja nicht den Gebrauch eines prototypischen Standardtextes aus, auf den ja schon Burrows hingewiesen hatte[288]. Patte[289] resümiert, daß wir nicht in jedem Falle sagen könnten, ob sich der Habakukinterpret der Lesarten bewußt war, die wir in der Massorah haben, d.h. es bleiben zwei Schlußfolgerungen übrig: "Either the interpreter used a number of biblical texts containing variant readings, or he transformed the prophetic text to fit his interpretations. These alternatives do not necessarily exclude each other". Das heißt: Selbst wenn wir so etwas wie einen protomassoretischen Text in Qumran voraussetzen dürfen, bleibt es letztlich unbeweisbar, ob der Kommentator im Einzelfalle um mehrere Lesarten wußte[290]. Gleichwohl legen weitere Beispiele neben 1QpHab 11,13 dies nahe, wie sie von Finkel und Patte dargelegt wurden[291]. In gleicher Rich-

---

287 Riddle 361.

288 Vgl. oben Kapitel 6, Anm. 8.

289 Hermeneutic 305.

290 So auch Braun, Qumran 308: "Kurz: dual readings sind für 1QpHab nicht nachweisbar".

291 Finkel, Pesher 367f.; Patte, Hermeneutic 305. - Vgl. auch Brownlee, Text 119. Brownlee spricht selbst von "seemingly double readings" (ebda. 122) und macht dafür drei Faktoren verantwortlich: "(1) the improbabylity of a whole series of accidental textual coincidences of this kind, (2) the congruity of this with the principle of electicism advanced both by Elliger and Stendhal and (3) the unambigous direct quotations in the case of Nr. 41" (ebda. 122f.; gemeint ist mit 'Nr. 41' Hab 1,15f. und der entsprechende Pescher-Kommentar). Für die Kenntnis der massoretischen Lesarten macht Brownlee den Targum verantwortlich (ebda.123).

tung bezweifelt Seeligman[292] die von Elliger behauptete Freiheit des Auslegers gegenüber dem Text und weist darauf hin, daß die möglichen dual readings - Seeligman spricht sich expressis verbis für solche in 1QpHab aus - bestimmten exegetischen Absichten dienen. Aber selbst wenn wir es nur mit Wortspielen zu tun haben sollten - auch diese allein sind schon "hervorstechende Merkmale des Midrasch"[293].

Zu 5. Zur Bibelerklärung werden nach Brownlee auch analoge Umstände verwertet; Personen, Tiere oder Gegebenheiten, die beim Propheten geschildert oder beschrieben werden, finden sich in gleicher Funktion im kommentierenden Teil. Spricht Hab 1,8 von den Chaldäerpferden, die schneller sind als Panther (וקלו מנמרים סוסיו), so greift der Habakukinterpret "Pferde" auf (1QpHab 3,9f.) und verwendet es für die Kittäer, die das Land mit ihren Rossen zerstampfen (אשׂר ידושׂו את הארץ בסוס[יהם]). Eybers[294] vermerkt dazu richtig, daß der Bibeltext mutatis mutandis auf Geschichte und Umstände des Auslegers und seiner Gemeinde bezogen wird, somit also dem Aktualisierungsprinzip untersteht.

Zu 6. Zur allegeorischen Deutungstechnik bzw. "Allegoristik" wurde schon oben[295] ein Beispiel angeführt und erklärt. Brownlee[296] führt noch weitere Beispiele an: So allegorisiert der Kommentator den Ostwind (קדימה beim massoretischen Habakuk 1,9, eigentlich

---

292 Rezension 42; auch Bruce, Biblical Exegesis 14-16 für double readings.

293 Seeligmann, Voraussetzungen 159.

294 Eksegese 40.

295 Vgl. oben Kapitel 6.2.2.2.

296 Biblical Interpretation 64. 66.

"ostwärts") als "wütendes Reden" (1QpHab 3,12f.; vgl. den Text bei Brownlee[297]: וכעס ובחרון אף וזעף אפים), nachdem er das dunkle Wort מגמת bei Hab 1,9 als "Murmeln" verstanden hat[298]. - Ein weiteres Beispiel: In 1QpHab 6,2ff. werden das Fischernetz (חרם) mit den Feldzeichen (אותות), wie Fischergarn (מכמרת) mit Kriegswaffen (כלי מלחמות) allegorisiert, wobei in der letzten Allegorie noch ein Wortspiel ausmachbar ist[299].

Zu 7. Brownlee[300] nimmt hier als Beispiel 1QpHab 8,3ff., wo Hab 2,5f. zunächst zitiert wird und der dort geschmähte "hochmütige Mann" im nachfolgenden Kommentar (1QpHab 8,8ff.) aktualisierend auf den gottlosen Priester bezogen wird. Dabei spielt nach Brownlees Verständnis das sowohl im Zitat als auch im Kommentar gebrauchte Wort מֹשׁל eine wichtige Rolle insofern, als das im Habakukzitat vorkommende מֹשׁל in seiner Verbindung mit "Rätseln" (Hab 2,6: מליצי חידות) "irgendetwas Verschlüsseltes bedeutete" (suggested something cryptic)[301]. Der Kommentar bezog eben deshalb die Drohrede Habakuks auf den Frevelpriester, der ja mit Antritt seiner Herrschaft in Israel auf Abwege geriet, wobei dem Kommentator der semantische Umstand zu Hilfe kam, daß משל als Nomen zunächst "Spottlied" heißt (Hab 2,6: הלוא אלה כלם עליו משל ישׂאו), in der

---

297 Midrash Pesher 68.

298 Nämlich als abkünftig von einem aramäischen Wort gimgam, dessen Wurzel GMM ist; vgl. Brownlee, Biblical Interpretation 64. 65, Anm. 31. - Zur Diskussion des Wortes מגמת vgl. noch Silberman, Riddle 339; Brownlee, Midrash Pesher 69f.; Elliger, Studien 175.

299 Siehe die angeführten Beispiele bei Brownlee, Biblical Interpretation 64. 66.

300 Biblical Interpretation 66f.

301 Ebda. 67.

zweiten, verbalen Bedeutung aber auch mit "herrschen" wiedergegeben werden kann (1QpHab 8,9f.: וכאשר משל בישראל רם לבו). Somit hätte nach Brownlee[302] der qumranische Ausleger nachweisen können, daß das Spottlied (משל) auf den hochmütigen Mann in Hab 2,6 sich auf die Herrschaft (משל) des Frevelpriesters in 1QpHab 8,9 bezog und sein Inhalt sich an ihm bewahrheiten sollte. - Elliger[303] sieht im משל des kommentierenden Teils eher einen terminus technicus für die Ausübungen des hochpriesterlichen Amtes in nachexilischer Zeit. Brownlee[304] hält dem aber entgegen, daß der Kontext auf eine Herrschaftsausübung abzielt, welche die Fähigkeit ausdrücken soll, auch den Krieg als politisches Mittel nicht zu scheuen. - Slomović[305] steht den Brownleeschen Äußerungen aufgrund seines Deutungsverständnisses skeptisch gegenüber: "the main objection to this[306] rests in the fact that it goes counter to the apparent systematic exposition of the Biblical text in the Pesher on Habakkuk which shows a close relation between the lemma and the commentary. Brownlee's suggestion would lend this particular pesher extraordinarily unique". Slomović wendet vorzugsweise die Asmakhta-Methode an dieser Stelle des 1QpHab an, wie oben[307] bereits geschildert, allerdings ohne eine Möglichkeit für Hab 2,6 anzugeben. Das qumranische וכאשר משל בישראל koppelt er an das גבר יהיר ("der hochmütige Mann") von Hab 2,5 durch die Asmakhta zu 1 Chr 5,2a: "denn Juda war erstarkt

302 Ebda.

303 Studien 198.

304 Midrash Pesher 138.

305 Exegesis 14.

306 Zu Brownlee, Biblical Interpretation 67.

307 Vgl. oben S.36.

(גבר) unter seinen Brüdern". Nun ist sich freilich Brownlee auch bei seiner Beispielgebung aus der rabbinischen Literatur des sichtlichen literarisch-stilistischen Unterschiedes zwischen 1QpHab und den rabbinischen Midraschim bewußt: "DSH quotes an entire passage of Scripture and follows it with an interpretation, whose relationship to the individual words or phrases of the Scriptural citation is ascertained only after very careful study. The midrash, however, often cites single words or phrases and presents directly their interpretation; then the hermeneutical principles are more easily apprehended than in DSH"[308]. Vergleicht man nun Slomovićs genaue und auch passende Gegenüberstellung einzelner Lemmata von Habakuk und ihre entsprechenden Auslegungsteile in 1QpHab, überzeugt seine Auffassung mehr, d.h. Brownlees Analyse erscheint dagegen recht spekulativ, vor allen Dingen angesichts des von ihm selbst gebotenen rabbinischen Beispiels.

Ein weiteres Beispiel Brownlees[309] stützt sich auf eine recht fragwürdige Lacunaergänzung in 1QpHab 3,13 bei Rabinowitz[310]: Statt ידברו עם [כול העמים כי]א ("... reden sie mit [allen Völkern, de]nn ...") soll es jetzt heißen "Mit den Kindern des Ostens" (עם כול בני קדים, womit קדים in Hab 1,9 (im massoretischen Text קדימה "ostwärts") einmal als "Ostwind" und das andere Mal als "Osten" zu begreifen wäre. "Völker" paßt sowohl besser zu "fressen" in Z. 11 als auch zum kurz darauf folgenden "und er rafft wie Sand Gefangene" (ויאסף כחול שבי: Hab 1,9). Brownlee[311] selbst be-

308 Biblical Interpretation 75. - Das Beispiel zu diesem hermeneutischen Prinzip ebda. 74.

309 Biblical Interpretation 63f.

310 Columns 35.

311 Biblical Interpretation 64; ders., Midrash Pesher 71.

hauptet aber nicht die unbedingte Richtigkeit dieser Ergänzung.

Zu 8. Wir können beim zuletzt genommenen Beispiel bleiben, um Regel Nr. 8 zu erläutern. Ausgangspunkt ist wieder 1QpHab 3,8f. bzw. Hab 1,9a : מגמת פניהם קדימה ("das Antlitz glühend wie Ostwind")[311a]. Daraus konnte - so Brownlee - der Ausleger die Bedeutung "Zorn" gewinnen, wenn er פנים mit seinem hebräischen (und auch aramäischen) Synonym אפים gleichsetzte, welches seinerseits die Bedeutung von "Zorn" tragen kann. Man lese beispielsweise Ex 15,8: "In deinem Zorn häuften sich die Wasser" (ברוח אפיך נערמו מים). Diese zweite Bedeutung von אפים als "Zorn" wurde nun vom Kommentator auf פנים bezogen, so daß er die nach Osten gerichteten Gesichter auslegen kann mit "Und in Grimm und Wut, in glühendem Zorn und wütendem Schnauben (וזאף אפים) reden sie mit allen Völkern" (1QpHab 3, 12f.). Er bestätigt diese Auslegung, indem er beifügt: "Denn das ist gemeint (כיא הוא אשר אמר), wenn es heißt: 'Ihre Gesichter sind nach Osten gerichtet'"[312]. Dabei hat nach Brownlee[313] der Kommentator sowohl die hebräische Bedeutung von פנים wie die aramäische von אפים im Kopf gehabt und sie vermischt, d.h. letztere auf die erstere übertragen. - Elliger[314] übersetzt Z. 14: "Den Überfluß ihres Antlitzes sprühen sie" und glaubt von daher, daß das aramäische

---

311a Die Übersetzung des Habakukverses ist diesmal der Jerusalemer Bibel entnommen ([16]1981).

312 Brownlee, Biblical Interpretation 64. - Wie Brownlee verweist, übersetzt Rabinowitz auf der Grundlage des gesplitteten פני הם "my wrath are they to the east", vgl. Columns 35f. - So auch Finkel, Pesher 370. - Zum word splitting siehe Ausführungen unten zu Regel 11.

313 Midrash Pesher 71.

314 Studien 175.

גמם mit der Bedeutung "stottern", "stammeln" sich im Kommentar nicht wiederfindet, aber Silberman[315] sieht in dieser Übersetzung keinen rechten Bezug zu "mit Zornesglut und Zorneswut reden sie mit allen Völkern" (1QpHab 3,12f.).

Zu 9. Eine in 1QpHab weniger häufig praktizierte Technik ist die des Umstellens einiger Buchstaben innerhalb eines Wortes, um ein neues Wort zu erhalten, das die eigentliche prophetische Bedeutung des ersten Wortes und damit des Kontextes erhellen soll. Diese Technik ist bei den Rabbinen gang und gäbe und unter der Bezeichnung "Themourah" bekannt[316]. Dort kann sie auch das Ergebnis einer Al-Tiqrei-Lesart sein[317]. Allerdings findet sie sich bereits in der Bibel, etwa bei etymologischen Erklärungen. So läßt uns der Chronist den Hintergrund einer Namensgebung wissen (1 Chr 4,9): "Seine Mutter gab ihm den Namen Jabez (יעבץ), indem sie sprach: 'Ich habe ihn in Schmerzen (בעבץ) geboren.'" - Auch in Qumran hat man sich offenkundig dieser Interpretationsmethode bedient. In der Auslegung zur Passage Hab 2,20 bzw. in 1QpHab 12,17, in der vor Götzendienerei gewarnt wird und in deren Abschlußsatz Jahwe mit dem Tempel in Zusammenhang gebracht wird (יהוה בהיכל קדשו), wird die dereinstige Vernichtung der Götzenanbeter ausgesprochen, und zwar mit einer solchen Verbkonstruktion, die sichtlich nur eine Umstellung der Buchstaben des hebräischen Wortes für Tempel ist: וביום המשפט יכלה אל את כול עובדי העצבים (1QpHab 13,2f.: "Und am Tage des Gerichts wird Gott

---

315 Riddle 339.

316 F.W. Farrar, Rabbinic Exegesis: Exp., 2nd series 5, 1877, 372-378.

317 Vgl. das Beispiel bei Brownlee, Biblical Interpretation 74. - Brownlee hält die qumranischen Textänderungen in größerer Nähe zu den תיקוני הסופרים als zu אל תקרי stehend, vgl. ders., Background 189).

vernichten alle, die Götzenbilder verehren"). Damit soll gesagt werden, daß mit dem Tempel Jahwes, wie in Hab erwähnt, bereits die Vernichtung der zukünftigen Götzenverehrer eingeschlossen ist[318].

Zu 10. Abgesehen von der gerade erläuterten Umstellungstechnik können Buchstaben auch mit Vorliebe gegen ähnlich aussehende ausgetauscht werden. So wird - glaubt Brownlee[319] noch in "Biblical Interpretation" - in 1QpHab 5,1 Waw gegen Yod ausgewechselt, zwei Buchstaben, die ohnehin schwer in den Qumranschriften zu unterscheiden sind. Hab 1,12 lautet hier masoretisch: "... o Fels, zur Züchtigung (hast du) ihn hingestellt" (וצור להוכיח יסדתו). Der qumranische Habakuktext (1QpHab 5,1) liest nach Brownlee[320]: "... will be distressed (= the chastizer of the wicked (lit. of him), whom Thou has ordained" (יצור למוכיחו יסדתו). Nach Brownlee[321] kam der qumranischen Variante noch der Ersatz des Infinitivs להוכיח im Habakuktext durch ein Partizip plus enklitisches Personalpronomen (למוכיחו) zu Hilfe. Der Sinn dieser Lesart soll sein, daß Gott einen auserwählten Leidensmann bestellt hat, der einst Recht

---

318 Brownlee, Biblical Interpretation 70. - Auf derselben Seite verwirft er eine Auslegung von בהיכל als eine Notarikon-Abkürzung (vgl. unten Regel 12). - J.V. Chamberlain deutet interessanterweise auf eine weitere Bedeutung der Gleichung היכל = יכלה hin: Sie wiese auf die bevorstehende Zerstörung des Tempels (vgl. An Ancient Sectarian Interpretation of the Old Testament Prophets, Durham-North Carolina, 116).

319 Ebda. 65. - Lohse, Texte 232 und Habermann, Megilloth 45 lesen וצור; Rudolph in seinem Habakukkommentar erkennt kein יצור im Qumrantext (S. 209), ebensowenig Silbermann, Riddle 342, der aber צור wie Brownlee (Biblical Interpretation 64) mit "distressed one" wiedergibt.

320 Brownlee, Biblical Interpretation 64.

321 Ebda. 65.

sprechen wird über Heiden und abgefallene Juden. Er steht kollektiv für diejenigen, die einst in der Bedrängnis waren (vgl. 1QpHab 5,6: בצר למו). Elliger[322] aber sieht in der Auslegung keine Betsätigung dieser Konstruktion des Textes. - Überraschenderweise hält Brownlee nun in seiner neuen Arbeit[323] über den Habakukpescher eine andere, gewissermaßen "konservative" Lesart zu besagter Habakukstelle parat. Er liest jetzt וצור למוכיחו יסדתו und übersetzt: "... and to suffer has Thou established him, as their chastiser ...". Was Brownlee letztlich davon abhält[324], וצור mit "Fels" zu übersetzen, ist nach seiner Aussage die Tatsache, daß sowohl LXX wie die syrische Übersetzung selbige Stelle verbal wiedergeben: καὶ ἔπλασέν με bzw. (in Umschrift) וגבלתני למכסותה. Beide letzteren Übersetzungen hätten dabei an יצר IV in der Bedeutung von יצר "formen" gedacht, der qumranische Ausleger dagegen an צור II (oder III) mit der Bedeutung "verfolgen", "anfeinden". Immer noch schließt Brownlee die Lesart יצור im Qumrantext nicht aus[325], zieht aber schließlich einen Infinitiv vor ("and to suffer" - וצור), weil "formen" und "bedrängt sein" zugleich ableitbar seien. Jedenfalls hätte der qumranische Kommentator traditionsgemäß צור als Verb aufgefaßt. In der Tat trifft sich dies besser mit בצר למו ("als sie in der Not waren") in 1QpHab 5,6, also im kommentierenden Teil. - Dies bedeutet in der Quintessenz: Auch ohne - von Brownlee zunächst angenommene - "Umlesung" des Waw in וצור

---

322 Studien 181.

323 Midrash Pesher 84. - Vgl. folgende Überlegungen dort zu seinem 'Text' 26f.

324 Er schließt auch diese Übersetzung nicht gänzlich aus, vgl. Midrash Pesher 85.

325 Midrash Pesher 89. - Vgl. die von ihm dort angegebenen grammatischen Möglichkeiten von יצור bzw. וצור .

zu Yod in יצור war es dem Qumranausleger möglich, dem gleichen Konsonantenbestand eine vollkommen andere Bedeutung zu verleihen, um ein bestimmtes exegetisches Ergebnis zu erzielen. Dieses Phänomen werden wir auch noch - abgesehen von der bereits besprochenen Pessach Haggada[326] - außerhalb von Qumran anreffen[327].

Zu 11. Wiederum können wir beim zuletzt gewählten Beispiel bleiben, um ein weiteres rabbinisch-hermeneutisches Prinzip zu verdeutlichen. Es geht dabei um ein Wortspiel, in dem das וצור למוכיחו wiedererscheint in 1QpHab 5,5f. (אשׁר שמרו את מצוותו בצר למו כיא הוא אשׁר אמר), allerdings "gesplittet": למוכיחו von 1Qp Hab 5,1 ist aufgeteilt in למו/כיא/הוא, wobei noch das ח im Zitat gegen den ähnlich geschriebenen und ausgesprochenen Buchstaben ה ausgetauscht wurde und somit gleichzeitig noch einmal eine Bestätigung der Regel 10 vorliegt[328]. Dieses rabbinisch-hermeneutische Prinzip ist unter dem Terminus "word-splitting" bekannt.

Zu 12. Es wurde oben[329] schon erwähnt, daß Brownlee selbst sich von der Möglichkeit der Anwendung dieser Regel

---

326 Vgl. oben Kapitel 4.5.3.3.

327 Schaut man sich die Photographie der betreffenden Stelle an, (vgl. Burrows, Scrolls, Nr. 57), so kann man mutwillig יצור lesen: das י ist hier um einen Bruchteil kleiner als das ו im gleichen Wort. Daß das aber nur Zufall ist, beweist גוים in 1QpHab 6,9 auf derselben Photographie: Hier sind Waw und Yod nicht mehr auseinanderzuhalten. Wiederum anders verhält es sich bei גוים auf Photographie Nr. LXI: Waw ist länger als Yod. Dies mag z.T. dadurch bedingt sein, daß die Rolle wohl von zwei Kopisten geschrieben worden ist (vgl. Elliger, Studien 74).

328 Brownlee, Biblical Interpretation 66. - Auch Silberman, Riddle 342, sieht dieses Wortspiel.

329 Vgl. oben S.206.

für den 1QpHab distanziert. Sie sei hier dennoch der Vollständigkeit halber erwähnt.
Das Herauslesen einer kryptischen Bedeutung eines Bibelwortes durch Verstehen der Wörter oder Teile derselben oder sogar jedes einzelnen Buchstabens eines Wortes als Abkürzung für ein weiteres Wort ist bei den Rabbinen unter der Bezeichnung 'notarikon' bekannt (von 'notarius' = Schnellschreiber). Dieser Terminus ist auch als 30. Regel unter den 32 Auslegungsregeln des Eliezer ben Jose ha-Gelili aufgeführt[330]. Dabei kann es allerdings das miteinbegreifen, was wir in der vorangegangenen Regel als "word-splitting" kennzeichneten[331]. Als griechisches Wort ist es unter der Bezeichnung "Achrostikon" eher bekannt. Brownlee[332] glaubte zunächst ein Beispiel dafür zu finden in 1QpHab 11,13:כיא לוא מל את עורלת לבו ("denn er beschnitt die Vorhaut seines Herzens nicht"). Die Photographie eben dieser Stelle[333] weist nun eine deutliche Lücke zwischen den Silben עור und לת auf, so daß Brownlee las "Haut-LT". LT selbst hat keinerlei Bedeutung im Hebräischen oder Aramäischen. Wohl aber ergibt es einen Sinn, nimmt man die beiden Buchstaben als Anfangsbuchstaben zweier neuer Worte: ל wäre dann - nach Brownlee[334]- die Abkürzung für לבו "sein Herz", und ת verträte תועבה "Greuel", "Abscheu", so daß עור לת zu verstehen wäre als "die Haut seines Herzens ist ein Greuel". Die

330 Strack/Stemberger, Einleitung 39.

331 Vgl. Pattes Beispiel in seinem 'Hermeneutic' 306 mit למו כיא הוא.

332 Biblical Interpretation 66.

333 Ebda. 65.

334 Ebda. 69.

Begründung für diese Lesart lautete[334a], daß 1. לבו unmittelbar danach ausgeschrieben im Text folgt, 2. der Kontext eine negative Konnotation zu ת verlangt, welches aufgrund der Tatsache, daß עור ein Maskulinum ist, kein Imperfekt-Präfix eines Verbs darstellen kann. Für diese negative Konnotation eignet sich תועבה nach Brownlee am besten. - Einige Jahre später nun nimmt Brownlee diese Regel zurück; ein Kriterium für den Ausfall gerade dieser Regel gibt Brownlee nicht an. - Horgan[335] übrigens sieht in der deutlichen Lücke zwischen עור und לת keine gewollte Worttrennung.

Zu 13. Über seine letzte Regel will sich Brownlee[336] nicht so sehr verbreiten, weil der Nachweis der Beeinflussung durch andere Schriftstellen als durch Habakuk doch eine eingehende Darstellung erforderte. Aber besagte Beeinflussung konkretisiert sich deutlich am Beispiel des Begriffs der Kittim, denen nicht erst in Qumran, sondern bereits in Num 24,24 und Dan 11,30 eine eschatologische Rolle vorausgesagt wird (וצים מיד כתים וענו אשור וענו-עבר bzw. ובאו בו ציים כתים).

Resümiert man die Anwendungsbeispiele von Brownlees 13 rabbinisch-hermeneutischen Prinzipien, so kann man nicht umhin festzustellen, daß doch eine ganze Reihe dieser Regeln, nämlich deren fünf, anhand der beigefügten Beispiele in einem fragwürdigen Licht dastehen: Bei Regel Nr. 3 (textliche oder orthographische Besonderheiten) erscheint die Analyse des Kommentars zum Lemma spekulativ, sei es die von Brownlee oder die von Slomovič; das Vorhandensein von dual

334a Ebda. Anm. 42a.

335 Pesharim 50.

336 Biblical Interpretation 62.

readings (Regel 4) ist letztlich unbeweisbar; es könnte sich auch um simple Wortspiele handeln, welche allerdings ein wichtiges Kriterium des Midrasch sind und wenigstens als solche klar in 1QpHab nachweisbar sind; Regel 7 (Mehrdeutigkeit eines Wortes) unterliegt wieder dem Verdacht der Spekulation oder reiner Assoziation; beim Beispiel für Regel Nr. 10 (Ersatz eines Buchstabens durch einen ähnlichen) ist die Lesart unsicher; Regel Nr. 12 (Notarikon) wurde von Brownlee selbst mit einer unklaren Begründung zurückgenommen; der Targum gibt eine befriedigende Erklärung für scheinbare Notarikon-Fälle[337]. - Und wieviel Gültigkeit haben die restlichen hermeneutischen Prinzipien? Regel 1 (verschleierte eschatologische Bedeutung des Prophetenwortes) ist in den qumranischen Prophetenkommentaren durchgängig; für Regel 2 (gepreßte oder unnormale Konstruktion des Bibeltextes) fand sich ein zutreffendes Beispiel, wenn es auch wohl bei dem einen blieb[338]. Regel 5 (analoge Umstände) hat eine gewisse Wahrscheinlichkeit für sich; Regel 6 allegorische Eigenart) ist mehrfach erwiesen; Regel 8 (Synonyme) ist wahrscheinlich, Regel 9 (Themourah) erwiesen; Regel 11 (*word splitting*) ist höchst wahrscheinlich; desgleichen Regel 12 (andere unterstützende Schriftstellen). - Filtern wir aus diesen die absolut richtigen Erkenntnisse heraus, so bleiben uns nur das eschatologische Prinzip, die Wort- und Satzkonstruktionsbespiele, die Allegoristik, die Themourah und wohl auch das *word splitting*. Aber immerhin läßt dieser rein quantitative Befund den Schluß auf eine unleugnare Nähe der qumranischen Arbeit am Bibelwort zu den rabbinisch-hermeneutischen Deutungstechniken zu, wobei allerdings Silbermans[339] Warnung unbedingt beherzigt werden

---

337 Stendhal, School 192, Anm. 2.

338 Die anderen Beispiele Brownlees (Biblical Interpretation 65. 66. 68) sind entweder bei ihrer unklaren Lesart unsicher, oder das Beispiel ist erkünstelt, oder die Übersetzung ist strittig.

339 Silberman, Riddle 333. Hervorhebungen von mir. - Vgl. auch Eybers, Eksegese 38. 42.

muß: "these (die Deutungstechniken) do not constitute hermeneutics in the strict sense of that term and cannot, therefore, be summarized in rules". Dies mag auch erklären, wieso die Anwendung solcher Regeln gewagter und freier erscheint als in der jüdisch-klassischen Literatur: Derartige Abweichungen vom MT sind schon für die tannaitische Zeit recht ungewöhnlich[340]. Dennoch hält Silberman[341] fest, daß sich die nachweisbaren qumranischen Deutungstechniken sowohl in den Petirah-Midraschim als auch in früheren tannaitischen Sammlungen finden und wir deswegen auch den Pescher als mit dem frühjüdischen Midrasch gekoppelt sehen können. Dies bestätigt überdies die Ergebnisse von Vermes[342] bei seinen Untersuchungen zur qumranischen Schriftforschung: "Die Qumraninterpreten übernahmen vom vorqumranischen Judentum eine vollentwickelte und gegenüber dem reinen Wortsinn der Schrift fortgeschrittene exegetische Tradition". Im selben Sinne äußert sich Vermes[343] anschließend zu seiner Untersuchung von 1QpHab 12,1-4: "Im intertestamentarischen Judentum gab es eine grundsätzlich einheitliche exegetische Tradition. Diese Tradition, die Grundlage des religiösen Glaubens und Lebens, wurde durch seine verschiedenen Gruppen, die Pharisäer, die Qumransekte und die Judenchristen, angenommen und modifiziert. Wir haben folglich drei verwandte exegetische Schulen der einen biblischen Botschaft, und es ist die Pflicht des Historikers, zu unterscheiden, daß keine von ihnen unabhängig von den

340 Stendhal, School 193. - In die gleiche Richtung gehend Eybers, Eksegese 43: "Diegene wat wys op verskille in die metode van Qumran en die Rabbyne, dui aan hoedat by eersgenoemde 'n veel vryer benadering tot die teks bestaan".

341 Riddle,333. - Vgl. auch R. Le Déaut, La tradition juive ancienne et l'exégèse chrétienne primitive: SBEsp 2 (Madrid 27, 1965), ed. 1969, 27-29; vgl. auch Eybers, Eksegese 42.

342 Schriftauslegung 196.

343 Ebda. 199f.

anderen richtig verstanden werden kann".

6.2.3.4.3.3. Re-Interpretation

F.F. Bruce, der in seiner Studie "Biblical Exegesis in the Qumran Texts" den Fragekreis der Re-Interpretation im Habakukpescher aufgegriffen hat[344], konzediert die Berechtigung zur Anwendung des Begriffs der Re-Interpretation innerhalb der Bearbeitung der qumranischen Prophetenkommentare nur bedingt. Immerhin kommt er zu folgenden Feststellungen: Reinterpretation alttestamentlicher Schriften erscheint schon innerhalb des AT selbst; auch Habakuk reinterpretiert oder gibt wenigstens in 1,6 die Sprache eines früheren Propheten wieder. In jenen Tagen warnte Jahwe vor einer assyrischen Invasion in Juda durch Jesaja (29,12f.):

> "Weil dieses Volk mir nur mit seinem Munde naht und mich nur mit seinen Lippen ehrt, sein Herz aber fern von mir bleibt und sie mich nur nach angelernter Menschensatzung ehren, darum will ich weiter zum 'Verwundern' ... verfahren, ja, sehr zum Verwundern, daß die Weisheit seiner Weisen verlorengeht und die Klugheit seiner Klugen sich verbirgt"[344a].

Habakuk konkretisiert dies[345] nach Auffassung von Bruce in 1,5f.:

> "Schauet hin auf die Völker und sehet zu, ihr werdet euch wundern und euch entsetzen, denn ich vollbringe in euren Tagen ein Werk, ihr würdet es nicht glauben, wenn man es euch erzählte. Denn siehe, ich bringe die Chaldäer her, ein wildes, ungestümes Volk, das auszieht nach weiten Räumen, um sich fremde Wohnsitze zu erobern."

Bei dieser Wiederaufnahme von Worten älterer alttestamentlicher Propheten durch jüngere erscheint letzteren die ur-

---

344 Ebda. 16f.

344a Diese und folgende Übersetzung nach Jerusalemer Bibel.

345 Daß das bei Habakuk gezeichnete Bild des Feindes als Vorstellung von einem göttlichen Werkzeug, welches das Strafgericht an Israel oder einem anderen Volk ausübt, auch von Jesaja her vorgegeben oder beeinflußt wurde, dazu vgl. F. Horst, Habakuk-Kommentar, in: O. Eissfeldt (Hg.), Die Zwölf Kleinen Propheten (HAT 14), Tübingen 1938, 173.

sprüngliche göttliche Botschaft "mutatis mutandis" anwendbar auf neue Krisensituationen[346]. Was aber nun die qumranischen Kommentatoren angeht, so erscheint Bruce die Berechtigung zur Anwendung dieses Gedankenschemas auf die Pescharim selbst zweifelhaft, denn der Qumranausleger dachte nicht an eine nochmalige Anwendung des Prophetenwortes, sondern an einen einmaligen Bezug desselben, nämlich auf Zeit und politisch-geschichtliche Umstände der Exulanten am Toten Meer. Deswegen schlägt Bruce[347] vor: "We may call his (des Kommentators) method one of reinterpretation, but he himself probably did not think of it in that way; to him his pesher was the true and proper interpretation of the prophet's words ... his (des Lehrers) career was the beginning of their fulfilment". Wenn also Bruce diese Art Auslegung "reinterpretation" nennt, dann in einem objektiv feststellbaren Sinne, nicht aber hinsichtlich des subjektiven Selbstverständnisses des Qumranauslegers. Da wir aber die Auslegungsmethoden in diesem Kapitel erörtern, gibt die Brucesche Feststellung für unsere Absicht hier nichts her[348].

6.2.4. Der Begriff "Midrasch" in den Qumranschriften

In seinem bereits öfters hier zitierten Aufsatz berichtet Wright[349] vom fünfmaligen Vorkommen des Wortes midrāš in der soweit veröffentlichten qumranischen Primärliteratur, dem sich vier weitere Fundstellen im Material von Höhle 4,

346 Vgl. im folgenden wieder Bruce, Biblical Exegesis 17.

347 Ebda.

348 Abgesehen von dieser letzten Feststellung zur Qumranliteratur schlägt die Argumentation für sein innertestamentliches Beispiel nicht durch. In Habakuk finden sich nur vage inhaltliche Anklänge und praktisch keine terminologischen Anspielungen zu Jesaja, es sei denn, man sähe eine solche in Hab 1,5b (תמהו) zu Jes 29,9ab (ותמהו).

349 Midrash 116.

bis 1966, dem Erscheinungsjahr von Wrights Aufsatz, noch nicht veröffentlicht, anschließen. Dabei bewegt sich das Wort midrāš in verschiedenen Begriffsfeldern. Hatte nun Gertner in einer Reihe von Beispielen einen dem alttestamentlichen ähnlichen Gebrauch des Verbums דרשׁ in den Qumranschriften nachgewiesen[350], so wird דרשׁ auch hier schon in der Bedeutung von "die Schrift studieren" gebraucht, etwa in CD 6,7 (והמחוקק הוא דורשׁ התורה) oder 7,18 (והכוכב הוא דורשׁ התורה). Nach Gertner[351] sind an solchen Stellen "midrashic teachers" gemeint. Entsprechend stehen diesen gegenüber diejenigen, "die nach glatten Dingen suchen" (דורשׁי חלקות)[352], d.h. die erträglichere Gesetzesauslegungen praktizieren, womit die Pharisäer gemeint sind[353]. Das Nomen מדרשׁ kann nun in Qumran bedeuten: a) "rechtliche Untersuchung" (z.B. 1QS 6,24: ואלה המשׁפטים אשׁר ישׁפטו בם במדרשׁ יחד, oder 8,26: במושׁב במדרשׁ ובעצה); "Gesetzesstudium" (z.B. 1QS 8,15: היאה מדרשׁ התורה [אשׁר] צוה ביד מושׁה); c) "Gesetzesauslegung" (z.B. CD 20,6: מעשׂיו כפי מדרשׁ התורה). Damit ist nach Gertner[354] eindeutig midraschische Auslegung gemeint: "Surely, studying and teaching the Thora was, in those times of the Qumran community and the Midrash Rabbis[355] nothing else but midrashic interpretation". - Weiterhin wird מדרשׁ gebraucht als Titel für einen gewissermaßen eingeschobenen Pescher zu den ersten Zeilen der Psalmen 1 und 2 in 4Qflor 1,14 (vgl. Z. 18): "Eine Aus[l]egung von: 'Wohl dem Manne, der nicht wandelt im Rat der Gottlo-

---

350 Terms 11f.

351 Ebda. 12.

352 Ebda. - Vgl. 1QpH 2,15 (lacuna); 2,32.

353 D. Flusser, Pharisäer, Sadduzäer und Essener im Pescher Nahum, in: Grözinger, Qumran 126ff. und Y. Yadin, Pescher Nahum erneut untersucht, in: ebda. 183.

354 Terms 12.

355 Gemeint ist wohl 'Midrash Rabba'.

sen'. Die Deutung des Wor[tes bezieht sich auf] diejenigen, die abgewichen sind vom Wege" (מ[ד]רש מאשרי [ה]איש אשר לוא הלך בעצת רשעים פשר הדב[ר על] סרי מדרך). Gerade an dieser Stelle kann man sehr gut den Bedeutungsunterschied zwischen פשר und מדרש ersehen: מדרש weist auf eine unmittelbar nachfolgende Versuntersuchung hin, die einen Pescher, d.h. einen Bezug eines Bibelverses auf Zeit, Personen und geschichtlich-politische Umstände des Psalmenforschers herstellt; פשר wäre also zumindest hier unter מדרש zu subsumieren. Brownlee[356] nimmt an, daß das Wort מדרש hier für einen qumranischen Kommentar, d.h. einer rein literarisch-philologischen Untersuchung eines ganzen Psalms stehen könnte, wohingegen die Untersuchung seiner Textteile mit פשר angekündigt wird. - Daß מדרש sich hier nicht darauf beschränkt, den Psalmvers aus sich allein heraus zu erklären, zeigt die Zuhilfenahme eines Prophetenverses in 4Qflor 1,15f.: "wie geschrieben steht im Buch des Propheten Jesaja im Blick auf das Ende der Tage: 'Und dann, als mich die Hand ergriff, brachte er mich davon ab, zu gehen auf dem Wege dieses Volkes'" (אשר כתוב בספר ישעיה הנביא לאחרית [ה]ימים ויהי כחזקת [היד ויסרני מלכת בדרך] העם הזה...). Der Ausdruck "dieses Volkes" seinerseits wird gleich darauf mit einem Vers aus Ezechiel erklärt (Ez 37,23: אשר לו[א יטמאו עוד] ב[ג]ל[ו]ליהמה). Dies erklärt, wieso 'Midrasch' in dieser Qumranschrift als ein Titel gebraucht wird[357]. Was nämlich Carmignac als mit "pésher discontinu" oder "thématique" bezeichnete[358], erinnert hier tatsächlich an einen echten Midrasch, denn hier

356 Midrash Pesher 25; ders., Psalms 1-2 as a Coronation Liturgy: Bib 72 (1971) 321, Anm. 2.

357 So auch von Wright gesehen, vgl. Midrash 116; Schwarz, Damaskusschrift 109, faßt die Gattung "Midrasch" zu eng mit Hilfe 4Qflor 1,14. - Daß "Midrasch" hier als Titel zu verstehen ist, dafür spricht auch der auf der Photographie sichtbare Absatz, mit dem 4Qflor 1,14 sich vom Vorangegangenen abhebt (vgl. M. Allegro, Fragments of a Qumran Scroll of Eschatological Midrashim: JBL 77 (1958) 350-354).

358 Vgl. oben Kapitel 6.2.3.3.

begegnet das wichtige klassische Kennzeichen dieser Auslegungsliteratur: Die Heranziehung eines weiteren Bibelverses zum besseren Verständnis eines zuerst untersuchten[359]. Deswegen hat nach Wright[360] מדרש hier eine literarisch-gattungsmäßig unterscheidende Bedeutung. - Wiederum als Titel erscheint מדרש in zwei fragmentarisch erhaltenen Manuskripten der Sektenregel, die von 1QS, wie sie uns normalerweise bekannt ist, nur wenig abweichen. Spricht diese in 5,1 von וזה הסרך אנשי היחד המתנדבים , so lautet die erste Kolumnenzeile der beiden Manuskripte: מדרש למשכיל על אמשי התורה המתנדבים[361], wobei das Lamed in למשכיל nach Carmignac[362] ein Lamed auctoris ist. Nach Wright[363] bedeutet מדרש auch hier "eine Auslegung".
Schließlich kommt 'Midrasch' noch einmal vor, wiederum in einem Manuskript aus Höhle 4, das zwar in einer Geheimschrift A abgefaßt ist, aber auf der Rückseite eines Fragmentes den Titel in Quadratschrift aufweist: מדרש ספר משה. was Wright titularisch übersetzt mit "Interpretation/exposition of the book of Moses". Über die Art dieser Schrift kann Wright[364] noch nichts sagen.

Aufgrund des vorliegenden Befundes muß nun auf folgende Unterscheidung aufmerksam gemacht werden: Zwar konnte מדרש in den hier genannten Schriften als Titel festgestellt werden, dergestalt, daß מדרש bis zur Abfassung der Qumranschriften entsprechend dem Verb דרש unübersehbar die Bedeu-

---

359 Wright, Midrash 124f.; vgl. auch Lane, New Commentary Structure 343. 346.

360 Ebda. 116.

361 Wright, Midrash 117, wobei sich Wright auf J.T. Milik, Le travail d'êdition des Manuscrits de Qumran: RB 63 (1959) 61 bezieht.

362 La Règle de la Guerre, Paris 1958, 1. - So auch angegeben bei Wright, Midrash 117.

363 Ebda.

364 Ebda.

tung "Auslegung" hatte, doch bezieht sich der Stamm dieses Wortes nicht unmittelbar und von Anfang an auf "biblische Auslegung"[365]. Selbst in diesem Zusammenhang gebraucht, ist sein Bedeutungsfeld noch breiter als das etwa von פרוש[366] oder פשר[367]. Somit konstatiert Wright[368]: "In the use of mdrš as a title nothing indicates that it is employed as a technical term there either. From the limited evidence we have it seems to be simply a common noun". Und sein spezifischer Gebrauch in 4Qflor 1,14 ist sicherlich kein Einzelfall, denn auch bei 4QS handelt es sich offensichtlich um einen "codified body of inferences from the Scriptures with some possible dependence on explicit biblical citations"[369].

---

365 Wright, Midrash 117.

366 "Seems to mean 'exact interpretation' or a detailed specification of the tora precepts" (Wright, Midrash 117).

367 "Means allegorical historization or actualization of dreams/prophecies" (Wright, ebda.).

368 Ebda. 117f.

369 Ebda. 118. - K. Hruby in seinem Artikel "Midrash" (in: G. Jacquemet, Catholicisme hier, aujourd'hui, demain, Vol. IX/38, Paris 1980, 126) versteht מדרש in Qumran offenbar doch als Terminus: "Le terme de Midrash est employé également pour désigner une méthode d'interpretation de la Torah permettant de dégager du texte sacré des règles précises de conduite et de comportement". Von einer regelrechten Methode der Auslegung kann aber, wie schon Silberman bezüglich des Peschers feststellte (Riddle 333), nicht die Rede sein. Dies ging auch nicht aus unseren Untersuchungen zu הנגלות und הנסתרות (siehe oben Kapitel 5.3.2. und 5.3.3.) hervor.

6.2.5. Der Targum in Qumran

6.2.5.1. Das Genesis Apokryphon

Es wurde schon oben[370] darauf hingewiesen, daß in Qumran auch Targume zu Ijob und Levitikus[371] gefunden wurden. Auch wurde im gleichen Kapitel zum qumranischen Genesis Apokryphon schon einiges gesagt. Zu diesem sei hier - teilweise wiederholend - angemerkt, daß es einen Tragelaph[372] darstellt, da es einerseits den Genesistext 14,13-20 in seinen Kolumnen 21,23-22,26 wortwörtlich übersetzt, andererseits aber klare haggadisch-midraschische Textpassagen aufweist[373]. Da uns hier der Targum besonders unter dem Aspekt der Schriftauslegung interessiert, und nicht als reine Übersetzung, wollen wir uns nur den midraschischen Stellen in ihm zuwenden. Dabei soll unbeachtet bleiben, daß die entstehungsmäßige Zugehörigkeit des Genesis Apokryphons zu den qumranischen Essenern ebenfalls nicht geklärt ist.

---

370 Vgl. Kapitel 4.5.4.

371 Beim Targum zu Levitikus sind die Fragmente derart klein, daß sie auch Teil einer nicht-targumischen Schrift gewesen sein können, vgl. J.A. Fitzmyer, The Targum of Leviticus from Qumran Cave 4: Maarav 1 (1978) 5.

372 Darunter versteht man eine gattungsmäßig (vorläufig) nicht bestimmbare Schrift (τράγος+ἔλαφηος= altgriechisches Fabelwesen).

373 Fitzmyer, Genesisapokryphon 6-14. - Sollten sich die ersten Targumim noch eng an den Text gehalten haben, so wäre das Genesisapokryphon zweifelsohne jüngeren Datums, etwa nach Daniel entstanden (vgl. Fitzmyer, The First Century Targum of Job from Qumran Cave XI; in: ders., A Wandering Aramean. Collected Aramaic Essays, Missoula 1979, 164. 178, Anm. 29; ders., Leviticus 9f.). - An diese Überlegung schließen sich folgende, hier nicht beantwortbare Fragen an: Was bedeutet dies für den Tragelaph 1QGenAp (Midrasch/Targum)? Ist das Vorhandensein einer solchen "Mischschrift" ein Kriterium dafür, daß sie doch nicht aus Qumran stammt? Hat man mit 4QtgLev gerade ein Stück reiner Übersetzung erhascht?

374 Fitzmyer, Genesis Apokryphon 11f. - Vgl. dazu auch Lehmann, 1QGenesis Apocryphon 249. 250.

M.R. Lehmann[375] hat in seinem Aufsatz eine ganze Reihe midraschischer Passagen des 1QGenAp zusammengestellt. Es sei auch hier wieder ein Beispiel herausgegriffen. 1QGenAp 19,10 stellt eine Paraphrase des zugrundeliegenden Genesistextes 12,10 dar, welcher lautet:

ויהי רעב בארץ
וירד אברם מצרימה לגור שׁם
כי-כבד הרעב בארץ

Im Unterschied zum MT gibt der Text des Genesis Apokryphons (19,10) noch den Grund an, warum Abraham ausgerechnet nach Ägypten zog, um der Hungersnot zu entgehen[376]:

והוא כפנא בארעא דא כולא
ושׁמעת די ט[בו]תא...במצרין

"(Und) da war eine Hungersnot in diesem ganzen Land und ich hörte von dem Wohlstand in Ägypten". Fitzmyer[377] bietet einen etwas anderen Text im Schlußteil dieses Verses mit einer entsprechend anderen Übersetzung:

ושׁמעת די ע[בו]רא ה[וא] במצרין ובגדת

"Now there was a famine in all this land; but I heard that [there was] grain in Egypt. So I set out". - In seinem Kommentar bemerkt Fitzmyer[378], daß hier zum ersten Mal eine wörtliche Übersetzung des hebräischen Genesistextes 12,10 vorliegt, die dann allerdings noch durch das aramäische דא כולא erweitert wird. Ist also im Genesistext der Grund für den Wegzug Abrahams die Schwere der Hungersnot in seinem Wohnland, so wird im Genesis Apokryphon noch dazu der Grund für die Wahl des neuen Aufenthaltortes genannt, nachdem man sich sowieso denken kann, wieso Abraham überhaupt gezwungen war wegzuziehen. Eine midraschische Erweiterung in 1QGen Ap trägt somit zum besseren Verständnis von Gen 12,10 bei.

---

375 1Q Genesis Apocryphon 249. 250.

376 Text bei Lehmann, 1Q Genesis Apocryphon 257.

377 Genesis Apocryphon 58.

378 Ebda. 108. - Siehe dort auch die Begründung für die Lesart des aramäischen Textes.

6.2.5.2. 11QtgJob

In "Some Observations on the Qumran Targum of Job" beschreibt H. RINGGREN[379] den 1956 gefundenen Targum zu Ijob, indem er zwei Sätze aus M. SOKOLOFFs "The Targum To Job From Qumran XI"[380] zitiert: "As far as we can tell, the translators consonantal text was, in general, quite close to MT" und "Because of the poetic character of the text of Job, it is sometimes difficult to tell, whether the translator is paraphrasing the original or had a different H text before him. Some differences reflected only a different reading of the same consonantal text". Ringgren[381] selber charakterisiert diesen Targum als "prose translation of a poetic original", in dem haggadische Zusätze, wie sie zuhauf aus anderen Targumim bekannt sind, völlig fehlen[382]. Dafür aber weist Ringgren[383] auf vier Fälle von Doppelübersetzung hin, d.h. ein Wort im hebräischen Original wird im Targum sowohl getreu übersetzt als auch nach Veränderung eines Radikals entsprechend anders wiedergegeben. So lag dem targumischen Übersetzer Ijob 29,7 im Original folgendermaßen vor:

בצאתי שׁער עלי-קרת ברחוב אכין מושׁבי

In 11QtgJob ist dafür zu lesen[384]:

בצפרין בתרעי קריא בשׁוקא

In M.Sokoloffs Übersetzung: "In (the) mornings at the gates of the city/cities, in (the) street". Der qumranische Übersetzer hat also einmal שער fast wörtlich übersetzt mit בתרעי "in den Toren", aber dann auch שׂער in שׁחר "Tagesan-

---

379 ASTI, Vol. I,11 (1978) 119-126.

380 Erschienen: Ramat Gan 1974 (ebda. 6f.).

381 Observations 122.

382 Ringgren, ebda, 123.

383 Ebda. 125.

384 Sokoloff, Targum 54f.

bruch" umgewandelt und mit צפרין wiedergegeben[385]. Das Phänomen des Austauschs zwischen ע und ח ist uns vom Qumran-Hebräischen bekannt[386]. Aber darüber hinaus fühlt sich Ringgren[387] an die Doppellesarten des 1QpHab erinnert[388]. Dennoch sei mit Sh. TALMON[389] auf den wesentlichen Unterschied zwischen Doppelübersetzungen und Doppellesarten hingewiesen: "The double translations ... came into being as part of the versional tradition itself; whereas double readings are derived from the Hebrew original. The double translations ... are the work of copyists". Man muß also nicht den gleichzeitigen Gebrauch zweier verschiedener Lesarten erst aus dem Text erschließen, wie wir es beim 1QpHab getan haben, denn die double translations sind im Targum direkt sichtbar. Um zu klären, ob eine irgendwie geartete Verwandtschaft der Doppelübersetzungen im Ijob-Targum (11 QtgJob) mit den Doppellesarten im Habakukkommentar (1QpHab) angenommen werden kann, ist folgendes zu bedenken: 1. Die double translations sind im Unterschied zu den double readings Werk des Übersetzers, d.h. er kann sich hierbei nicht auf entsprechende Texte stützen (um beim Beispiel aus 11Qtg Job zu bleiben, etwa auf einen mit שׂער und einen mit שׂחר)[390]. Weiterhin haben wir es 2. bei 1QpHab und 11QtgJob mit

385 Teilweise anders dazu St.A. Kaufmann, The Job Targum from Qumran: JAOS 93 (1973) 320: Der Übersetzer gibt das hebräische (-קרת) עלי mit dem aramäischen בתערי wieder, weil er עלי vom hebräisch-/aramäischen עלל "hineingehen" her versteht.

386 E.E. Kutscher, The Language and Linguistic Background of the Isaiah Scroll, Jerusalem 1959 (hebr.) 42. 400f. - So angegeben bei Sokoloff, Targum 121.

387 Observations 125.

388 Vgl. oben S.206 und 212-216 (Brownlees 4. hermeneutisches Prinzip).

389 Double Readings 152.

390 So begründet Talmon auch double translations (ebda. 151).

zwei verschiedenen Gattungen (Midrasch bzw. Targum) zu tun, wenngleich beide Gattungen, wie am Genesis Apokryphon schon ersichtlich, nicht als so sehr verschieden betrachtet wurden. Schließlich stellt sich 3. die Frage: Ist im Ijob-Targum (etwa wie in 1QpHab) eine bestimmte Textauslegung beabsichtigt? Nach Talmons Feststellung ist dies zu verneinen, denn der Übersetzer verändert den Text (שער in שחר) nur, um eine zweite Übersetzung (und keine Auslegung!) zu bieten. Deswegen erscheint Ringgrens Hinweis auf den gleichzeitigen Gebrauch zweier verschiedener Lesarten rein assoziativ[391], und eine Abhängigkeit in der Behandlungsweise des MT zwischen 1QpHab und 11QtgJob ist keineswegs ersichtlich.

6.3. Zusammenfassung

Drei Schriftauslegungsarten lassen sich in Qumran unterscheiden:

1. Die Peschaṭ-Auslegung: Sie bezeichnet im allgemeinen die "einfache Schriftauslegung", d.h. die Deutung hält sich nahe am eigentlichen Wortsinn des Textes. Als Terminus kommt פשט in den Qumranschriften freilich nicht vor.
2. Die Allegoristik (Allegorese, allegorische Schriftauslegung): Sie deutet das auszulegende Schriftwort auf etwas anderes, Gegenwärtiges, sei es auf ein Geschehen oder eine Person.
3. Der Pescher: Dieser ist der am gründlichsten erforschte und bekannteste Typus der qumranischen Schriftdeutung. Bezeichnet werden damit sowohl - in der wissenschaftlichen Exegese - Prophetenauslegungen in Form zusammenhängender Schriften ("pesher continu") als auch - in den Qumranschriften selbst - Einzeldeutungen

391 Im gleichen Sinne auch Kaufmann, Job Targum 30: "The targumist has neither enlarged upon the text nor combinded two traditions here". - Hervorhebung von mir.

(in einem "pesher discontinu" oder "thématique"). Bei ersterer Pescher-Art wird ein prophetisches Buch sektionsweise zitiert; jedem einzelnen ausgewählten Lemma folgt eine Interpretation, die mit einer variablen פשר-Formel eingeleitet wird. Auch gibt es Formeln, die Lemmata zum ersten Mal einführen (אשׁר; Gebrauch der Wurzel כתב),und solche, die sie zweimal, d.h. jeweils anders, deuten (ואשׁר אמר; כיא הוא אשׁר אמר). - Bei der zweiten Pescher-Art handelt es sich um aus verschiedenen Teilen der Bibel stammende zusammengetragene Verse, deren ebenfalls mit der פשר -Formel eingeleitete Interpretationen *zusammen* ein theologisches Thema behandeln.

Der Inhalt des Peschers ist die aktualisierende Auslegung von prophetischen Schriften, eine Auslegung, die Schicksal und Zukunft der Qumrangemeinde widerspiegeln bzw. erhellen soll. Bei dieser Auslegung sind Voraussetzungen von Methoden zu unterscheiden. *Voraussetzungen* sind:

- *das eschatologisch-hermeneutische Prinzip*: Prophetische Verkündigung bezieht sich auf die bereits gegenwärtige Endzeit.
- *das Bedeutungsfeld von רז* : Mit diesem Begriff sind nicht etwa exegetische und vor allem nicht offenbarungsmäßige Geheimnisse gemeint, sondern eschatologisch-geschichtliche Ratschlüsse Gottes, die als rätselhafte prophetische Träume entziffert werden wollen.

Methoden der Pescher-Deutung sind:

- *die Aktualisierung*: Die Inhalte der Prophetenbücher werden auf Zeit, geschichtlich-politische Umstände und Zeitgenossen des Deuters bezogen. In 1QpHab wird sie durch das eschatologisch-hermeneutische Prinzip spezifiziert. - Die Aktualisierung ist das Kennzeichen katexochen des (klassischen) Midrasch.

- die Anwendung rabbinisch-hermeneutischer Prinzipien, die allerdings so in den Qumranschriften weder genannt noch stets direkt sichtbar sind und somit nicht schon zu systematischen Regeln erhoben werden können. Ihr Vorhandensein steht indes außer Frage.
- die Atomisierung: Textteile werden ohne Rücksicht auf ihren Zusammenhang und auf ihre Gesamtaussageabsicht in aktualisierender Intention ausgelegt.

Alle drei Auslegungsmethoden sind charakteristisch für den (klassischen)Midrasch.

Reinterpretation in den Pescharim ist vielleicht objektiv feststellbar, entspricht aber nicht dem subjektiven Selbstverständnis des qumranischen Prophetenauslegers.

Der Begriff "Midrasch" hat in den Qumranschriften noch nicht die Bedeutung einer selbständigen literarischen Gattung; vielmehr hat er als gebräuchliches Substantiv lediglich titularische Funktion.

Zeugt 1QGenAp als targumartige oder prätargumische Schrift von haggadischen Erläuterungen, so fehlen diese gänzlich in 11QtgJob, der eine "reine Prosaübersetzung eines poetischen Originals" darstellt.

7. Der (Habakuk-)Pescher im Vergleich zu anderen Auslegungsschriften

Gemäß M. Horgan[1] hat man inzwischen schon des öfteren versucht, zwecks Gattungsbestimmung den Pescher mit ähnlichen oder gar verwandten Schriften zu vergleichen. Sie zählt dabei auf:

- qumraneigene Schriften (1QS, CD)
- rabbinischen Midrasch und Targum
- jüdisch-apokalyptische Schriften, hierbei gerade das Buch Daniel
- nicht-jüdische Schriften, so die Demotische Chronik
- die gnostische Pistis Sophia
- das Neue Testament.

Horgan[2] bemerkt zu diesen vergleichenden Studien, daß die meisten sich auf einige wenige äußerliche Charakteristika sowohl der Pescharim wie auch anderer Schriften beschränkten. Es soll im folgenden unternommen werden, genannte Schriften - bis auf das NT - im Vergleich zu 1QpHab näher zu untersuchen. Das NT soll bei dieser Untersuchung ausfallen, weil es schon aus chronologischen Gründen die Pescherentstehung und -entwicklung nicht verursacht und gefördert haben kann, sondern nur auf die von Qumran ausgehende Wirkungsgeschichte womöglich einiges Licht wirft. Zudem ist oben[3] bereits einiges zur Schriftauslegung im NT ausgeführt worden. Die Reihenfolge und der Zielpunkt der nunmehr abzuhandelnden Schriften orientiert sich an einer vermuteten Nähe zu 1QpHab entsprechend der bisherigen Erkenntnisse.

---

1 Pesharim 249.

2 Ebda. 249f.

3 Vgl. Kapitel 4.6.

7.1. Die gnostische Pistis Sophia[4]

In seinem Aufsatz "Le genre littéraire du 'pêshèr' dans le pistis-sophia" hat sich J. Carmignac[5] um die Klärung der literarischen Beziehungen zwischen dieser ägyptisch-gnostischen Schrift und den qumranischen Prophetenkommentaren bemüht. Schon die Formulierung des Titels besagt, daß die Pistis-Sophia die Gattung des Qumranpeschers offenbar übernommen hat. So spricht denn auch Carmignac[6] selbst davon, daß er zum Studium des Peschers beitragen wolle, und er tut dies, indem er der Reihe nach die in der Pistis-Sophia enthaltenen Stücke der 6. Ode Salomos, des Psalms 90, der 25. und 22. Ode Salomos, von Psalm 106 und 84,11f. auf Pescher-Elemente hin abklopft[7]. Er kommt schließlich zu einer Reihe interessanter Ergebnisse, denen er den Satz voranstellt: "Ces longues citations ne laissent aucun doute: l'auteur de la Pistis-Sophia était au courant de la technique du 'pêshèr' et il supposait que ses lecteurs la connaissaient également"[8]. Hinsichtlich sekundärer Punkte hält er eine Reihe zeitweiliger äußerer Übereinstimmungen zwischen besagter gnostischer Schrift und Pescher Habakuk bzw. Nahum fest[9]: Die Zitate werden immer länger, während die zugehörigen Auslegungen immer kürzer werden. Die Aufteilung des

---

4 Literatur: Pistis Sophia. Text edited by Carl Schmidt. Translation and Notes by Violet MacDermot (Nag Hammadi Studies IX) Leiden 1978; K.W. Tröger (Hg.), Altes Testament - Frühjudentum - Gnosis. Neue Studien zu "Gnosis und Bibel", Berlin 1980; U. Bianchi (Hg.), The Origins of Gnosticism. Le origine dello gnosticismo. Colloquium of Messina, 13.-18. April 1966. Texts and discussions (Numen Suppl. XII) Leiden 1970.

5 In: RQ 4 (1963-64) 497-522.

6 Ebda. 498.

7 Ebda. 501-519.

8 Ebda. 519.

9 Ebda. 521.

auszulegenden Textes ist so unaufmerksam durchgeführt, daß mehrere Wörter in aufeinanderfolgenden Zitaten gleich zweimal auftauchen. Zitat und Auslegung entsprechen einander nicht immer: Ein Zitatteil wird am Schluß der Auslegung wieder aufgenommen, um dieselbe in ihrer Richtigkeit zu bestätigen; andererseits kann die Auslegung unterbrochen werden, um den Gebrauch eines einzelnen Wortes und seiner Bedeutungsspanne gesondert zu erklären. In der Auslegung gebraucht der Ausleger eine Variante, die so im Zitat nicht enthalten ist, die aber der eigentlich zu erwartenden Originallesart entspricht. Die Auslegung kann schließlich auch assonantische Wortspiele benutzen. Carmignac[10] bemerkt zu dieser Aufzählung: "Certes, ces particularités ne sont pas intentionelles, elles n'appartiennent pas à la technique du 'péshèr' (sauf peut-être l'assonance) et elles ne sont en réalité que des accidents de réalisation". Abgesehen davon, daß Carmignac neben dem assonantischen Wortspiel getrost noch die hier angeführten, wenn auch von ihm nicht expressis verbis so genannten Fälle des gleichzeitigen Gebrauchs zweier Lesarten als Pescher-Technik hätte aufführen können, will er sich dennoch (noch) nicht aufgrund dieser Ähnlichkeiten dazu erkühnen, hier eine handfeste gattungsgeschichtliche Genese festzustellen. Wichtiger ist für Carmignac offenbar etwas anderes, nämlich die "Vielwertigkeit inspirierter Texte"[11]. Was er damit meint - dazu sei er ausführlicher zitiert:

> "Dieu, en parlant, exprime des réalités multiples. A Qumran, par exemple, on pensait qu'à travers l'invasion passée des Chaldéens Dieu décrivait aussi et surtout l'invasion future des Kittîm; notre auteur pense qu'à travers les Psaumes de la Bible ou les Odes de Salomo Dieu révèle aussi et surtout les mystères du monde invisible. Et il considère ce principe comme tellement évident qu'il l'applique d'une double manière: d'abord il s'autorise de ces textes pour broder diverses peripéties sur le thème fondamental du gnosticisme, puis

10 Ebda. 521f.

11 Ebda. 519.

il utilise ces mêmes textes comme une garantie pour authentifier près de ses lecteurs l'ensemble de spéculations gnostiques"[12].

Carmignac fährt fort: Indem der Autor der Pistis-Sophia die typische Pescher-Methode des Textaufschneidens anwendet, legt er in die Einzelteile seine Vorstellungen hinein: "il applique logiquement le principe de la polyvalence de la parole de Dieu, en dégageant d'un même passage ... toute une série d'allégories differentes"[13]. In dieser Methodik scheint Carmignac[14] der Verfasser der Pistis-Sophia noch genauer als der qumranische Autor vorzugehen.

Carmignac selbst weigert sich, auf der Basis des von ihm Vorgebrachten und aufgrund chronologischer Argumente eine selbstevidente gattungsgeschichtliche Abhängigkeit der gnostischen Pistis-Sophia von qumranischen Schriften argumentativ abzustützen. Er verweist vielmehr auf einen Aufsatz von F. DAUMAS[15], der die Wurzeln dieser Pescher-Gattung in Ägyptens Literatur und Prophetie gefunden haben will. Was immer nun die Untersuchung dieser Arbeit zeigen wird[16], soviel ist Carmignac entgegenzuhalten: Er spricht von der Übernahme eines fundamentalen Prinzips seitens des Autors der Pistis-Sophia, nämlich der Vieldeutigkeit inspirierter Texte, das z.B. darin bestünde, die Beschreibung der chaldäischen Invasion bei Habakuk und die Übertragung derselben auf einen zukünftigen Angriff der Kittim im Habakukkommentar <u>hermeneutisch</u> gleichzusetzen mit einer <u>Offenbarung</u> von Geheimnissen der unsichtbaren Äonenwelt durch biblische Psalmen oder "salomonische" Oden. Das hieße doch: Die <u>aktualisierende</u> Übertragung prophetischer Vision auf

---

12 Ebda. 519f. - Hervorhebungen von mir.

13 Ebda. 520.

14 Ebda.

15 Littérature 203-221.

16 Vgl. dazu unten Kapitel 7.2.

sich gerade ereignet habende oder kurz bevorstehende Geschichte soll als Denkakt das Vorbild abgegeben haben für die Gnosis, d.h. für Erkenntisse, die sich auf geschaute Sachverhalte und Personen außerhalb der Realgeschichte beziehen! Es ist aber nicht einzusehen und auch nicht ersichtlich, wieso der gnostisch orientierte Autor der Pistis-Sophia die prinzipielle Gedankenrichtung des qumranischen Prophetenkommentators nicht nur so für sich hätte adaptieren, sondern auch "umfunktionieren" müssen, daß er jetzt erst mit bestimmten Texten für seine gnostisch orientierten Zwecke hätte arbeiten können. Schließlich handelt es sich doch bei Gnosis und Pescherauslegung - wie gerade gezeigt - um zwei gänzlich verschiedene Denkstrukturen und Ausgerichtetheiten auf Erkenntnis. In der Pistis-Sophia liegt doch wohl eher ein Interesse vor, wie es in allen Religionen erkennbar ist, die eine Literatur entwickelt haben: Nämlich Texte entsprechend den Bedürfnissen und Erwartungen einer religiösen Gruppierung oder Bewegung auszulegen[17]. Von der Übernahme des fundamentalen Prinzips der Vieldeutigkeit inspirierter Texte aus den qumranischen Pescharim in die Pistis-Sophia ist von daher und auch wegen anderer Denkvoraussetzungen in den Pescharim nichts zu erkennen. Überdies haben die Pescher-Autoren die Vieldeutigkeit prophetischer Texte nicht unter dem Gesichtspunkt ihrer Inspiriertheit gesehen, sondern als konkretes sprachlich-textliches Experimentierfeld verstanden.

7.2. Die Demotische Chronik

In seinem gerade besprochenen Aufsatz wies Carmignac auf F. Daumas' kleinere Arbeit hin, die nicht nur "verblüffende Parallelen" zwischen ägyptisch-prophetischer Literatur und den qumranischen Porphetenkommentaren aufweist[18], son-

---

17 G. Scholem, Tradition und Kommentar: ErJb 31 (1962) 25.
18 Carmignac, Pistis-Sophia 497.

dern sogar den literarischen Ursprungsort der Pescharim in Ägypten gefunden haben will[19]. Carmignac bzw. Daumas stützen sich dabei auf einen demotischen Papyrus aus Nord-Ägypten, der aus der Zeit des Beginns der Ptolemäerherrschaft stammt, also ca. 300 v. Chr. Somit wäre die Demotische Chronik etwa 200 Jahre älter als die Pescharim. Selbiger Papyrus wurde schon 1914 in Leipzig von W. SPIEGELBERG veröffentlicht unter dem Titel "Die sogenannte demotische Chronik". Die Bezeichnung "Chronik" ist nach Ch. Rabin[20] eine irreführende Bezeichnung, weil es sich in dieser Schrift um eine Serie von Orakeln handelt, die in einer Satz-für-Satz-Auslegung von den letzten ägyptischen Herrschern, einer fremdländischen Herrschaft und künftiger Erlösung künden[21]. Es sei ein Beispiel von Daumas[22] wiedergegeben:

> (Zitat aus der Chronik:)
> "On échange gauche contre droite. Droite c'est l'Egypte, gauche c'est le pays de Chor (= Syrie).
>
> (Erklärung:)
> A savoir: Celui qui va dans le pays de Chor qui est à gauche, celui-là on l'échange contre un qui est en Egypte qui est à droite".

Daumas fügt eine historische Erklärung dem Text bei, daß nämlich ein gewisser Tachos während einer Expedition gegen die Perser in Syrien den Thron einem Nekhtorheb überlassen mußte. - In weiteren Beispielen dieser Art stellt Daumas heraus, daß jeder Kommentarteil mit der Partikel ḏd eingeleitet wird (vom Verb ḏd "sagen"), was soviel bedeutet wie "nämlich" oder "das heißt". - Ein weiterer Formeltypos (p3 nt'w = f ḏd n-'m = f ḏd) besteht aus einem Relativsatz, dem

19 Carmignac, ebda. 522.

20 Notes 149.

21 Rabin, ebda.

22 Littérature 207f.

wieder besagte Partikel ḏd folgt und der lautet: "was er damit meint, ist ...". Der Ausdruck fügt inhaltlich der Partikel ḏd nichts Neues hinzu, wenn er auch genauer formuliert ist. - Eine weitere Variante lautet '-'r = f ḏd n-'m = sn Pr -'3 "damit meint er Pharao". Daumas[23] hält fürs erste fest, daß das Ägyptische die Formel zwar im Ausdruck präzisiert, aber die Partikel ḏd an sich alles an Erklärung einleiten kann. Demgegenüber sieht Rabin[24] in diesem variierenden Gebrauch der Einleitungsformeln einen Hinweis auf feine Nuancierungen in der jeweiligen Verwendbarkeit einer Formel ("subtle shades of appropriateness") und damit ein Kriterium für die Zusammengehörigkeit der Chronik und des 1QpHab. Darüber hinaus bemerkt er eine allgemeine Ähnlichkeit der Auslegungstechnik ("general similarity in technique")[25].

Daumas[26] expliziert weiter den Gebrauch von ḏd: Dieser zeigt sich bei einer doppelten Einleitungsformel, wobei "das heißt", wenn auch überflüssig, stehengelassen wurde:

(Zitat aus der Chronik:)
"Je suis couvert de la tête aux pieds".

(Erklärung:)
"A savoir (sic): Par cela tu entends (sic): J'apparais avec la couronne royale d'or; on ne l'éloignera pas de ma tête. Par cela il entend le pharaon Nectanébo".

Des weiteren weist Daumas[27] auf einfache symbolische Bezeichnungen hin:

(Zitat:)
"Celui de Hnès (Heracléopolis), celui de Chmoun (= Her-

23 Littérature 209.

24 Notes 149.

25 Rabin, ebda.

26 Littérature 209.

27 Daumas, ebda. 208.

mopolis magna) l'a trouvé".

(Erklärung:)
"Celui de Hnès est le Dieu Harsaphès. L'a trouvé celui de Chmoun, apparement lorsque Thot alla à Hnès pour s'informer si ce qu'il avait commandé à Harsaphès, celui l'avait exécuté".

Daneben gibt es aber auch ausgeklügeltere Symbolismen: So etwa bezeichnen Krokodile das göttliche Handeln in geschichtlichen Ereignissen. - Auch stehen die Augen für eine weiße und für eine rote Krone, d.h. für Ober- und Unterägypten. Wenn nun das Zitat: "... wohingegen das andere (Auge) voll von Honig ist" kommentiert wird mit: "das heißt: die rote ist voll von Raub, nämlich von gestohlenem Honig", so kann damit eigentlich nur gemeint sein, daß sich Unterägypten Güter bemächtigt hat, die ursprünglich Oberägypten gehörten[28].
Sogar eine Art Superkommentar, also einen Kommentar zu einem Kommentar, trifft man in besagter Chronik an[29]:

(Zitat:)
"Il pleut sur la pierre bien que le ciel soit pure".

(Erklärung:)

"A savoir:	les Egyptiens seront précipités dans le malheur même si Rê les regarde. (Le Ciel)
c'est	Rê
Quand il dit:	(Zitat) Le ciel est pure,
c'est:	le soleil les voit
Quand il dit:	(Zitat) "il pleut sur la pierre"
c'est:	les hommes seront précipités dans le malheur. L'eau signifie l'homme. La pierre signifie le malheur.

28 Daumas, ebda. 21of.
29 Daumas, ebda. 210.

Hier erklärt ein ganzer Satz das ganze Zitat. Zwei weitere Sätze deuten jeweils die beiden Glieder des Satzes. - Daumas erwähnt allerdings nicht, daß abermals zwei kurze symbolisch-allegorische Sätze, deren symbolische Allegorie noch durch ein Wortspiel ermöglicht wird, den Kommentar zum ersten Teil des Zitats erklären. - Schematisch sieht das Ganze so aus:

1. Zitat
2. Erklärung: das heißt ...
   1. Symbolisch-allegorische Deutung: der Himmel ist Rê
   2. Deutung des 2. Teils des Zitats ("der Himmel ist rein"): die Sonne sieht sie
   3. Deutung des 1. Teils des Zitats ("es regnet auf den Stein"): die Menschen werden ins Unglück gestürzt werden
      1. Symbolisch-allegorische Deutung von "Wasser" (= Regen): der Mensch
      2. Symbolisch-allegorische Deutung von "Stein": Unglück.

Bei dieser Passage ist aber noch das Wortspiel äußerst wichtig, auf das Rabin[30] bzw. J.W.B. BARNS[31] hinweisen und welches nach Barns einen Gemeinplatz in der ägyptischen Literatur darstellt[32]. Das Wortspiel wird in der Rabinschen Übersetzung etwa ab der Mitte des Kommentars deutlich:

"He has said: 'rain (ḫui) on the stone'
meaning: people are hurled (ḫue) into carnage.
'Water' (mw) is
people (rmt).
'The Stone' ('ne) is
carnage (ḫ')."

30 Notes 149.

31 Bei Rabin, Notes 151f. eingefügter Kurzbeitrag "A note On the Egyptian background of the 'Demotic Chronicle'".

32 Barns gibt als Beispiel an H.W. Fairman, The Myth of Horus at Edfu-I: JEA 21 (1935) 26-36.

"Hurled" wird alliterationsmäßig mit "rain", "people" mit "water" erklärt, "carnage" mit "stone" aufgrund der Übereinstimmung eines Buchstabens, wobei die betreffenden Buchstaben in den beiden letzten Fällen auch noch unterschiedliche Stellungen im jeweiligen Wort haben.
Neben diesen Feststellungen zu Deutungsformeln und Deutungsart äußert sich Daumas auch zur Verständlichkeit der zitierten Passagen. Dabei kommt eine gewisse Diskontinuität im Text zu Tage: Einerseits bemerkt Daumas zum Stil der Chronik, daß sie sehr oft der Vergangenheit angehörige oder zeitgenössische Personen und Institutionen nicht beim Namen nennt; so wird kein persicher oder mazedonischer König namentlich erwähnt. Daumas[33] folgert daraus, daß der Verfasser der Schrift ein ägyptischer Nationalist gewesen sein muß, der keinen Perser oder Mazedonier als König über Ägypten anerkannte, weswegen er symbolische Bezeichnungen für sie verwendete, die für den heutigen Leser ziemlich rätselhaft und nur hypothetisch zu beantworten sind. - Dem steht andererseits eine Passage gegenüber (III,17-IV,2)[34], wo im Kommentar Namen genannt werden: Meder und die Pharaonen Amyrtêe und Néferites. Diese wird allerdings in Daumas' vorläufigem Resümee übergangen: "Des procédés très voisins que nous avons vu employés dans les commentaires hébreux de Qumran apparaissent donc même dans la forme du commentaire, et les allusions pleines d'ombre faites aux circonstances historiques ne nous sont claires que dans le cas où les faits nous sont bien connus"[35].
Schließlich sieht Daumas nicht nur Ähnlichkeiten der Form; auch im Inhalt gibt es Annäherungen zwischen den Pescharim und der Chronik. So findet sich auch in letzterer die Notiz, daß das Verstoßen gegen Gebote, zumal gegen göttliche,

---

33 Littérature 210f.

34 Daumas, ebda. 208f.

35 Daumas, ebda. 211.

unweigerlich Unglück mit sich bringt[36]:

"Le quatrième, il ne s'est pas produit.

A savoir: Le quatrième gouverneur qui fut après les Mèdes, à savoir Psammouthis, il ne s'est pas produit.

A savoir: il n'était pas sur le chemin de Dieu. On n'a pas permis qu'il soit longtemps gouverneur."

Hier ist vor allem der Gebrauch von "der Weg Gottes" auffällig, ein Ausdruck, der im Hebräischen als דרך יהוה bekannt ist und etwa in Spr 5,5f. anklingt, wo die Sünderin den Lebenspfad nicht beachtet (ארח חיים פן-תפלס) oder in Jer 5,4f. direkt genannt wird (כי לא ידעו דרך יהוה... המה ידעו דרך יהוה); wiederum treffen wir ihn, wortgemäß fast gleichlautend, im qumranischen CD 20,18 an (לתמוך צעדם בדרך אל)[37]. - Ein weiteres inhaltliches Kennzeichen dieser Schrift ist ein wichtiges Kriterium der Prophetie: Die Voraussage. So lautet eine Passage in der englischen Übersetzung[37a]:

"It is a man from Heracleopolis who will rule after the Ionians. 'Rejoice, o Prophet of Harsaphis.' That means: The prophet of Harsaphis rejoices after the Ionians. For a ruler has arisen in Heracleopolis."

J.J. COLLINS[38] bemerkt dazu: "In short, the prophecy looks with anticipated delight to the day, when the Greek rulers will be replaced by a king from a legitimate Egyptian line". Genauer gesagt: Der Ausleger wendet seine alte Quelle auf einen zukünftigen Zustand seines Landes an, nämlich auf die Zeit nach der derzeitigen ptolemäisch-griechischen Besatzungsmacht. Diese Voraussage geht also über eine "Aktual"-

---

36 Daumas, ebda.

37 Hinweis auf frühere Autoren bei Daumas, Littérature 212; dort auch Hinweis auf entsprechende Sekundärliteratur.

37a Collins, Apocalyptic Vision 28.

38 Ebda.

isierung hinaus.
Im dritten Kapitel seines Aufsatzes weist Daumas die Kommentartradition in der ägyptischen Literatur nach, die er wie folgt zusammenfaßt: "Les quelques exemples apportés montrent que la littérature exégétique remonte, dans l'ancienne Egypte, à une époque fort reculée et il y a tout lieu de penser que son abondance à la basse époque provient beaucoup plus du développement d'un genre autochtone que d'une influence étrangère qui se serait exercée sur les écoles de scribes"[39].
Ebenso steht es mit der prophetischen Literatur, die mindestens schon seit der 9. herakleopolitanischen Dynastie, d.h. seit dem 22. vorchristlichen Jahrhundert, besteht. Auch findet sich der moralische Aspekt, wie ihn die alttestamentliche Literatur kennt, schon in der Literatur des Alten Reichs[40].
Soweit Daumas' Analyse der Demotischen Chronik, der abschließend eine Schlußfolgerung beigefügt ist, die folgenden Wortlaut hat: "L'étroite ressemblance de fond et de la forme que nous avons pu établir entre les midrash de Qumran et le commentaire démotique de la prophétie héracléopolitaine, écrite environ deux cent cinquante ans avant, ne peut être fortuite. L'une doit avoir été influencée par l'autre"[41]. In der Tat muß zunächst zugestanden werden, daß die Art des Kommentierens, nämlich Zeile für Zeile mit einer Auslegung zu versehen, die Frage nach engen Beziehungen zwischen der Demotischen Chronik und dem 1QpHab aufwirft, da solche spezifischen Kommentare verhältnismäßig selten im jüdischen und außerjüdischen Schrifttum vorkommen[42]. Geht man indes etwas in die Tiefe, so stößt man doch

---

39 Daumas, ebda. 214.
40 Daumas, ebda. 215.
41 Daumas, ebda. 220.
42 Collins, Apocalyptic Vision 32.

auf schwerwiegende Verschiedenheiten zwischen beiden Dokumenten. Wenn wir zunächst beim Technisch-Formalen bleiben, so ist zunächst die ungleich kompliziertere Struktur der Einleitungsformeln in den Pescharim festzuhalten[43]. Dem möglichen Gegenargument, diese kompliziertere Struktur der qumranischen Deuteformeln verdanke sich der Entwicklung innerhalb eines Zeitraums von 200 bis 250 Jahren, wird die Spitze genommen, wenn wir uns erinnern, daß deren Ursprung teilweise in biblisch-kanonischen Schriften nachgewiesen werden kann[44]. Warum sollte dann der Rest der Formeln, die sich nicht aus dem AT herleiten lassen, gerade aus Ägypten genommen worden sein, zumal ähnliche Formeln, z.B. (כמה) שׁנאמר, auch in der Pesach-Haggada nachweisbar sind[45]? Und warum sollten letztere sich an ägyptischen Vorbildern orientieren?

Für bedeutsam hält Rabin die Ähnlichkeit der Deutestruktur in Kapitel 5,2-4 der Chronik und in 1QpHab: Der Teil einer Schriftstelle wird nach seiner Auslegung nochmals zitiert, nämlich als Bestätigung der Auslegung, wie wir es von 1QpHab 3,13f. kennen (כיא הוא אשׁר אמר מגמת פניהם קדים). Rabin[46] bemerkt dazu: "Particularly significant is the way in which both (Chronik und 1QpHab) point out cases of particularly good 'fit' - in DSH with the phrase 'kī hū âsher āmar', for this is what he means by saying - the purpose being, of course, to increase the reader's faith in the interpretation as a whole by drawing attention to its highlights". Allerdings übersieht Rabin hier in der Struktur des jeweils herausgestellten Schriftverses einiges: In 1QpHab 3,2 und 3,14 wird die Formel כיא הוא אשׁר אמר zwar gebraucht, aber der nochmals zitierte Versteil wird nicht ein

43 Vgl. oben Kapitel 6.2.3.2.

44 Vgl. oben S. 165.

45 Vgl. oben Kapitel 4.5.3.3.

46 Notes 149.

weiteres Mal, nämlich nach der Auslegung, ausgelegt - wie in der Chronik geschehen[47]. - In 1QpHab 5,6ff. wird טהור ענים מראות ברע zwar ein weiteres Mal zu Interpretationszwecken herangezogen, nämlich als פשׁרו אשׁר לוא זנו אחר עניהם בקץ הרשׁעה , aber 1. nicht mit Hilfe einer Aufsplitterung des nochmals herangezogenen Zitats, 2. nicht mit Hilfe von Wortspielen, jedenfalls nicht mit einem Wortspiel, wie es bei Rabin deutlich ist[48]. Die von Rabin behauptete Strukturähnlichkeit hat also ihre eigenen Grenzen und erscheint mehr als fragwürdig.
Zu den formalen Ähnlichkeiten zwischen der Chronik und den Pescharim - und damit auch des 1QpHab - rechnete Daumas die symbolischen Bezeichnungen, bei denen er einfache und kompliziertere Formen unterschied[49]. Aber dieses Argument für eine Ähnlichkeit ist ebenfalls nur begrenzt gültig: Die Allegoristik ist in den Qumrankommentaren weder so hervorragend vertreten noch so ausgeklügelt dargeboten[50], und das, obwohl die Chronik doch mindestens 200 Jahre älter ist.

Aber noch eine ganze Reihe weiterer, inhaltlicher Gründe erschweren, ja verunmöglichen schließlich die Annahme einer Abhängigkeit des Qumranpeschers von der Demotischen Chronik. So wird weder aus Daumas' noch aus Rabins Arbeit deutlich, daß der Chronikautor den vorliegenden prophetischen Text als kryptographischen Traum verstand, der sich, vom ehemaligen Propheten aus gesehen, auf die Zukunft bezog, den es also für die Gegenwart zu aktualisieren gilt, und dies in eschatologisch-apokalyptischer Manier! Die von

---

47 Vgl. oben S. 250.

48 Notes 149: ḫui-ḫue.

49 Vgl. oben S. 248f.

50 Vgl. oben Kapitel 6.2.2., das eine allegorische Deutung innerhalb der Deutung eines (so vom Pescherautor aufgefaßten) Traumelements behandelt. Daß Traumdeutung und nicht allegorische Deutung in 1QpHab vorherrscht, beweist der Traumdeuteterminus פשׁר , der ständig den Deutungen vorangeht.

Daumas angegebenen Beispiele von Auslegung in der Chronik beziehen sich aber längst nicht alle auf Zukünftiges: So ist die Rede von Mythologischem[51]. Zudem ist Voraussage, wie sie aus der Chronik ersichtlich ist[52], etwas anderes als Aktualisierung oder das eschatologisch-hermeneutische Prinzip. Diese Voraussage, z.T. recht zusammenhängend, unterscheidet sich auch ziemlich deutlich von einer atomisierenden Auslegung. Wortspiele gibt es zwar offenbar auch, aber das einzige Beispiel, das Rabin uns gibt, sagt nicht viel aus über die Art dieser Wortspiele, und nichts über ihre Dichte in der Chronik. Daumas schweigt völlig in diesem Punkt. Warum? Sind sie etwa nur ganz selten in der Chronik vorhanden? Daß sie auch außerhalb der Chronik vorkommen, besagt nichts für den 1QpHab. Man vergegenwärtige sich dagegen die Differenziertheit der Textbehandlung im Habakukkommentar! - Schließlich wurde auch anhand des Chroniktextes keineswegs deutlich, daß die Prophetendeutungsergebnisse als Offenbarung verstanden wurden. - Und schließlich, als Überlegung allgemeinerer Art: Sollte eine so streng an der mosaischen Tora orientierte Gruppe wie die Qumranexulanten gewillt sein, literarische Formen und gar theologische Inhalte von außerhalb Israels zu übernehmen, trotz vermuteter Beziehungen zwischen Qumran und Ägypten[53]? Damit wird auch Rabins[54] Behauptung hinfällig: "Egypt was

---

51 Daumas, Littérature 208.

52 Vgl. oben S.

53 G. Molin, Der gegenwärtige Stand der Erforschung der in Palästina neu gefundenen hebräischen Handschriften: ThLZ 78 (1953) 653-656; S.H. Steckoll, The Qumran Sect in Relation to the Temple of Leontopolis: RQ 6 (1967-69) 55-69.

54 Notes 150.- Über die Skepsis der Forschung hinsichtlich von Gnosis in Qumran vgl. B. Reicke, Traces of Gnosticism in the Dead Sea Scrolls: NTS 1 (1954) 137ff.; W. H. Davies, Knowledge 113ff. - Anders Schubert, Gemeinde 68: "Man wird also nicht fehlgehen, in manchen Stellen der Qumrantexte die Ansatzpunkte für die jüdische Gnosis zu erblicken".

a centre of Gnostic thought, and Gnosticism pervades the thought of our sect". Zudem verträgt sich diese Äußerung nicht mit der kurz darauf nachlesbaren Feststellung: "It is hardly necessary to point out that the Law holds an even more central position in the thought of the Qumran sect"[55]. Kurzum: Eine Herkunft des Qumranpeschers aus ägyptischen Quellen ist nicht ersichtlich. Die aufgezeigten Gemeinsamkeiten sind eher loci communes kommentierender Religionsschriften und von der Demotischen Chronik als einem "midrash demotique"[56] zu sprechen, ist schon eine contradictio in adiecto: Sie trägt nur zu Begriffsverwirrung in Sachen "Midrasch" bei und geht einfach zu weit[57].

7.3. Qumraneigene Schriften

7.3.1. Die Damaskusschrift

Schon van der Ploeg[58] hatte darauf hingewiesen, daß in den Qumranschriften die Auslegung eines Bibeltextes, die auf ungewöhnlichen Wegen den geheimen Sinn einer Textstelle verdeutlicht, "Pescher" genannt wird u n d daß dieser Gebrauch von "Pescher" sich keineswegs auf die qumranischen Prophetenkommentare beschränkt. Der Terminus פשׁר, den wir

---

55 Rabin, Notes 150.

56 Daumas, Littérature 215.

57 Es wäre zu überprüfen, ob die prophetischen Zitate des Chronikverfassers tatsächlich vorgegeben, also älter waren, d.h. wirklich von einem Propheten stammten, oder ob die angeblichen Zitate nicht in Wirklichkeit fingiert worden sind. Die älteren Werke ägyptischer Prophetie haben sich meist als vaticinia ex eventu/post eventum herausgestellt (vgl. S. Herrmann, Prophetie in Israel und in Ägypten. Recht und Grenze eines Vergleichs, in: P.H.A. Neumann, Das Prophetenverständnis in der deutschsprachigen Forschung seit Heinrich Ewald (WdF CCCVII), Darmstadt 1979, 521). Verhielte es sich so ebenfalls in der Chronik, bestünde ein weiterer fundamentaler Unterschied zum 1QpHab!

58 Bijbelverklaring 4.

als Begriff aus der Traumdeutung kennzeichnen konnten[59], kommt sogar in einer nicht ausschließlich kommentierenden Schrift vor, nämlich in CD 4,14: פחד ופחת ופח עליך יושב הארץ פשרו שלושת מצודות בליעל ("Grauen und Grube und Garn über dich, Einwohner des Landes. Seine Deutung bezieht sich auf die drei Netze Belials"). Gerade diese Schrift fällt nun dadurch auf, daß in ihr, und das heißt vor allem im ersten Teil, den sogenannten "Ermahnungen" (Kap. 1-8) immer wieder Schriftstellen festgehalten und aktualisierend erklärt werden, und zwar mit verschiedenen Methoden der qumranischen Schriftauslegung, wie wir sie schon kennengelernt haben[60].

Greifen wir sogleich das gerade gebotene Zitat aus CD auf: Das Zitat von Jes 24,17 in CD 4,14 bewegt sich im Kontext des Weltgerichts als einem Element der sogenannten Jesajaapokalypse[61]. Der Qumranausleger aber bezieht in gewohnter aktualisierender Manier die Drohung des von ihm mit Jesaja identifizierten Autors der "Apokalypse" auf das Verhalten der zeitgenössischen gegnerischen Religionsgruppierungen, die sich der Unzucht, angehäuften Reichtums und der Beflekkung des Tempels schuldig gemacht haben (vgl. CD 4,16ff.: לשלושת מיני הצדק הראשונה היא <u>הזנות</u> השנית <u>ההון</u> השלישית <u>טמא המקדש</u>). Die willkürlich erscheinende Verknüpfung von פחד, פחת und פח an die drei Netze Belials, d.h. an זנות, הון und טמא המקדש erinnert sofort an die allegoristische Deutungstechnik[62]; eine solche wird der Ausleger im Sinn gehabt haben, wenngleich eine vorangehende Interpretationsformel nach Art von הוא, זה oder אלה und dergleichen fehlt.

---

59 Vgl. oben Kapitel 6.2.3.1.

60 Vgl. oben das gesamte kapitel 6.

61 H. Wildberger, Jesaja (BK AT X/2), Neukirchen-Vluyn 1978, 898.

62 Über die mögliche gedankliche Herkunft dieser Deutungen, nämlich aus nichtbiblischer, pseudepigraphischer Literatur vgl. Schwarz, Damaskusschrift 131f. Sie selber bleibt demgegenüber reserviert (ebda. 132).

Dafür finden wir ein פשרו: In 1QpHab 1,13 ist im Fall einer allegorisch-aktualisierenden Deutung פשרו mit nachfolgender Identifikationsformel durchaus möglich: פשרו הרשע הוא הכוהן הרשע והצדיק הוא מורה הצדק.

Zu weiteren deutenden Ausführungen zu dieser Passage werden noch andere zugrundeliegende exegetische Prinzipien erkennbar. Zunächst sei in Erinnerung gerufen, daß Lev 18, das Kapitel, welches Verbote sexuellen Verkehrs erstellt, eine Verbindung zwischen Nichte und Onkel nicht verbietet. Aber der Autor der Damaskusschrift holt dies nach; zunächst klagt er an: ולוקחים איש את בת אחיהו ואת בת אחותו - "und sie nehmen jeder die Tochter seines Bruders oder die Tochter seiner Schwester" (CD 5,7f.). Das sich anschließende "Mose aber hat gesagt" (משה אמר) weist auf die unerbittliche Belehrung hin: אל אחות אמך לא תקרב שאר אמך היא - "Der Schwester deiner Mutter sollst du dich nicht nahen; sie ist Blutsverwandte deiner Mutter". Dabei hat der CD-Autor Lev 18,13 nur leicht umformuliert, wo es heißt: ערות אחות-אמך לא תגלה כי-שאר אמך הוא. Das eigentlich Interessante ist hierbei der Analogieschluß, den wir schon als גזרה שוה kennenlernten[63]: So wie sich der Neffe seiner Tante nicht nahen darf (Lev 18,13), so auch nicht die Nichte dem Onkel (CD 5,7f.)[64].

Auch bei der Einführung und Begründung des Verbots der Polygamie sind exegetische Prinzipien am Werk. Zunächst lautet der Tadel (CD 4,20f.): הם ניתפשים בשתים בזנות לקחת שתי נשים - "Sie sind durch zweierlei gefangen: In der Hurerei, daß sie zwei Weiber zu ihren Lebzeiten nehmen". Danach folgen gleich drei Bibelzitate als Zurechtweisungen (CD 4,21-5,2):

---

63 Vgl. oben Kapitel 2.3.2. und 4.5.2.

64 Bruce, Biblical Exegesis 33. - Expressis verbis findet sich das Verbot in der Tempelrolle 56,17: לא יקח איש את בת אחיהו ואת בת אחותו (vgl. M. Lehmann, The Temple Scroll as a Source of Sectarian Halakha: RQ 9 (1977-78) 586).

a) Gen 1,27:זכר ונקבה ברא אתם - "als Mann und Frau erschuf er sie"

b) Gen 7,9 (vgl. V.15):שנים שנים באו (אל-נח) אל-התבה "je zwei gingen (zu Noah) in die Arche"[65]

c) Dtn 17,17:ולא ירבה לו נשים - "auch soll er sich nicht viele Frauen nehmen".

Interessant ist in dieser offensichtlichen Peschaṭ-Auslegung eine ähnliche sprachliche Strukturiertheit der Argumentation zwischen CD-Autor und Jesus bei gleichzeitigem Unterschied des Argumentationsziels, auf das schon Bruce aufmerksam gemacht hat[66]: Auf die Frage eines Pharisäers, ob einem Mann erlaubt sei, seine Frau zu entlassen, räumt Jesus zunächst ein, daß Mose wegen der menschlichen Hartherzigkeit die Scheidung erlaubt hätte, argumentiert aber dann dagegen:ἀπὸ δὲ ἀρχῆς κτίσεως ἄρσεν καὶ θῆλυ ἐποίησεν αὐτούς (Mk 10,6). Eine ähnliche Formulierung verwendet der CD-Autor in 4,21:ויסוד הבריאה זכר ונקבה ברא אותם . Allerdings kombiniert Jesus seine Argumentation nicht mit Gen 7,9.15 oder Dtn 17,17, sondern mit Gen 2,24 (על-כן יעזב איש את אביו ואת אמו ודבק באשתו והיו לבשר אחד) in Mk 10,7: ἕνεκεν τούτου καταλείψει ἄνθρωπος τὸν πατέρα αὐτοῦ καὶ τὴν μητέρα,καὶ ἔσονται οἱ δύο εἰς σάρκα μίαν.

Im gleichen Zusammenhang läßt sich "gezwungene oder unnormale Konstruktion des biblischen Textes" feststellen, wie sie nach Brownlees Regel Nr. 2[67] bisweilen schon in 1QpHab anzutreffen war. Nach der Erläuterung der drei Netze Belials ist die Rede von den "Erbauern der Mauern", "die hinter 'Zaw' hergehen" (CD 4,19). Ersteres ist eine Anspielung auf Ez 13,10 (והוא בונה חיץ), womit das von Propheten irregeleitete Volk gemeint ist, dessen Mauerbau von den Propheten mit Tünche überzogen wird (ebda.: והנם טחים אתו

65 In CD 5,1 wird "zu Noah" weggelassen.

66 Biblical Exegesis 33.

67 Vgl. oben S. 205 und 208-210.

תפל). Der CD-Verfasser konstruiert das prädikative Partizip Singular bei בונה חיץ in einen Plural Constructus um: בוני החיץ (CD 4,19) und charakterisiert sie als אשר הלכו אחרי צו ("die hinter Zaw hergehen"). צו selbst ist wiederum eine Anspielung auf Jes 28,10.13: כי צו לצו צו לצו. Die nachgeahmten unverständlichen Laute eines falsches Propheten werden also auf einen Prediger hin verstanden, von dem gesagt wird (CD 4,20): "Mögen sie unablässig predigen" (הטף יטיפון). Dies ist seinerseits eine Anspielung auf Mi 2,6, allerdings in genau gegensätzlicher Art: אל-תטפו יטיפון ("'Predigt nicht' predigen sie"). Der Verfasser von CD hat also die Vetitivform bei Micha in eine positive Aussageform umgewandelt. Bruce[68] übersetzt die qumranische Version הטף יטיפון unter der zweifachen Bedeutung von נטף, nämlich Qal "tropfen" und Hiphil "weissagen" mit "they will preach with a continual drip". Das damit angesprochene Geifern eines Lügenpropheten würde gut zum hier beschriebenen "Zaw" passen. Ob auch der Verfasser der Damaskusschrift dieses Bild, das auf einer Bedeutungsnuance von נטף beruht, vor sich hatte, ist schwer zu sagen.

In Gestalt von 4Qflor hatten wir eine Zusammenstellung biblischer Stellen kennengelernt, die nach Art der Pescharim erläutert werden. Ihre Kombination erfolgte im Hinblick auf die Endzeit. Eine ähnliche Verfahrensweise ist in der Damaskusschrift enthalten (7,10-20). Hier wird zunächst mit einem Zitat aus Jesaja (7,16) die Reichsteilung von 926/25 in Erinnerung gerufen (CD 7.11f.: "Es wird nämlich Jahwe[69] über dich und über dein Volk und über das Haus deines Vaters Tage kommen lassen, wie sie nicht gekommen sind von dem Tage an, da Ephraim von Juda abfiel" (מיום סור אפרים מעל יהודה), um festzustellen, daß nach der Trennung der beiden Häuser Israels Ephraim über Juda herrschte (שׂר אפרים מעל יהודה). Deutlich ist hier das Wortspiel von סור

68 Biblical Exegesis 34.

69 "Jahwe" fehlt in CD 7,11f.

und שׂר bei gleichzeitiger gänzlicher Bedeutungsverschiedenheit[70]. - Die dieser Herrschaft Trotzenden konnten sich in das "Land des Nordens" retten (CD 7,13f.). Was damit gemeint ist, erhellt das nachfolgende, leicht abgewandelte Amoszitat 5,26f.: "Und ich will verbannen Sikkut (סכות), euren König, und Kijun (כיון), euer Bild, fort über die Zelte von Damaskus hinaus" (CD 7,14f.). Danach erfolgt die Auslegung: "Die Bücher des Gesetzes, sie sind die Hütte (סוכת) des Königs" (CD 7,15f.). Dies wird wiederum mit einer Amosstelle (Am 9,11) erklärt: "Und ich will aufrichten die zerfallene Hütte Davids", die im CD-Text lautet: והקימותי את סוכת דויד הנופלת (7,16). Hier verhilft also eine Textvariante, die סכות (Sikkut) als סוכת ("Hütte") lesen läßt, zur gänzlichen Umdeutung des Textes, die seine eigentliche Bedeutung, durch die Schrift bewiesen, klarstellen soll. In 4Qflor 1,12f. wird diese Amosstelle selbst ausgelegt, und zwar messianisch: Die wieder erstehende Hütte Davids wird Israel retten (להושׂיע את ישׂראל). - Der "König" nun erfährt in CD 7,16f. seinerseits eine Deutung allegorischer Art: "Er ist die Versammlung" (המלך הוא הקהל). Auch כיון wird in der Deutung anders gelesen, aber wie, ist bei den einzelnen Forschern je anders dargestellt: Lohse[71] streicht in CD 7,17 כיניי הצלמים, Bruce[72] liest kanne, also "Postamente" und Dupont-Sommer[73] Kêwan. Van der Ploeg[74] erwähnt eine verschiedene Lesart von כיון in der Ausdeutung, ohne sie anzugeben. Jedenfalls sind der כיון oder die כיניי הצלמים wieder allegorisch die

70 Lohse trägt dem Bedeutungsunterschied in keiner Weise Rechnung: סור und שׂר übersetzt er jeweils mit "abfallen" (vgl. Texte 81).

71 Ebda. 80.

72 Biblical Exegesis 87.

73 Essenische Schriften 147.

74 Bijbelverklaring 16.

Prophetenbücher (הם ספרי הנביאים), deren Worte Israel verachtet hat (אשׁר בזה ישׂראל דבריהם - CD 7,17f.). Sollten mit Sikkut und Kijun bei Amos tatsächlich die assyrisch-babylonischen Astralgötter Sakkut und Kewan (Kaiwan) gemeint sein[75], so wird die Grundlage zu einer abermaligen allegorischen Erklärung erst verständlich: "Und der Stern, das ist der Erforscher des Gesetzes (דורשׁ התורה), der nach Damaskus kommt, wie geschrieben steht: 'Es geht ein Stern auf aus Jakob, und ein Zepter hat sich erhoben aus Israel'" (CD 7,18-20). Schließlich wird dieses Zepter noch einmal allegorisch erklärt, und zwar als davidischer Messias: "Das ist der Fürst der ganzen Gemeinde" (השׁבט הוא נשׂיא כל העדה): CD 7,20.
Abschließend sei als Charakteristikum der Auslegungsbandbreite der Damaskusschrift noch ein Exempel zum Wortspiel mit Homophonen beigebracht. Die Gottlosen, die Feinde der Qumrangemeinschaft, beschreibt der CD-Autor mit Dtn 32,33: "Drachengift ist ihr Wein und verderbliches Gift der Nattern" (חמת תנינים יינם וראשׁ פתנים אכזר): CD 8,9f. Wieder erfolgt eine allegorische Auslegung: "Die Drachen, das sind die Könige der Völker; und ihr Wein, das sind ihre Wege, und Gift der Nattern (וראשׁ הפתנים), das ist das Haupt der Könige von Jawan (הוא ראשׁ מלכי יון), das kommt, um Rache an ihnen zu üben" (CD 8,10-12). Man sieht: Der Ausleger hat sich die Doppelbedeutung von ראשׁ als 1. "Kopf" und 2. "Gift" zu eigen gemacht, um eine allegorische Deutung noch sprachlich zu begründen: Die Rache des griechischen Königs, des Ober-"Hauptes", wird furchtbar sein[76]. - Nachdem wir jetzt eine ganze Reihe von bereits bekannten Deutungstechniken nachgewiesen haben, sofern CD betroffen ist (Peschaṭ-Deutung, Allegoristik; Bibeltextveränderungen; rabbinisch-her-

---

75 W. Rudolph, Joel-Obadja-Jona (KAT XIII/2), Gütersloh 1971, 207.

76 Schwarz, Damaskusschrift 132.

meneutische Prinzipien)[77], stellt sich die entscheidende Frage nach dem deutungstechnischen Verhältnis von Damaskusschrift und Habakukkommentar: Dort findet sich ein Panoptikum qumranischer Schriftauslegungsmöglichkeiten, hier fast durchgehend die Pescherdeutungsmethode. Wenn nach überwiegender Auffassung der Autoren CD eines der ältesten Werke der Qumrangemeinde ist, der Qumranpescher dagegen in der 2. Hälfte des 1. vorchristlichen Jahrhunderts entstand[77a] und der Habakukkommentar im besonderen wegen seiner in ihm ausgedrückten "Parusieverzögerung" (1QpHab 7,7: פשרו אשר יארוך הקץ האחרון ויתר על כול אשר דברו הנביאים) nicht zu früh anzusetzen ist, jedenfalls erst nach den sogenannten "Ermahnungen"[78], dann liegt der Schluß nahe: Der 1QpHab bietet eine an einem Prophetenbuch konsequent und konzentriert betriebene Auslegungstechnik, die als solche schon bekannt war und auch, wie CD und 4Qflor zeigen, vereinzelt angewendet wurde. Der 1QpHab würde somit die Weiterentwicklung einer Methode präsentieren[79], die schon in den "Ermahnungen" Platz gegriffen hatte, wobei zugestanden werden müßte, daß die "Ermahnungen" in einem gewissen - hier nicht weiter ausarbeitbaren - Verhältnis zur vorklassischen Midraschliteratur stehen müssen, d.h. sogar einen Platz innerhalb derselben einnehmen[80].

77 Bruce, Biblical Exegesis 32-40, bietet dazu noch mehr Beispiele an.

77a Vgl. J.H. Charlesworth, The Origin and Subsequent History of the Authors of the Dead Sea Scrolls: Four Transitional Phases Among the Qumran Essenes: RQ 10 (1981) 227.

78 A.-M. Denis, Evolution de structures dans la secte de Qumran: RechBib 7 (1964) 24.

79 Umgekehrt zu Rabin, Notes 151.

80 Mit Rabin, ebda.

7.3.2. Midraschartige Wiedergabe eines Schriftwortes (1QS)

In den Qumranschriften finden sich auch Paraphrasen biblischer Passagen. So etwa paraphrasiert 1QS 2,11-18 Dtn 29, 17-20[81]. Dies geschieht bei Benutzung exegetischer Praktiken, die oben schon dargestellt wurden. In dieser Paraphrase übernimmt der Autor der Sektenregel die "mosaische" Warnung vor einem magischen Mißverständnis der Heilszusage und wandelt diese Warnung in einen Fluch um, wobei auch inhaltlich Moses Aussagen an Zeit und religiöse Erwartungen der Gemeinde adaptiert werden. Entsprechend solcher religiösen Vorstellungswelt werden die "Götter der Heiden" (Dtn 29,17: אלהי-הגוים), d.h. die Götzen aus Holz, Stein, Silber und Gold (Dtn 29,16: גלליהם עץ ואבן כסף וזהב) zu "Götzen des Herzens" (בגלולי לבו): 1QS 2,11; gemeint sind damit "die gotteswidrigen Neigungen" und "Triebe" des Menschen (171). Im Hintergrund dieser Umformulierungen muß Ez 14,4-8 gestanden haben, wo es heißt, daß Gott denjenigen vernichten werde, der Götzen in sein Herz geschlossen und sie so als Anlaß zur Sünde vor sich aufgestellt hat. Entsprechend warnt 1QS 2,11f.: "Verflucht sei der, der mit den Götzen seines Herzens (גלולי לבו) übertritt, wenn er in diesen Bund eintritt und den Anstoß seiner Sünde vor sich hinstellt, um dadurch abtrünnig zu werden". Die Verknüpfung beider Schriftworte aus Deuteronomium und Ezechiel ist möglich aufgrund eines in beiden Schriften vorkommenden Begriffs, nämlich "Götzen" (גלולים), was dann auch die qumraneigene spiritualisierende Deutung der Deuteronomiumstelle ermöglicht. Mit Recht weist Betz hier auf die rabbinische Regel der גזרה שוה hin, dem Analogieschluß also, "nach der Schriftworte aufeinander bezogen und gleich behandelt werden, sofern in ihnen gleichlautende Begriffe

81 Betz, Offenbarung 170-176. Seitenangaben im obigen Text entsprechend.

vorkommen" (175)[82]. Betz schwächt aber seinen eigenen Hinweis ab auf eine "einfache Stichwortverbindung" (ebda.), weil dieser rabbinische Analogieschluß hauptsächlich bei der halachischen Auslegung Verwendung fände.
Deutlicher schon sind die Textveränderungen, d.h. -erweiterungen von Dtn 29,18: Dort wird der Götzendiener gewarnt, zu wähnen, vor der Strafe sicher zu sein, denn unweigerlich wird das wasserreiche mit dem dürren Land fortgerafft (למען ספות הרוה את-הצמאה). In Erweiterung gibt der Autor der Sektenregel diese Stelle so wieder: Der Geist des frevlerisch Selbstgerechten soll hinweggerafft werden, der Durst mitsamt dem Überfluß (ונספתה רוחו הצמאה עם הרווה)[83]. Offensichtlich hat der Verfasser zunächst das dem רוה ähnliche רוח eingesetzt. רוה erscheint allerdings als Substantiv zusammen mit seinem negativen Pendant צמאה, und beide bedeuten in ihrer negativen Nebeneinandergestelltheit "das Ganze", hier natürlich: Das Ganze des Geistes[84]. Das rabbinisch-hermeneutische Prinzip der Einsetzung ähnlicher Buchstaben hatte schon Brownlee für 1QpHab in seiner Regel Nr. 10 aufgezeigt, wie auch seine Regel Nr. 2 auf gezwungene abweichende Umkonstruktionen des biblischen Textes hinweist. Die Stelle 29,18 findet sich im Habakukkommentar wieder mit einer Wortumstellung und Weglassung der nota accusativi את, vor allem aber mit etwas anderer Lesart des Konsonantentextes, d.h. einer Textänderung: In 1QpHab 11, 13f. heißt es, daß der Frevelpriester auf den Wegen der Völ-

---

82 Vgl. bereits oben Kapitel 2.3.2. und 4.5.2. - Im weitesten Sinne meint die גזרה שוה "the explanation of one biblical passage by another, the link being an identical word or phrase found in both passages" (Slomović, Exegesis 5, Anm. 13).

83 So Betz, Offenbarung 172, paraphrasierende Übersetzung. Im gleichen Sinne auch Jerusalemer Bibel; anders: Einheitsübersetzung. - Am ehesten dürfte gemeint sein das "durstige, wasserarme Land".

84 Betz, ebda. 172; auch Lohse, Texte 283, Anm. 17.

lerei wandelt, um seinen Durst zu stillen: וילך בדרכי הרויה למען ספות הצמאה. Statt הרוה liest der Autor des Habakukpeschers הרויה und für הַצְּמֵאָה - הַצִּמְאָה. Wieder hat also diese Deuteronomiumstelle durch Umgestaltung einer qumranspezifischen Aussageabsicht dienen müssen. Dabei muß nach Betz (172) vorausgesetzt werden, daß ein exegetischer Zusammenhang besteht zwischen 1QS 2,14 und 1QpHab 11,13f., und zwar dergestalt, daß die Deutung des Habakukpeschers die der Sektenregel voraussetzt. Dieser Zusammenhang besteht durch - wenn auch jeweils unterschiedliche - Veränderung des Deuteronomiumtextes. Die Ähnlichkeit und Verschiedenheit der Stelle in 1QpHab gegenüber der Parallele in 1QS erklärt Betz damit, daß "der (Habakuk-)Exeget der Sekte an den Fluch gegen die Heuchler dachte, der ihm vom Ritual des Bundesfestes her bekannt war"[85]. Dies ist freilich nur dann schlüssig, wenn die Sektenregel als eine Art Konstitutionsschrift wohl eine der ältesten Qumranschriften darstellt, und wenn man - wie hier schon erwogen - voraussetzt,daß die Pescharim als nicht zur ältesten Schicht der Qumranschriften gehörend sich schon größere Freiheiten gegenüber dem Originaltext der Schrift erlauben konnten. Mit einem Wort: Betz' Behauptung setzt ein höheres Alter der Sektenregel als das des Habakukpeschers voraus. Daraus ergibt sich dann auch schon unsere Schlußfolgerung für dieses unser Kapitel: In den midraschartigen, ja sogar midra-

---

85 Allerdings wird die an Dtn 26,16-19 und Dtn 31,9-13 inspirierte und mit dem Postulat einer israelitischen Zwölfstämmeamphiktyonie belastete Hypothese eines etwa im Rahmen des Herbstfestes jährlich begangenen Bundes(erneuerungs)festes von der neueren Forschung mehrheitlich abgelehnt oder doch in Frage gestellt (etwa durch G. Fohrer, Altes Testament - "Amphiktyonie" und "Bund"?: ThLZ 91 (1966) 806-814, oder S. Herrmann, Das Werden Israels: ThLZ 87 (1962) 566-574). Dies würde bedeuten, daß der Pescherautor auch ohne Vermittlung einer jährlichen Liturgie an einen Fluch wie etwa Dtn 27,15 gedacht haben könnte, weil die Interpretation von Dtn 29,18 in 1QpHab 11,13f. die Kenntnis des Deuteronomiums voraussetzte.

schischen Wiedergaben von Dtn 29,17-19 in 1QS 2,11-18 sind schon solche Prinzipien der Schriftauslegung sichtbar, wie sie in ausgesprochenen Auslegungsschriften höchstwahrscheinlich späteren Datums wie dem 1QpHab konzentriert verwendet werden.

7.3.3. Midraschisch erweiterte Priestersegen (1QS)

Ebenfalls mit der Sektenregel hat sich K.-E. GRÖZINGER[86] befaßt, der auf ein bestimmtes, bis dahin nicht so benanntes literarisches Genus innerhalb der Qumranschriften aufmerksam machen will. Er nimmt sich 1QS 2,2-4 vor und weist dabei auf eine Übernahme der israelitischen Segensformel von Num 6,24-26 hin (יברך יהוה - 1QS 2,2f.: יברככה בכול טוב), die allerdings in der Sektenregel mit einigen Zusätzen bedacht ist (39). Grözinger verweist dabei auf ein paralleles Beispiel von Zusätzen in der rabbinischen Targum- und Midraschliteratur (39f.), nämlich TPsJ Num 6,24-26; den Zusammenhang zwischen beiden Literaturkorpora stellt er durch zwei weitere Textbeispiele aus den qumranischen Schriften her. So zeigen sich auch in 11QBer[87], einer Schrift, in der die Zeilen 7-13 die Zeile 6a, und Z. 13bf. Z.6b und c erklären[87a], hermeneutische Prinzipien, wie sie hier schon aufgezeigt wurden: Z.B. gelangt der Verfasser der Segenssprüche von Z.6 (יברך אתכם אל עליון - "es segne euch Gott der Höchste") zu Dtn 28,8, wo es ebenfalls, wenn auch anders formuliert, heißt: יצו יהוה אתך את הברכה - "Jahwe entbietet den Segen". Nach Grözinger (43) wird also ein Bibelzitat beigebracht, in dem ebenfalls ברך gebraucht

---

86 Priestersegen 39-53. - Entsprechend die Seitenangaben im Folgenden.

87 Zum Text vgl. S. van der Woude, Bibel und Qumran, Hans Bardtke zum 22.9.1966 (1968) 253-258.

87a Die auszulegenden Zeilen gehen also in 11QBer zusammen dem Kommentar voran, in dem sie nacheinander ausgelegt werden.

wird, um im Gefolge davon die in Dtn 28,9-12 festgehaltenen bedingten Segensverheißungen sinngemäß wiederzugeben, wobei sich der Qumranexeget einer "hermeneutischen Regel" bedient habe, die wir als גזרה שוה bereits kennen. - Es fragt sich aber, ob 11QBer nicht einfach eine midraschisch erweiterte Paraphrase von Dtn 28,8-12 darstellen soll, die einer Bibelversassoziation durch ברכה nicht bedurft hätte, denn hier wird ja *nicht* ein Bibelvers übernommen, der ein gleiches Wort oder einen gleichen Begriff aufweist, um eine vorangegangene *Auslegung* zu begründen und zu bestärken[88]. Zudem handelt es sich hier nicht um eine halachische Auslegung. Die Verfahrensweise von 11QBer 6-14 ist also strukturell anders als das von Grözinger angeführte Parallelbeispiel von 1QpHab 12,3f.: Libanon = Tempel = Gemeinde, handelte es sich hier doch um eine allegorische Schriftauslegung, die sich eines Syllogismus bediente[89]. - Stichhaltiger ist schon Grözingers Erklärung zu 11QBer 13f. mit Hilfe z.T. qumraneigener Schriften (44f.), die den Hintergrund der Auslegung von 11QBer 13bf. erhellen. Ob freilich das Auslegungsprinzip hier das gleiche ist wie das des klassischen Midrasch[90], erscheint zweifelhaft. Eher handelt es sich um einzeln assoziierte Vorstellungskreise. - Als letzten Beweistext greift Grözinger 1QSb 1,1-3,21 auf, wobei er allerdings wegen des fragmentarischen Textzustands sich des Hypothetischen seiner Schlußfolgerungen bewußt ist. Bei diesem Text handelt es sich um einen Segen über die Priester, wie aus der offenbar hinten angebrachten "Über"-Schrift in 3,22 ersichtlich ist: "Worte des Segens für den Unterweiser um die Söhne Zadoks, die Priester, zu segnen" (דברי ברכה למשׂכיל לברך את בני צדוק הכוהנים). Dieser Priestersegen stellt ganz offensichtlich midraschische Erwei-

88 Vgl. dazu noch einmal Kapitel 2.3.2. und 4.5.2. wie oben Anmerkung 82.

89 Vgl. oben Kapitel 6.2.2.2.

90 Vgl. Grözingers Beispiel in 'Priestersegen' 44f.

terungen zu 1QS 2,2-4 dar. Dies ist beweisbar durch den Gebrauch des gleichen Vokabulars: יברכה in 1QS 2,2/1QSb 1,3; יחוננכה in 1QS 2,3/1QSb 1,5 und das ganze 2. Kapitel sowie וישא פני חסדיו in 1QS 2,4/1QSb 3,1.4. Die diesen Formeln nachfolgenden Textstücke stellen offenbar Interpretationen dar, zu denen Grözinger auch Parallelen aus Midraschwerken beibringen kann (48-51). - Besagte Überschrift in 1QSb 3,22 erklärt sich nach Grözinger aus der vorangegangenen Zeile: "Er hat deinen Frieden begründet für ewige Zeiten"[91] (יסד שלומכה לעולמי עד), ein Vers, der seinerseits eine Interpretation des letzten der 6 Priestersegensworte darstellen soll, nämlich zu 1QS 2,4: "Und er erhebe sein gnädiges Angesicht auf dich zu ewigem Frieden" (וישא פני חסדיו לכה לשלום עולמים). Grözinger begründet dies weiter unten (S.48) mit einer Midraschinterpretation in Sifre Bamidbar von "Und er gebe dir Frieden ..." als "Friede der Königsherrschaft" aufgrund von Jes 9,6: "Zur Vermehrung der Herrschaft, und des Friedens wird kein Ende sein" (למרבה המשרה ולשלום אין-קץ). - Des weiteren argumentiert Grözinger, daß an drei Stellen von 1QSb der Wortlaut des Priestersegens in der volleren Form mit אדוני wiedergegeben ist: יברככה אדוני (1,3), יחונכה אדוני (2,22), וישא אדוני פניו אליכה (3,1). Hierzu Grözinger (46): "Es hat den Anschein, daß durch diese vollere Formel jeweils ein Neueinsatz angezeigt werden soll, dem die Interpretationen des entsprechenden Wortes des Priestersegens folgen".

Somit hat Grözinger einen "einzigen interpretatorischen Durchgang" in 1QSb 1,1-3,21 nachweisen können. Gerade diese Interpretation zu 1QS 2,2-4, welche selber schon midraschische Zusätze enthält, weniger 11QBer, stellt als literarische Gattung des "midraschisch erweiterten Priestersegens" (41) den Anschluß bestimmter Qumranschriften an eine gemeinsame jüdische Auslegungstradition dar. Man darf frei-

---

91 Grözinger, ebda. 46, übersetzt imperativisch "befestige".

lich keine gegenseitige Abhängigkeit von qumranischer und midraschischer Auslegungstradition postulieren, denn der klassische Midrasch ist jünger als qumranische Auslegungsschriften, und warum hätten sich die klassischen Midraschisten an Auslegungen einer sektenartigen Gruppe orientieren sollen, sofern ihnen jene überhaupt als solche bekannt gewesen sind?
Mit diesen "midraschisch erweiterten Priestersegen" bzw. ihrer Auslegungstechnik haben wir für den 1QpHab nichts an neuer Erkenntnis gewonnen. Die haggadischen Zusätze zeigen keine direkte eschatologisierende Aktualisierung und rabbinische Hermeneutik oder exegetische Techniken im Brownleeschen Verständnis. Klassisch midraschisch sind diese Zusätze nicht, denn ganze Bibelverse werden auch hier nicht ausgelegt; aber immerhin handelt es sich um Vorformen, die den Verdacht erhärten, daß der gesamte qumranische Midrasch vorklassischer Natur ist.

7.4. Der Targum

Hinsichtlich der Frage nach Herkunft und Strukturähnlichkeit des 1QpHab zu zeitlich und örtlich benachbarter Literatur ist auch eine Untersuchung zum Targum geboten, hatten wir doch bzw. R. Le Déaut festgestellt, daß der Targum als eine der Quellen für den Midrasch anzusehen ist[92]. Auch haben wir bis jetzt schon einige Kriterien dafür gewonnen, daß 1QpHab eine midraschartige oder sogar midraschisch verfahrende Schrift ist, worauf Aktualisierung und rabbinisch-hermeneutische Prinzipien hinweisen.
Nun hatten wir uns schon des Näheren mit Targum Jonathan befaßt[93]: Brownlee ist ja zu dem Ergebnis gekommen, daß aufgrund vielfältiger Berührungspunkte zwischen 1QpHab und dem Habakuktargum der qumranische Habakukausleger einen

---

92 Vgl. oben Kapitel 4.5.4.

93 Vgl. oben Kapitel 2.3.2.

Targum zu Habakuk aus erster Hand gekannt haben muß, der bereits in einer endgültigen Fassung vorlag, wiewohl er zunächst feststellte: "We must note, that it is generally impossible to determine with certainty which interpretation is logically prior"[94]. Inhaltlich verblüffende Übereinstimmungen aber, wie die Auslegung von Libanon als Tempel[95], oder die Targumauslegung von Hab 2,2 למען ירוץ הקורא בו als "that he who reads therein may hasten to become wise" (בדיל דיוחי למחכם מן דקרי ביה), die in der auf den Lehrer bezogenen Interpretation in 1QpHab 7,3-5 eine Entsprechung hat[96], besagen noch nichts über Herkunft oder Ansetzbarkeit des Formal-Strukturellen.

Ein zunächst offenbar gegenteiliges Beispiel dazu liefert R.P. GORDON[97]. Die Passage in Hab 1,10 "und er schüttete Staub auf" (ויצבור עפר) wird von der entsprechenden Pescherstelle (4,7) erklärt mit: "Und mit viel Volk schließen sie sie ein, um sie einzunehmen" (בעם רב יקיפום לתפושׂם). Dies scheint sich in targumischem Fahrwasser zu bewegen: Der Targum übersetzt besagte Habakukstelle mit וצבר מליתא ("und er schüttet einen Erdwall auf") und צבר חילוותא כעפרא[98] ("er sammelt Armeen wie Staub"). Mittelalterliche Exegeten wie Raschi und Kimchi erklären Hab 1,10 im Sinne von: אסף עם רב כעפר "er sammelte Volk zahlreich wie Staub". Nun ist es aber nicht nötig, 1QpHab in Abhängigkeit vom Targum zu sehen; denn schon im Pentateuch wird eine unübersehbare Nachkommenschaft, d.h. ein ganzes Volk mit dem Staub der Erde verglichen (Gen 13,16: ושׂמתי את זרעך כעפר הארץ).

---

94 Habakkuk Midrash 176.

95 Vgl. oben Kapitel 6.2.2.2.

96 Brownlees Begründung zu dieser Targum-Stelle (Habakkuk Midrash 172): "For who is wiser than he 'to whom God has made known all the mysteries of the words of his servants the prophets'?"

97 Targum 426f.

98 Vgl. Sperber, The Bible in Aramic, III, Leiden 1962.

Nach Gordon[99] ist dann auch diese Abhängigkeit des 1QpHab vom Targum nur eine scheinbare: "When the agreements (zwischen 1QpHab und Targum) are examined individually the case for such dependence becomes rather insubstantial", ohne im Rahmen seines kurzen Artikels weitere Beispiele für den 1QpHab geben zu können.
In seiner kurzen Unterscuhung "A propos des Commentaires bibliques découverts à Qumran"[100] hat sich G. Vermes um eine Herkunftsbestimmung des Peschergenus bemüht. So hält er[101] zunächst im allgemeinen Angang fest, daß der Targum in der Ecclesiastesstelle 8,1 מי יודע פשר הדבר "la solution des paroles dans les prophètes" sieht. Vermes referiert auch den Traktat Megillah 3a aus dem Babylonischen Talmud, aus dem hervorgeht, daß der Prophetentargum als geheimnisträchtig angesehen wurde. Auch aus Sukkah 28a erhellt, daß der Targum mehr als eine einfache Übersetzung ist, nämlich eine "Offenbarung von Geheimnissen" (101). Das erste Element nun des Peschers - nach Auffassung Vermes' "geoffenbarte" Exegese[102] - ist nachweisbar im Buch Daniel, im NT, im Midrasch Rabba und im Targum Jonathan. Das zweite Pescherelement - die Aufteilung des Bibeltextes durch eine Reihe von kommentierenden Sätzen - hat seine deutlichste Parallele im Targum. So folgt dort der jeweiligen Tora- oder Prophetenperikope ein aramäischer "Übersetzungskommentar", d.h. Übersetzung und Kommentierung des Bibeltextes. Wurde bei der Tora nun jeder Einzelvers von einem Übersetzer wiedergegeben, so besorgten dies bei den Prophetentexten gleich zwei Dolmetscher, allerdings im allgemeinen erst nach drei gelesenen Bibelversen. Bei den alten Targummanu-

---

99 Ebda. 426.

100 In: RHPhR 35 (1955) 95-102. - Entsprechende Seitenhinweise im Text.

101 Ebda. 98.

102 Ebda. 101.

skripten erhält jedoch gleich jeder Vers seine aramäische Interpretation.
Vermes sieht darin die größte Annäherung zwischen Pescher und Targum, wenngleich er sich des Unterschiedes zwischen beiden bewußt ist: Jener ist hebräisch, dieser aramäisch gehalten. Aber dies ist nach seiner Auffassung letztlich zweitrangig: In Qumran verstanden eben noch alle die Kultsprache Hebräisch (102). Auch einen zweiten Einwand ignoriert Vermes nicht: Der Pescher setzt ja eine durchgehende Lesung, von Kommentaren unterbrochen, voraus, wohingegen man in der Synagoge eben nicht Kapitel für Kapitel desselben Prophetenbuches durchging. Doch die Randzeichen der qumranischen Jesajarolle verraten eine andere Praxis: Sie deuten auf liturgische Anweisungen[103].
Nun offenbart doch der Gedankengang von Vermes einige Schwächen, die sich aber auch erst durch die inzwischen fortgeschrittene Forschung als solche darstellen. So muß zunächst abermals in Erinnerung gerufen werden, daß der Targum in seiner Grundabsicht ein Übersetzungswerk ist, der Pescher eine Prophetenforschungsschrift. Wie klar die Qumranautoren zwischen Pescher und Targum unterscheiden konnten, zeigt eine Gegenüberstellung zwischen 1QpHab und 11 QtgJob. Als gegenteiliges Beispiel wird man dann aber sofort 1QGenApoc heranziehen, welches nichtsdestoweniger wegen seiner zeitweilig reinen Übersetzungspassagen immer noch literargenerisch gesehen qualitativ vom Pescher unterschieden ist. - Sodann gilt es, die Differenziertheit der Deutungseinleitungsformeln in den Pescharim nicht zu übersehen. - Zudem haben unsere Untersuchungen ergeben, daß der Pescher eben keine geoffenbarte Exegese darstellt: Vielmehr sind Aktualisierung und vorklassische rabbinisch-hermeneutische Prinzipien am Werk, und die רזים sind als eschatologisch-geschichtliche Ratschlüsse Gottes zu verstehen, die als Element der kryptographierten prophetischen Träume ent-

103 Vermes, ebda. 102, Anm. 18.

kodiert werden müssen. Allerdings muß zugestanden werden, daß wir Aktualisierung und Veränderungen am Bibeltext im weitesten Sinne auch im Targum wirksam sahen[104].
Trotz der zuletzt geäußerten Konzession kann die Arbeit Vermes' nicht verdeutlichen, daß die Pescharim bewußte Anlehnungen an den Targum darstellen. Nur eine wichtige, entscheidende Bestätigung hat uns Vermes' Artikel gegeben. So wie sich der Midrasch aus dem Targum hauptsächlich herleitet, so verdankt sich der Pescher ebenfalls der targumischen Tradition: Er will allerdings nicht mehr übersetzen, sondern nur noch - unter Voraussetzung der sprachlichen Fähigkeiten der Zuhörer oder Leser - erklären, d.h. den klassischen Bibeltext einsichtig machen. Somit hat der Pescher das wesentlich targumische Element, eben die Übersetzung in eine andere Sprache, beiseite gelassen, um prophetische Träume und Visionen, um fremd anmutende theologische Gedanken unter Beibehaltung der - allerdings leicht geänderten - Sprache zu "übersetzen". Dabei hat der Pescher - und dies ist Vermes' entscheidender Beitrag - die Aufteilung des zu bearbeitenden Bibeltextes äußerlich-formal übernommen, ohne das inhaltliche Arbeitsziel - Übersetzung mit gelegentlichem Kommentar - gänzlich zu übernehmen. Anders formuliert, hat der Pescher das inhaltlich sekundäre Arbeitsziel des Targums, den Kommentar, zum primären gemacht. Dieses Verfahren war notwendig geworden, um das von Gott für die Gemeinde bestimmte Schicksal einsichtig zu machen, indem es in den prophetischen Schriften schon kryptographiert enthalten war. Erfüllbar war diese Notwendigkeit durch den "Sprachvorteil" der Qumrangemeinde: Das Hebräisch wurde - im Widerstand gegen Hellenismus, in Anlehnung an "klassische" Tora-Zeiten - intensiv gebraucht[105].

---

104 Vgl. oben Kapitel 4.5.4.

105 Dies erklärt auch die geringe Zahl aramäisch abegfaßter Targumteile, vgl. Fitzmyer, Targum of Job 165.

Somit hat Vermes durchaus Recht, wenn er den Pescher im Gefolge targumischer Tätigkeit sieht; er hat dies ja auch nachgewiesen in seinen Studien zu 1QpHab 12,1-5[106]. Nur hat der Pescher ein Arbeitsziel, das von demjenigen des Targum qualitativ verschieden ist. Eben diese genauere Differenzierung ließ Vermes noch vermissen. Schließlich sei noch darauf hingewiesen: Wenn, wie schon klargestellt, der Targum der Vater des Midrasch <u>und</u> des Pescher ist, müssen Pescher und Midrasch "brüderlich" verwandt sein, d.h. die hier nachträglich differenzierten Ergebnisse von Vermes liefern weiteres Erkennungsmaterial dafür, daß der Pescher zum bekannteren Midrasch genusmäßig gehört. Im gleichen Sinne äußert sich auch M.P. MILLER[107]: "In terms of methods and techniques, the pesher belongs to the category of midrash. With respect to its verse-by-verse paraphrastic structure and its probable liturgical Sitz-im-Leben it is closer to the targumim", ähnlich Brownlee[108]: "The targums as presented in the synagogues may have provided the model for the organization of the pesharim".

7.5. Jüdisch-apokalyptisches Schrifttum, unter besonderer Berücksichtigung des Buches Daniel

Schon seit R.H. CHARLES ist bekannt, daß Apokalyptik sich u.a. mit Schriftstudium und -auslegung beschäftigt und dieses Interesse mit der Literatur des vor- und nachchristlichen Judentums teilt[109]. Wenn nun gemäß P. VON DER OSTEN-SACKEN[110] davon ausgegangen werden kann, daß sich die Apo-

---

106 Vgl. Vermes' "Car le Liban" 316-325.

107 Targum 51.

108 Background 187.

109 R.H. Charles, Religious Development between the Old and the New Testament, New York 1914 bzw. Roberts, Dead Sea Scrolls 76f.

110 Die Apokalyptik in ihrem Verhältnis zu Prophetie und Weisheit (TEH 157) München 1969.

kalyptik aus der Prophetie herleitet[111], so würde daraus verständlich - wenn auch nicht unbedingt zwingend sich ergeben -, daß sich das Interesse des Apokalyptikers auf unerfüllte Prophetie konzentriert, und dies auf dem Hintergrund der bis ins AT hinein nachweisbaren eschatologischen Ausgerichtetheit der Prophetie[112]. Die apokalyptische Literatur geht dabei soweit in ihrer Anschauung, "daß in der Endzeit Verborgenes in Gestalt von Geheimschriften veröffentlicht wird"[113]. Deswegen gilt S. MOWINCKELs[114] Feststellung: "The latest phase of prophecy was, in large measure, an inspired revision, amplification, and interpretation of the earlier prophecy. It was spiritual learning, or 'wisdom'. Out of this wisdom ... there finally arose apocalyptic, which may be described as inspired learning or revealed theology with eschatology as its centre". Somit erhellt von daher, daß "der apokalyptische Impuls in einem Interpretationsvorgang wurzelt oder wenigstens dort Kraft und Richtung empfing"[115]. Apokalyptisches Schrifttum ist also Interpretation, "allerdings Interpretation im Blick und in der erwartungsvollen Ausschau auf die jenseitige Welt"[116]. Deswegen geschieht Zeitdeutung und Existenzerhellung für den Leser hauptsächlich durch <u>Geschichtsinterpretation</u>[117]. Ausgerichtet ist dieses apokalyptische Interpretieren auf ein "prophetisches Ziel", allerdings oft in

---

111 Bekanntermaßen anders: G.v. Rad, Theologie des Alten Testaments, Bd. II, München [7]1980, 316-331.

112 Osswald, Hermeneutik 248.

113 Osswald, ebda. 252 und Beispiele dort.

114 He that cometh, Oxford 1956, 266.

115 Schreiner, Apokalyptische Bewegung 237.

116 Schreiner, ebda.

117 Schreiner, ebda. 238.

verschlüsselter, allegorischer Sprache[118], die oft eine neue, so nicht in den alttestamentlichen Schriften geäußerte Offenbarung beinhalten soll[119]. Somit handelt es sich bei der Apokalyptik um "Prophetie durch Interpretation"[120]. Collins[121] definiert den fundamentalen Unterschied zwischen jüdischer Apokalyptik und biblischer Prophetie folgendermaßen: "In prophecy revelation consisted of the direct transmission of the word of God. In apocalyptic it involves the interpretation of mysterious realities which are given cryptically in scripture, dreams and other phenomena". Die Schriftauslegung selbst ist aber nur Teil des Phänomens "Prophetie durch Interpretation"[122]. - Nun hat aber auch schon die vorexilische Schriftprophetie ausgelegt, so daß man sich nach dem Unterschied zwischen prophetischer und apokalyptischer Auslegung fragen muß. I. WILLI-PLEIN[123] erklärt dazu folgendermaßen: "Prophetische Auslegung ist Auslegung im prophetischen Geist, apokalyptische Auslegung ist Auslegung im Geist der Auslegung". Diese Betonung der Auslegung wird auf dem Hintergrund des Erlöschens der ("offiziellen") Prophetie verständlich: Sie ist dem Apokalyptiker vorgegeben[124], und dies umso mehr, indem die noch ausstehende Erfüllung aller bisher ergangenen Prophetie "zeitlich und wesensmäßig über das im prophetischen Wort

118 Schreiner, ebda. und ders., Alttestamentlich-jüdische Apokalyptik. Eine Einführung (BiH 6) München 1969, 183. - Hervorhebung von mir.

119 W. Schmitthals, Die Apokalyptik. Einführung und Deutung, Göttingen 1973, 52.

120 Collins, Jewish Apocalyptic 32.

121 Collins, ebda. - Hervorhebung von mir.

122 Collins, ebda.

123 Geheimnis 67.

124 Willi-Plein, ebda.

unmittelbar Ausgesagte hinausgeht"[125]. Nach Willi-Plein liegt hier eine interessante Parallelität zur Gesetzesauslegung vor: Das Gesetz mußte gleichermaßen im Judentum den veränderten Gegebenheiten und damit veränderten Bedürfnissen durch Auslegung angepaßt werden, wobei der Gedanke an Unvollkommenheit oder Veränderbarkeit göttlicher Unterweisung nicht ernsthaft aufkam. Ebenso wie die mündliche gegenüber der schriftlichen Gesetzestradition nicht minderwertiger ist, so ist auch der Geist der Auslegung dem prophetischen Geist nicht wertmäßig unterlegen, "sondern nur gattungsmäßig von ihm verschieden"[126]. - Dies vorausgesetzt, lassen sich folgende zusammenfassende Schlußfolgerungen zum Verhältnis Schrift - Apokalyptik (als geistiger Bewegung) ziehen: Die Schrift selbst enthält nicht explizit die vollständige Offenbarung; die neue Offenbarung besteht in der Erschließung des wahren Sinns der Geschichte; entsprechende sich gerade in Visionen kundtuende geheime Offenbarungen haben Auswirkungen auf das Leben einer apokalyptischen Gruppe in Halacha, Morallehre und Schriftverständnis.

Geht man nun - nach diesem Vorgriff auf den Traditionshintergrund des 1QpHab - Schreiners Inhaltsangabe der wichtigsten apokalyptischen Werke durch[127], so sind offenbar das Jubiläenbuch und das Buch Daniel als sogenannte "Musterapokalypse"[128] Schriften, die längere Passagen von Schriftauslegung aufweisen. Davon enthält das essenischen

---

125 Willi-Plein, ebda. 76.

126 Willi-Plein, ebda. 78.

127 Vgl. Schreiner, Alttestamentlich-jüdische Apokalyptik 17-72.

128 Über die notwendige Relativierung dieser beliebten Bezeichnung durch den Fund von 20 aramäischen Fragmenten des 1. Henochbuches in Qumran, vgl. K. Koch, Einleitung, in: K. Koch/J.M. Schmidt, Apokalyptik (WdF 365) Darmstadt 1982, 10f.

Kreisen gedanklich wie zeitlich nahestehende Jubiläenbuch[129] haggadische Ausführungen zu den Pentateucherzählungen von Gen 1 bis Ex 12, wobei in Jub 23,11-31 ein eschatologischer Ausblick auf das Israel der Endzeit in Katastrophe und nachfolgender Heilszeit gegeben wird; halachische Ausführungen finden sich in Kapitel 2 bezüglich Einsetzung des Sabbats und Einschärfung des Sabbatgebots. Ausgesprochene Auslegungspassagen verschiedenster Art finden sich im Buch Daniel, in denen immer wieder der Terminus פשר auftaucht, so in Kapitel 2 der Traumauslegung, in Kapitel 5 bezüglich der Schrift an der Wand und in Kapitel 7 bei der Auslegung einer nächtlichen Vision, so daß schon aufgrund dieses Wortbefundes die Frage aufgeworfen wurde, ob das Buch Daniel etwa ein Pescher sei[130]. Zu dieser Bezeichnung gelangt A. SZÖRENYI aufgrund des Vorhandenseins älterer und späterer Textteile im Danielbuch, die er sich hinsichtlich ihres Entstehens so erklärt: Die ältesten Teile der uralten Danielsammlung vermutet er aus der persischen Zeit des Judentums; diese Texte seien vermehrt wor-

---

129 Vgl. K. Berger, Das Buch der Jubiläen (JSHRZ II/2) Gütersloh 1981, 298. 300. - Zu inhaltlichen Parallelen zwischen Jub und Qumranschriften vgl. Berger, ebda. 295f. - Zu den haggadischen Traditionen des Jub Berger, ebda. 297f. Von Apokalyptik und apokalyptischer Auslegung ist in Jub bei Berger nicht die Rede. - Eine deutlichere Position bezieht hier schon Wright, Midrash 453f., Anm. 198: Nach dem Zugeständnis, daß es sich beim Jubiläenbuch um ein äußerst komplexes literarisches Gebilde handelt - in ihm sind Geschichtsschreibung, Apokalyptik, Testamentarisches und Midrasch anzutreffen -, ist Wright doch dazu geneigt, dieser Schrift einen grundsätzlich apokalyptisch-midraschischen Charakter zuzusprechen: "This would suggest that the author had a midrashic aim as well as an apocalyptical one. There is no compelling reason that would prevent us from looking upon the embellishments as midrashic and we would be inclined to see Jub as another example of an apocalyptic-midrashic work". - Hervorhebung von mir.

130 Szörényi, Daniel 278-294. - Seitenangaben oben entsprechend.

den, "bis der in der Makkabäerzeit lebende Autor mit seinem Pescher das heutige Danielbuch verfertigt hat" (281). Dabei kommt Szörényi zur Annahme, daß der Verfasser des Danielbuches die Peschergattung dazu benutzte, die Jahrhunderte alten Texte zu aktualisieren (281), mit diesem aktualisierenden "Pescher implicitus" die prophetische Geschichtstheologie ausweite und damit Mut und Glauben seiner um Bestand von Religion und Volkstum kämpfenden Landsmänner stärke (282f.).
Szörényi suggeriert damit das Vorhandensein einer literarischen Gattung namens "Pescher", die bereits vor den qumranischen Prophetenkommentaren bestand, und im Gefolge davon gar eine gattungsmäßige Beeinflussung des Danielbuches auf die qumranischen Pescharim, ist das Danielbuch doch knapp älter als die Schriftrollen vom Toten Meer. Nach all dem aber, was wir bisher über den Qumran-Pescher im allgemeinen und über den 1QpHab im besonderen erfahren haben, ist folgendes gegen Szörényis Bezeichnung des Daniel-Buches als 'kanonisiertem Pescher' einzuwenden:

a) Lediglich in Kapitel 9 des Daniel-Buches findet Prophetenschriftdeutung statt; ansonsten finden sich nur Traum- und Gesichtsdeutungen (Kap. 1; 4; 7; 8; 12)[131]. Die qumranischen Pescharim sind aber ausschließliche, explizite Prophetendeutungen, also <u>Schriftauslegungswerke</u>. Werden auch die Prophetenschriften als Traum verstanden, so werden dadurch die Pescharim nicht zu "Traumbüchern", als welches andererseits das Danielbuch streckenweise ansehbar ist.
b) Im Gefolge dieser verschiedenen Deutungs<u>objekte</u> sind die Deutungs<u>methoden</u> im Danielbuch zwar nicht notwendigerweise, aber doch tatsächlich heterogen; Träume und Visionen werden symbolisch gedeutet: Die Wandinschrift wird erst durch Wortspiele klar; das rechte Verständnis von Jer 25,12 gewinnt Daniel durch einen

131 Vgl. dazu das folgende Kapitel unten.

rechnerisch-sprachlichen Trick[132]. - Die hervorragenden Deutemerkmale gerade des 1QpHab sind dagegen: 1. eschatologisch-apokalyptische Aktualisierung, 2. rabbinisch-hermeneutische Prinzipien. Allerdings hatten wir einen Fall von Allegoristik herausgestellt (1Qp Hab 12,3ff.), der sich aber nicht als typisch für den 1QpHab erwies.

Hinzu kommt, daß sich manche Träume und Visionen des Danielbuches ausdrücklich auf die Endzeit beziehen, die Wandinschriftdeutung aber nur eine zeitgeschichtliche, das persönliche Geschick des Königs Belschazzar betreffende Bedeutung hat. Weiterhin kann eine verschieden lange Zeit zwischen Offenbarung und Deutung verstrichen sein: Von Jeremias Prophetie in Jer 25,11f. bis zur Deutung durch Daniel vergeht mehr Zeit als von den königlichen Träumen bis zu ihrer Auslegung. Schließlich muß die Ausgangsoffenbarung nicht unbedingt an den Deuter ergangen sein: Berichtet z.B. Kapitel 7 von in Daniels Vision aus dem Meer aufsteigenden Tieren, so braucht er doch zu deren Deutung einen <u>angelus interpres</u>; demgegenüber ist es Daniel selbst, der die königlichen Träume deutet[133]. In 1QpHab beziehen sich <u>alle</u> Deutungen auf die Gegenwart, welche die Endzeit ist. Alle Ursprungsoffenbarungen sind an Habakuk ergangen, die zeitliche Differenz zum Ausleger ist mithin immer die gleiche. Schließlich bedarf im Danielbuch der Offenbarungsempfänger eines Deuters, was auch - von Qumran aus gesehen - für Habakuk in Gestalt des Lehrers zutrifft; aber im Gegensatz zu 1QpHab wechseln im Danielbuch Offenbarungsempfänger und Deuteperson. - Somit gibt es doch eine ganze Reihe von Gründen, die es verwehren, im Danielbuch einen Pescher irgendeiner Art zu sehen, geschweige denn in dieser Schrift den gattungsmäßigen Vorläufer der qumranischen Prophetenkommen-

132 Vgl. dazu unten Kapitel 7.5.2.

133 Vgl. zum Letzten Mertens, Daniel 116f.

tare zu vermuten. Zugegebenermaßen müssen uns allerdings Elemente der danielschen Deutungsmethodik interessieren, die wir schon in 1QpHab kennengelernt haben, und die nichts gegen eine deutetechnische Verwandtschaft besagen. Sie gilt es im folgenden aufzuweisen und zu kommentieren.

7.5.1. Die Deutung von Träumen und Visionen

7.5.1.1. Der Traum Nebukadnezzars in Dan 2

Nicht erst im Danielbuch (in den Daniellegenden wie in der eigentlichen Apokalypse) stellt der Traum eine Quelle der Erkenntnis dar. Schon in älteren Teilen des AT, z.B. Gen 28,10-22, wo von Jakobs Traum berichtet wird, oder Gen 37, 5-11, in der Erzählung von Josefs Träumen (vgl. auch Gen 40; 41), erscheinen gerade Träume an entscheidenden Etappen der ältesten Heilsgeschichte und verlangen als göttliche Offenbarungsmittel auch Deutung, um Gottes Zukunftsabsichten einsehbar zu machen[134]. Dabei spielen von Gott Berufene eine derart herausragende Rolle, daß, wie in unserem Buch, Daniel zum Beweis seiner Traumdeutefähigkeit den Trauminhalt der Deutung selbst vorausschicken muß. So fragt Nebukadnezzar Daniel in 2,26: "Bist du wirklich imstande, mir das Traumgesicht (חלמא), das ich gehabt, und seine Deutung (ופשׁרה) kundzugeben (להודעתני)?" Die - im Nachfolgenden noch zu erörternde - Entschlüsselungsmethode der Träume weisen die Traum(deute)passagen im AT als eigene literarische Gattung aus, wo "von einem Traum im eigentlichen Sinne nicht mehr gesprochen werden kann"[135]. Gerade Daniel als von Nebukadnezzar geprüfter Traumdeuter gibt der erwähnten Passage einen unübersehbar weisheitlichen

134 E. Pax, Art. Traum, in: LThK, Bd. 10, 327.

135 Ehrlich, Traum 90, Anm. 2. - So auch angegeben bei Dexinger, Daniel 51.

Anstrich[136]; aber auch haggadische Einflüsse sollen nach J. STEINMANN[137] eine Rolle spielen. Vorbeugenderweise muß aber im folgenden herausgestellt werden, daß das Danielbuch, und so besonders seine ersten sechs Kapitel, nicht als Midrasch im klassischen oder vorklassischen Sinne aufgefaßt werden darf[138].

Wie deutet Daniel nun den Traum in Dan 2, in dem das Standbild aus Gold, Silber, Eisen, Erz und Ton von einem herabstürzenden Stein getroffen und zerstört wird, der seinerseits die ganze Erde ausfüllt? Der Inhaltsangabe und ihrer Deutung schickt Daniel voraus (2,28), daß es einen Gott im Himmel gebe, der Geheimnisse offenbare (גלא רזין[139]) und der Nebukadnezzar wissen lassen wolle, was am Ende der Tage geschehen soll (מה די להוא באחרית יומיא). Nach der Trauminhaltsangabe heißt es (2,36): "Dies war der Traum. Jetzt wollen wir dem König seine Deutung geben." (דנה חלמא פשׂרה נאמר קדם-מלכא). Daniels Deutung besteht nun darin, die verschiedenen Materialteile der Statue mit vier aufeinanderfolgenden Reichen von sich vermindernder Mächtigkeit und geschichtlicher Bedeutung zu erklären; der Stein versinnbildlicht die anbrechende und sich durchsetzende Gottesherrschaft. Hier, bei diesen Träumen und ihrer Auslegung,

---

136 Von Rad, Theologie, Bd. II, 317f. - Dieser weisheitliche Anstrich tritt auch schon in der Josefsgeschichte hervor, die ja auch Traumdeutungspassagen enthält und die schon eine frühweisheitliche Lehrerzählung darstellt, vgl. von Rad, Theologie, Bd. I, 186; ders., Josephsgeschichte und ältere Chokma: VTS 1 (1953) 120 ff. - Anders etwa die individuell-historische Deutung: M. Noth, Überlieferungsgeschichte des Pentateuch, Stuttgart ²1960, 227. 230f.

137 Daniel, Paris 1961, 39.

138 Vgl. auch Wrights Skepsis diesbezüglich in 'Midrash' 108: "If some of the definitions are correct, large amounts, if not the whole of the Bible would have to be called midrash".

139 Man achte auf die Zusammenstellung von רזין und גלא, während es im Pescher zu Hab 7,4f. heißt: אל הודיעו את כול רזי ... !

ist noch die Bildhälfte und die ihr zugehörige Sachhälfte in genügender Vollständigkeit erhalten, so daß das zur Darstellung und Deutung der Träume benutzte Stilmittel mit Allegorese gekennzeichnet werden kann[140]. - Auch wird dadurch der Zusammenhang von Geheimnis (רז), Traum (חלם) und פשׁר klar: חלם und פשׁר "bilden zusammen eine Einheit, die sich mit rāz deckt oder zumindest dessen Inhalt expliziert"[141], d.h. der Traum verlangt nach einer Deutung, die auf das eschatologische Geheimnis hinführt, hier den endgültigen und unwiderruflichen Anbruch der Gottesherrschaft. Darüber hinaus ist darauf hinzuweisen, daß die Allegorese nicht nur als Bezeichnung (ἀλλ-αγορεύω) für diese bestimmte Art von Traumdeutung steht, sondern die allegorische Methode überhaupt selber aus der gesamtorientalischen Traumdeutetechnik entstanden ist. Auch finden sich in dieser schon unsystematisierte Techniken der Buchstabenumstellung, -vertauschung, -weglassung und Assonanzen[142]. Somit stellt die Allegorese offensichtlich eine Vorstufe zu den später im Judentum ausgereifteren rabbinisch-hermeneutischen Prinzipien dar, wie wir sie bereits kennengelernt haben[143]. Wie nämlich Ehrlich[144] festgestellt hat, finden sich Traumdeutungen auch z.B. in der nachqumranischen Literatur, so in Talmud und Midrasch: In Ber55a-57b, jMa'aś, ŝeni 55ff.

140 Mertens, Daniel 136.

141 Willi-Plein, Geheimnis 69. - Allerdings stellt er den Charakter von רז als eschatologischem Geheimnis nicht genügend heraus.

142 A. Volten, Demotische Traumdeutung (Analecta Aegyptiaca III) Kopenhagen 1942, 59ff. 69. - Vgl. auch Heinemann, Allegoristik 19, für das Judentum: "Und der Sprachgebrauch zeigt, wie deutlich die hebräische Sprache den Zusammenhang zwischen Traumdeutung und Allegoristik empfindet".

143 Vgl. oben Kapitel 6.2.3.4.3.2.

144 E.L. Ehrlich, Der Traum im Talmud: ZNW 47 (1956) 143f. - S. Liebermann, Hellenism and Jewish Palestine, New York 1962, 68-82.

und Echa rabba 1,1 sind uns Fragmente von Traumbüchern erhalten, die mittels Buchstabenveränderungen, Auslegung nach dem Wortklang, Wortspielen und Deutungen nach Anfangsbuchstaben Träume auslegen - ohne sich übrigens als geoffenbarte Auslegungen zu verstehen[145]!

7.5.1.2. Die Vision Daniels in Dan 8

Vom Traum ist die Vision gattungsmäßig zu unterscheiden: Diese stellt ein formales Erkennungsmerkmal der Apokalyptik dar. Der Unterschied zwischen Traum und Vision ist der, daß jener ein von jedermann erlebtes Phänomen ist, diese aber nur Charismatikern zuteil wird[146]. Nun muß allerdings betont werden, daß die aus dem prophetischen Bereich stammenden Visionen sich nur mit einem einzelnen Ereignis beschäftigen, somit eine Möglichkeit prophetischer Erkenntnis darstellten und gleichzeitig - wenigstens zum Teil - Voraussetzung für die prophetische Botschaft waren[147]. Solche Visionen erhalten erst dann eine apokalyptische Grundfärbung, wenn sie - im Gegensatz zur Schilderung eines Einzelereignisses - eine chiffrierte Schau der Gesamtgeschichte bieten, d.h. das Geschehen von der Schöpfung an bis zum Kommen des Gottesreiches darstellen. Vor allem die Deutung der Chiffren charakterisiert diese Visionen als literarisch-apokalyptisches Ausdrucksmittel[148]. - Mit einer solchen, vom Apokalyptiker, der sich Daniel nennt, als selbst erlebt bezeugten Vision haben wir es in Dan 8 zu tun: Ein einhörniger Ziegenbock überrennt und zertritt ei-

145 Bis auf die Systematisierung trifft das von Ehrlich Gesagte (s. vorausgehende Anmerkung) auch auf die qumranischen Pescharim zu.

146 Dexinger, Daniel 22. - Anders Schmitthals, Apokalyptik, der "Vision" als formal-apokalyptischen Oberbegriff für Traumgesicht, ekstatische Schau und Entrükkung mit anschließender Himmelfahrt nimmt.

147 Dexinger, Daniel 22f. 26.

148 Dexinger, ebda. 26.

nen zweihörnigen Widder. An der Stelle des einen Ziegenbockhorns erwachsen vier. Aus einem von ihnen strebt ein Seitentrieb hervor, reicht bis zum Himmel hinauf und holt die Sterne herunter, womit er das wahre irdische Königtum zerstört. Auf die Frage eines "anderen Heiligen", wie lange dieser Frevel andauere, lautet die Antwort des heiligen Engels: 2300 Abende und Morgen. - Der Engel Gabriel selbst liefert die Deutung der von "Daniel" geschauten Vision: Der zweihörnige Widder meint den medischen und persischen König (מלכי מדי ופרס), der Ziegenbock den griechischen (מלך יון), dessen Reich zerfällt (Dan 8,20f.). Aus seinem Volk entstehen vier andere, aber nicht gleichermaßen starke Reiche (8,22: והנשׁברת ותעמדנה ארבע תחתיה ארבע מלכויות מגוי יעמדנה ולא בכחו). Eins der Reiche gehört in den Tagen des Frevels (כהתם הפשׁעים) einem mächtigen und schlauen König, der aber schließlich von einer "Nicht-Hand" (8,25: באפס יד ישׁבר) sein Ende erfährt. - Die Deutung der Tiere auf die Geschichte der babylonischen Herrschaftsperiode bis hin zu den Diadochenstaaten, näherhin bis Alexander dem Großen und Antiochus Epiphanes[149] ist desgleichen mit dem Begriff der Allegorese zu kennzeichnen[150].

7.5.2. Jeremia-Auslegung in Dan 9

In Dan 9,2 sucht Daniel bzw. der Apokalyptiker eine Jeremiastelle zu verstehen, die besagt, daß sich 70 Jahre an den Trümmern Jerusalems erfüllen sollen (למלאות לחרבות ירושׁלים שׁבעים שׁנה). Die Jeremiastelle 25,11 lautet auszugsweise: "Diese Völker (הגוים)[151] werden dem König von

149 Plöger, Daniel 124. 126; Mertens, Daniel 136.

150 Mertens, ebda.; Plöger, Siebzig Jahre 67.

151 הגוים ist vermutlich eine spätere Erweiterung des Textes nach Jer 25,15-29. Ursprünglich stand an dieser Stelle wohl nur "sie", d.h. die Bewohner Judas; vgl. W. Rudolph, Jeremia (HAT I/12) Tübingen 1947, 136.

Babel 70 Jahre (שבעים שנה) dienen. Und es wird geschehen, wenn 70 Jahre voll sind, dann werde ich heimsuchen ...". Wieder muß der Engel Gabriel die Rolle des <u>angelus interpres</u> übernehmen und er erklärt Daniel: שבעים שבעים נחתך על-עמך (9,24). Dies könnte man übersetzen mit "Siebzig Wochen sind für dein Volk bestimmt", wobei שָׁבֻעִים eine danieleigene Form für "Wochen" darstellte, die normalerweise שָׁבֻע(וֹ)ת lautet[151a]. Sich auf P. VACCARI stützend, schlägt aber M. DELCOR für שְׁבֻעִים "septenaire", "Siebenzahl" als Übersetzung vor[152], woraus sich dann die wortwörtliche Übersetzung ergäbe: "Siebzig Siebener (an Jahren)", was bedeuten würde "70 Jahr-Wochen von insgesamt 490 Jahren"[153] oder "70 Siebente"[154].

Daniel weitet die Jerusalemischen 70 Jahre bis in seine eigene, "Daniels", notgepeinigte Gegenwart hinein aus, um die eschatologisch desinteressierte oder sogar die Eschatologie ablehnende Jerusalemer Gemeinde umzustimmen[155]. Ihr sprachlich konkreter Ansatzpunkt besteht also in einer Verdoppelung des שבעים des Jeremia-Textes im Danielbuch u n d in einer doppelten Lesart, nämlich שָׁבֻעִים שִׁבְעִים[156]. Dexinger[157] bemerkt dazu: "So ergibt die besondere Lesung einer Prophetenstelle die Möglichkeit zu ihrer Aktualisierung in einer konkreten Situation". Diese Aktualisierung findet statt in einem apokalyptischen Rahmen (Dan 9,20-27), weswegen wir es hier mit einem apokalyptischen Midrasch zu

---

151a Delcor, Livre 194f. - Plöger, Daniel 134, erklärt diese Stelle mit den eventuell dahinterstehenden ἑβδομάδες.

152 Delcor, Daniel 195.

153 Mertens, Daniel 141.

154 Koch, Daniel 5.

155 Plöger, Siebzig Jahre 73.

156 C. Schedl, Daniels Botschaft und ihre Bedeutung: BiLe 5 (1964) 48. - So auch angegeben bei: Dexinger, Daniel 51.

157 Daniel, ebda.

tun haben[518]. - Noch deutlicher wird dieses Verfahren bei Daniels Deutung der Menetekelinschrift im Rahmen der Daniellegenden.

7.5.3. Die Menetekelinschrift in Dan 5

In Dan 5, einem nicht-apokalyptischen Kapitel des Danielbuches, erfahren wir folgendes: Während eines Gastmahls, das König Belschazzar gibt und in dessen Verlauf aus Jerusalemer Tempelgefäßen getrunken werden soll, erscheint plötzlich eine Schrift auf einer Wand. Keiner vermag die Schrift zu lesen bzw. eine Deutung zu geben, bis Daniel gerufen wird und des Rätsels Lösung findet.
Was hat nun - nach der Vorstellung des Autors dieser Legende - Daniel an der Wand gesehen? Dazu gilt es zunächst sich zu vergegenwärtigen: Wenn dazu in 5,25 steht "Mene, mene, tekel u-parsin" (מנא מנא תקל ופרסין), handelt es sich um Gewichts- oder Geldwerte[159]. Nun war es allerdings möglich, wenn auch nicht unbedingt vorgeschrieben, diese nicht mit ihrem ganzen Konsonantenbestand, sondern nur mit ihren Anfangsbuchstaben wiederzugeben, so daß etwa der Text ursprünglich gelautet haben mag:מנאמתפפ oder ממתפפ[160]. Für eine solche Abkürzung spricht einmal die Tatsache, daß "die herbeigeholten Weisen der Chaldäer diese Worte nicht ebensogut wie hinterher Daniel wenigstens lesen konnten, selbst wenn ihnen ihre Deutung unmöglich war (5,7)"[161]. Auf das Vorhandensein solcher Abkürzungen weist aber auch Daniels Lesen derselben als Gewichtsbezeichnungen hin:מנא מנא תקל ופרסין, bevor er sie dann als Verbalformen deutet[162], nämlich als "Perfecta" mit Gott als theologischem Subjekt

---

158 Wright, Midrash 453.

159 Eissfeldt, Menetekelinschrift 109ff

160 Alt, Menetekel 305.

161 Alt, ebda. 303.

162 Alt, ebda 306.

(5,26-28), wie es das der Deutung vorangestellte Verb auch anzeigt[163]; der "umfunktionierte" Konsonantentext ist im folgenden unterstrichen:

מְנֵא מנא אלהא מלכותך והשׁלמה	- M^{e}ne: gezählt hat Gott dein Königtum und macht ihm ein Ende
תְּקֵל תקלתא במאזניא והשׁתכחת חסיר	- T^{e}kel: gewogen wurdest du auf der Waage und zu leicht befunden
פְּרֵס פריסת מלכותך ויהיבת למדי ופרס	- p^{e}res: geteilt wird dein Reich und den Medern und Persern übergeben[164].

Das von Daniel durch "Umlesen" gelöste Rätsel besteht somit darin, daß unvokalisierte Substantive (Gewichts- oder Geldwerte) als Verben zu verstehen sind. Das heißt nicht anderes, als daß die Doppeldeutigkeit unvokalisierter hebräisch-/aramäischer Texte ihr eigener Schlüssel zu ihrer Interpretation ist[165]. "Der Grund für diese Vorgehensweise liegt wohl im Versuch, eine Schriftstelle zu aktualisieren"[166]. Diese Methode der Schriftauslegung ist übrigens schon in unmittelbar nachexilischer Zeit nachweisbar[167], aber auch nach Daniel ausgereift in talmudischer Literatur[168].

---

163 H. Bauer/P. Leander, Kurzgefaßte Biblisch-Aramäische Grammatik mit Texten und Glossar, Halle 1929, 58f.

164 Würde פרסין als Schlußwort von V. 25 im allgemeinen Sinne als "Stücke", "Teile" übersetzt werden, so wäre das Deutewort פרס in V. 28 verständlich, welches nun für פרסין steht. Vgl. Plöger, Daniel 83. - Bauer, Grammatik 59, erklärt פרסין damit, daß פְּרֵס zweimal gedeutet wird: פְּרָס und פְּרִיסַת.

165 Finkel, Pesher 359

166 Dexinger, Daniel 50. - Diese theologische Absicht des Danielautors und auch der Punktatoren hatte H. Bauer noch nicht erkannt, der meinte, daß diese "die Sache vollkommen verdorben" hätten (vgl. Menetekel 4. Deutscher Münzforschertag, Halle (Saale), Halle 1925, 29). Er liest gleich: מְנָא תְּקֵל פְּרַס.

167 Koenig, L'activité 8ff.14.37ff. - Auch Patte, Hermeneutic 55f. zum Targum.

168 Silberman, Riddle 332f. Beispiele; ders., Note 159.

Silberman[169] stellt zu dieser Passage treffend fest: "It makes little matter that the claim is made that the interpretation is revealed. In actual fact the interpretation is clearly suggested by the words and takes its departure from them".

7.5.4. Fazit

Nachdem aus Gründen der Vermeidung eines terminologischen Tohuwabohu davor gewarnt worden ist, das Danielbuch auch nur einen "Pescher implicitus" zu nennen[169a], ergaben sich schon eher Berührungspunkte in Auslegungsmethoden zwischen Daniel und 1QpHab, die aber nur zum geringsten Teil Schriftauslegungen sind: Ist die Allegorese von Träumen und Visionen nicht so deutlich im Habakukkommentar vertreten, so wird Jer 25, 11f. in Dan 9,2 schon mit der Methode ausgelegt, wie wir sie kurze Zeit später in den Pescharim und somit auch in 1QpHab wiederfinden werden, nämlich durch Ausnutzung der Mehrdeutigkeit unvokalisierter hebräischer Texte; noch deutlicher wird dieses Verfahren bei der Erklärung der Wandinschrift in Kapitel 5 des Danielbuches. Offenbar hat also an diesem Verfahren das gesamte vorklassische Judentum teilgehabt, so daß hier 1QpHab als nicht direkt vom Danielbuch abhängig erscheint. Es ist aber auf folgendes auffällige Faktum hinzuweisen: Während פשר sowohl bei der Deutung von Nebukadnezzars Traum in Kapitel 2 (V. 36: פשרה נאמר קדם-מלכא) als auch bei Daniels Vision und ihrer Deutung (7, 16: ופשר מליא יהודענני) verwendet wird, erscheint es in 5,25 wieder in einem anderen, nicht apokalyptischen Deutungskontext: Dort wird zunächst die Schrift an der Wand gelesen (ודנה כתבא די רשים), bevor die Deutung er-

---

169 ebda. 333. Hervorhebungen von mir. - Silberman hält die Einführung der Deutung der Wandschrift mit Recht für "most important" (ebda. 326), weil sie wieder den Terminus Pescher verwendet (Dan 5,26: דנה פשר-מלתא).

169a Dagegen wendet sich gleichfalls Mertens, Daniel 132.

folgt, die mit dem formelhaften Ausdruck דנה פשר - מלתא ein- geleitet wird. Diesen formelhaften Gebrauch von פשר finden wir gerade in 1QpHab an mehreren Stellen wieder (1, 2f.15; 2, 1.5 u.ö.), wenn die einer Bibelstelle nachfolgende Auslegung eingeleitet und gekennzeichnet werden soll: פשר הדבר bzw. פשרו , und eben auch in solchen Auslegungspassagen, die mit Wortspielen und anderen Lesarten operieren, z.B. 1QpHab 5, lff., aber auch in einem Fall von Allegorese (12, lff.)[170]. Dies weist nun doch auf eine direkte Übernahme vom Danielbuch hin[171] und damit auf das Bewußtsein einer ganz bestimmten, auch im Danielbuch vorhandenen Auslegungstradition sich anzuschließen. Auch Silberman[172] äussert sich im gleichen Sinne: "This same procedure (die von Dan 5) is followed in the Habakuk Pesher. The commentary is not merely juxtaposed to the lemma with but superficial relation to it. Rather does it grow out of the lemma, using literary devices to establish the connection. Of course, the commentator made the biblical text say what he wanted to, but he did so systematically". Abgesehen von der eschatologisch-apokalyptischen Ausrichtung ist auch hier "die Verwandtschaft zwischen dem Buch Daniel und dem Habakuk-

---

170 Beide Fälle wurden schon oben Kapitel 6.2.2.2. und 6.2.3.4.3.2. dargestellt.

171 Vgl. Eissfeldt, Menetekel 106 ff

172 Riddle 334. - Hervorhebung von mir. - Vgl. dazu auch M. Fishbane, The Qumran Pesher and Traits of Ancient Hermeneutics, in: Proceedings of the 6th World Congress of Jewish Studies, Jerusalem 1977, 114: "The Texts in Daniel are undoubtedly the most direct and immediate channel whereby these techniques 'affected' Qumran terminology and technique." Des weiteren stellt er ebenda fest, daß "the interpreters of Egypt and such as the ummanu, rab pišir, Zecharja, Daniel, and the teacher at Qumran, all had related functions". Allerdings kommt dabei nicht das Qumranspezifische zur Geltung (vgl. Näheres zum Stichwort unten "apokalyptischer Midrasch").

Kommentar ... mit Händen zu greifen"[173]. Sollte es überdies zutreffend sein, daß es im Danielbuch nicht so einfach ist, zwischen (Bibel-)Text und Deutung zu unterscheiden wie in den Qumranschriften[174], so bedeutet dies zweierlei:

1. In Qumran hat sich bereits eine Auslegungsgattung, nämlich der Pescher, herausgebildet, der klar zwischen Text und Deutung unterscheiden läßt.
2. Diese Auslegungsgattung erlaubt schon größere Freiheiten gegenüber dem Text, und zwar im Rahmen der späteren rabbinisch-hermeneutischen Prinzipien; diese stehen in ihrer vorklassischen Anwendung in Qumran in Funktion des Peschers, d.h. im Dienste eschatologisch-apokalyptischer Geschichtsschau, die ihrerseits dann auch "Offenbarung" ist.

Summa summarum bedeutet dies: Der 1QpHab hebt sich als Schriftauslegungswerk vom Danielbuch ab, welches seinerseits ein geschichtstheologisches Werk ist; es besteht partielle Deckungsgleichheit und sogar teilweise Übernahme in den Auslegungsmethoden, wobei aber die Präferenzen hinsichtlich der Art der Auslegungsobjekte und der -methodik[175] wiederum unterschiedlich sind. Deswegen weisen das häufige Vorkommen der Allegorese und die Zuhilfenahme des angelus interpres, der in Qumran nicht erscheint, auf eine stärkere Betonung göttlicher Offenbarung im Danielbuch hin (vgl.

---

173 Osswald, Hermeneutik 250, die allerdings nur die eschatologische Ausrichtung vom Danielbuch und von 1QpHab meint.

174 Schedl, Botschaft 43.

175 Im Unterschied zur Methode soll damit das hinter den Methoden steckende "Denksystem" sein, d.h. daß die Methoden, die im Pescher Anwendung finden, jetzt der quramspezifischen Auslegungsabsicht dienen.

(vgl. Dan 2,19[175a]: אדין לדניאל בחזוא די-ליליא רזה גלי - "dann wurde das Geheimnis dem Daniel in einer Nachtvision geoffenbart"), die in Qumran schon mit den Ergebnissen exegetischer Technik identifiziert wird[176]. Deswegen ist die (Zweit-)Offenbarung bei Daniel zum Teil "konservativer" als in den Pescharim, weswegen auch von einer "common idea of revelation" nicht gesprochen werden kann[176a].

7.6. Der rabbinische Midrasch

Es kann hier nichts wesentlich Neues zu dem oben[177] über den Midrasch Gesagten hinzugefügt werden. Auch hatten wir dort in der Pessach-Haggada, einem in chronologischer Hinsicht noch vorklassischen Midrasch[178], eine wegen Form und Struktur, aber auch gerade wegen der Aktualisierung auffallende Parallelität zu den Pescharim nachweisen können. Zwei weitere Beispiele aus dem Midraschgenus, allerdings aus schon klassischer Zeit, werden die endgültigen Beweisstücke erbringen, daß 1QpHab am ehesten noch diesem Genus zuzurechnen ist.

175a Auch hier in passivischer Konstruktion wieder die Zusammenstellung גלא und רזין; vgl. oben Anmerkung 139. - Schon von daher ist der Zugang zum רז bei Daniel und im 1QpHab nicht deckungsgleich. - Gegen Horgan, Pesharim 255f.

176 Gegen Mertens, Daniel 142. - Vgl. oben Kapitel 5.3.4.

176a Gegen J.J. Collins, Apocalyptic Vision 78. - Zu fragen wäre überhaupt nach den Kriterien zur Erfassung einer Grundvorstellung "common idea of revelation". Jedenfalls stellt Collins sie dem impliziten qumranischen Offenbarungsverständnis gegenüber: "The predominant medium of revelation at Qumran is undoubtedly the interpretation of Scripture" (ebda.).

177 Vgl. oben Kapitel 4.4.

178 Es fehlt noch der Verweis auf andere Lehrautoritäten.

7.6.1. Ein Beispiel aus Bereschith Rabba

Wie die Pessach-Haggada als ältester haggadisch-exegetischer Midrasch, so ist auch Bereschith Rabba ein exegetischer Midrasch, d.h. "eine fortlaufende, Vers-für-Vers vorgehende Auslegung des Schrifttextes"[179]. Abgefaßt ist er kurz nach der Redaktion des Palästinischen Talmuds, d.h. er hat seine gegenwärtige Gestalt in der ersten Hälfte des 5. nachchristlichen Jahrhunderts erhalten[180]. Für ihn ist der Bezug auf andere Schriftstellen typisch, welche dann in die Kommentierung des Bibeltextes miteinbezogen werden[181]. Zudem finden sich Bezüge zu allgemeinen Umständen und geschichtlichen Ereignissen des (der) Ausleger(s), "it being characteristic of the midrash to view the personages and conditions of the Bible in the light of contemporary history"[182]. Ein Ausschnitt aus Wrights herangezogenem Beispiel soll die Midrasch-Technik verdeutlichen[183]:

---

179 Weimar, Formen 137. - In Schlußkapiteln einzelner biblischer Bücher und in Psalmen fehlen allerdings oft die Auslegungen, vgl. Wright, Midrash 124.

180 Strack/Stemberger, Einleitung 260.

181 Wright, Midrash 124 f.

182 Wright, ebda. 125.

183 Wright, ebda. - Die Übersetzung wurde von Wright übernommen.

Bibelauslegung	Zweiter Bibelbezug	Bibelzitat
R. Judah said:		That they found a plain (Gen.11,2)
all the nations of the world assembled to discover which plain would hold them all, and eventually they found it. R. Nehemia observed:		They found:
thus it is written: (משלי ב)	If it concerneth the scorners He permits them to scorn (Prov 3,34)	

Ein Zitat (Gen 11,2) wird also durch einen genannten Schriftgelehrten (R. Judah) erklärt; eine zweite Autorität (R. Nehemia) greift einen Teil des Zitats ("They found") auf und erläutert ihn mit einem zweiten, anderen Bibelkontext (Proverbia 3,34 - משלי נ(אמר) - "in 'Sprüche' wird gesagt: ..."). - Diese Struktur ist uns im Prinzip schon aus 1QpHab bekannt: Ein direktes Bibelzitat wird ad hoc erklärt. Auch kann es - allerdings nicht in einem kontinuierlichen Pescher - unter Zuhilfenahme eines anderen Bibelverses erklärt werden[184]. Freilich geht im Pescher dem Hauptdeutetext[185] eine Formel mit dem Element פשר voraus; andererseits ist im Pescher der explizite Bezug auf eine Schriftauslegungsautorität nicht anzutreffen.

---

184 Wie schon aus 4Qflor I, 10 - 13 ersichtlich.

185 Damit ist der Bibeltext gemeint, der zum erstenmal erklärt wird.

7.6.2. Der 'Petirah'-Midrasch

Lou Silbermans Reserviertheit gegenüber der von Karl Elliger ins Feld geführten Sonderoffenbarung, die den qumranischen Habakukkommentator zu den Ergebnissen seiner Auslegungsbemühungen gebracht haben soll, wurde hier schon mehrmals erwähnt[186]. Abgesehen von seiner gegen das Vorhandensein einer solchen Offenbarung gerichteten Beweisführung anhand des 5. Kapitels des Danielbuches, dessen am sprachlichen Material orientierte Deutetechnik sich ganz deutlich in 1QpHab fortsetzt[187], kann Silberman auf einen Midrasch-Corpus verweisen, "whose structure is parallel to that in the Habakuk Pesher, but does not make the claim to be revealed interpretation"[188]. Silberman will mit dem Petirah-Midrasch[189] ein Instrumentarium erstellen, womit das allgemeine Pescher-Material geprüft und verstehbar gemacht werden soll.

Bei dem homiletischen Petirah-Midrasch handelt es sich zunächst um folgende Auslegungsstruktur (327): Einem auszulegenden Bibelvers folgt die Formel: "Rabbi N.N. bezog den Vers auf so und so ..." (ר' פלוני פתר קריא נ...). Dieser Bezug auf den ganzen auszulegenden Bibelvers ist nun entscheidend für die nachfolgende Auslegung einzelner Wörter oder Sätze des Zitats. Zur Verdeutlichung bietet Sil-

---

186 Vgl. zuletzt oben Kapitel 7.5.3. (Schluß).

187 Vgl. oben Kapitel 7.5.3. und 7.5.4.

188 Silberman, Riddle 327. Hervorhebung von mir. - Man beachte die wiederholte, implizite Kritik an Elligers These. - Seitenzahlen im folgenden entsprechend.

189 Dazu Bloch, Studien 264 - 269. 385 - 392. - So auch angegeben bei Silberman, Riddle 327, Anm. 8.

berman (328) folgendes Beispiel an: In Qohelet Rabba 12,1 wird der Vers "Erinnere dich also an deinen Schöpfer in den Tagen deiner Jugend" (וזכר את בוראיך בימי בחורתיך) von Rabbi Joschua ben Levi auf den Tempelberg bezogen (ר' יהושע בן לוי פתר קריא במקדש). Die Wahl des Ersten Tempels setzt den Zeitraum fest, auf den sich die nachfolgende Deutepassage bezieht. Sodann wird die Einleitung ausgeführt: "The Prophet[190] ... said to Israel, 'Remember your creator', remember who created you, while <u>your chosen ones</u>[191] still exist". Auffallend ist, daß an die Stelle des biblischen בחורתיך "deine Jugend" nun getreten ist בחוריכם "eure Auserwählten". Diese muß so verstanden werden, daß der Ausleger die vom "Propheten" getane Äußerung זכר את בוראיך בימי <u>בחורתיך</u> erst richtig versteht mit <u>בחוריכם</u> als Schlußwort[191a]. Es handelt sich also an dieser Stelle um Prophetenauslegung[191b] (genitivus objectivus). - Der Deuter fährt dann fort, die Auserwählten kenntlich zu machen und aufzuzählen: Gemeint sind mit ihnen die Priesterschaft, die Leviten, die Davidische Dynastie und das Volk Israel. Als Beweis dafür, daß diese als Auserwählte gemeint sind, wird jeweils ein entsprechender Bibelvers angeführt. Bei der nachfolgenden Auslegung[192] erhält jedes einzelne Wort oder je-

---

190 "Der Prophet" bezieht sich nach Silberman (Riddle 328) auf - gemäß der Auffassung eben dieses Midrasch - Salomo als prophetisch inspiriertem Autor von Kohelet.

191 Hervorhebung von mir.

191a Man achte auf die schrift- und aussprachemäßige Ähnlichkeit von בחורתיך und בחוריכם ! Vgl. oben Kapitel 6.2.3.4.3.2., Brownlees Prinzipien Nr. 3 und 10.

191b Dies steht so nicht bei Silberman, der nur auf folgendes hinweist (Riddle 328, Anm. 9): "It is important for the argument of this paper to recognize that 'prophet' is given a wide meaning in this text and elsewhere".

192 Silberman, a.a.O. 328: Immer noch zu Kohelet.

der Satz seine Erklärung:

"Before the sun grows dark	-	<u>this</u> is the kingship of the house of David.
And the light	-	<u>this</u> is the Thora.
And the moon	-	<u>this</u> is the Sanhedrin.
And the stars	-	<u>these</u> are the disciples of the sages.",

wobei wiederum ein herangezogener Bibelvers die Auslegung einsichtig machen soll.

Die gleiche Struktur läßt sich in 1QpHab nachweisen: Der Terminus פשר greift sich ein Wort aus dem jeweils vorangegangenen Bibelzitat heraus, mit dem der ganze Bibelvers nachträglich zu verstehen ist, und verändert es unter Umständen - so wie gerade im obigen Beispiel בחורתיך herausgegriffen und in בחוריכם verändert wurde, um bestimmten Auslegungszwecken zu dienen. Dies erscheint willkürlich und ist ohne Anhalt im Text, aber "once this specification is made, all the rest falls into line" (328).

Auch hinsichtlich der Deuteeinleitungsformeln scheinen sich Parallelen aufzutun (329). So ist in der Petirah ersichtlich, daß die Einzelauslegungen von Wörtern und Sätzen eingeführt werden mit einem spezialisierenden Demonstrativpronomen im Singular oder Plural: זו , זה oder אלה . Sie stehen als Ersatz für eine bisweilen aufgegebene Einführungsformel[193]. Nun weist Silberman auf eine Arbeit B.J. Roberts[194] hin, in der dieser ein זה in einer offensichtlichen Auslegung zu Psalm 107[195] als Synonym nicht ganz ausschließt.

---

193 Silbermans Übersetzung "when ... the special formula is absent" (Riddle 329) ist irreführend. Das Original bei Bloch, Studien 268 lautet: "wo ... von der sie ankündigenden Einführungsformel Abstand genommen ist".

194 Observations 375, Anm. 2.

195 I. Rabinowitz, The Existence of A Hitherto Unknown Interpretation of Psalm 107 Among the Dead Sea Scrolls: BA, 1951, 50 - 52.

Auch Silberman weist in diese Richtung. Im Habakukkommentar sollen Personalpronomina den Terminus פשר ersetzt haben, so bei 1QpHab 12, 2 - 5: הלבנון *הוא* עצת היחד והבהמות *המה* פתאי יהודה . Dem etwaigen Einwand, daß die bloß formal-strukturelle Übereinstimmung der Deuteeinleitungsformeln in Petirah und 1QpHab noch nichts über den tatsächlichen Gebrauch bei beiden besage, m.a.W. daß dieser Gebrauch bei beiden ganz unähnlich sein könnte, weiß Silberman zu begegnen, und zwar mit der Etymologie von פתר , das wir schon als aus der semitischen Wurzel *pšr* herkommend dargestellt haben[196] und das die akkadische Grundbedeutung des (Los-)Lösens, auf Träume bezogen, beibehalten hat[197]. In unserem Kontext besagt פתר , nunmehr in seiner Bedeutung erweitert, daß "der Erklärer ... nicht ein beliebiges Beispiel geben (will), das ihm gerade einfällt; er setzt vielmehr voraus, daß der biblische Schriftsteller, trotz der allgemeinen Fassung, doch 'von einem besonderen Falle spricht' ... und diesen will er vermitteln"[198]. Silberman[199] faßt dies so zusammen: "The interpretation is thus not to be understood as an example of the general statement, but the *originally intended meaning*". Der Wortgebrauch von פתר bzw. פשר weist also sowohl in der Petirah wie in 1QpHab auf die gleiche Grundbedeutung hin, nämlich "einen Traum lösen", d.h. ihn erklären, und beide verfahren strukturell gleich: Sie greifen sich ein Wort oder einen Versteil heraus, welches bzw. welcher dann den Fortgang der Auslegung bestimmt, die ihrerseits die *ursprünglich gemeinte Bedeutung* erfassen und wiedergeben soll. Auch fand sich bei beiden das deutende Umgestalten prophetischer Texte, die somit - nach Auffassung des Deuters - erst richtig verstanden werden.

---

196 Vgl. oben Kapitel 6.2.3.1.

197 Heinemann, Allegoristik 19f.

198 Heinemann, ebda. 19.

199 Riddle 330.

Es fehlen allerdings, wie wir schon im Vergleich mit Bereschith Rabba sahen[200], die Bezugnahme auf Lehrautoritäten und die Unterstützung durch weitere Bibelverse, soweit 1QpHab betroffen ist. Auch hat Silberman einen wesentlichen Unterschied beim Gebrauch der Deuteformeln zwischen פשׁר und den Demonstrativ-/Personalpronomen nicht gesehen: Zwar werden beide in einer Prophetendeuteschrift verwendet, aber bei unterschiedlicher Deutungsmethodik und unterschiedlichem Deutungsrang: bei der allegorischen Deutung in 1QpHab 12, 2 - 5 wird das Personalpronomen eingesetzt, auch bei der symbolischen in 1QpHab 12,7 (הקריה היא ירושׁלם - "Die Stadt, das ist Jerusalem"), ansonsten noch bei Wiederaufnahme eines Bibelzitats (z.B. 1QpHab 5,6: כיא הוא אשׁר אמר טהור ענים מראות ברע), niemals aber als Eröffnungsformel in 1QpHab unmittelbar nach einem erstmaligen Bibelzitat, also anders als in der Petirah[201]. Ein formelhaft deutendes Personalpronomen hat also nur "subalterne" Funktion in 1QpHab, weil es einzelne Worte oder Versteile auslegt; es kann also nicht wie פשׁר den Anspruch erheben, den i n t e g r a l e n Ansatz zur Dechiffrierung des kryptographierten prophetischen Traums zu liefern, insofern פשׁר den deuteintentionell spezifischen Bezugspunkt aus dem Zitat herausgreift und dann die Auslegung initiiert. In deren Verlauf deutet dann auch ein Personalpronomen gewissermaßen behelfsmäßig Teile des Zitats mit. Somit muß also der Behauptung einer "same function" von Personalpronomen und פשׁר gewehrt werden, sowohl hinsichtlich des

---

200 Vgl. oben Kapitel 7.6.1.

201 Vgl. Silberman, Riddle 329:
each of the specifications (der Petirah) ... is introduced by a demonstrative pronoun either in the singular or plural, זה זו or אלה ". - Hervorhebung von mir.

1QpHab allein wie des Vergleichs Petirah - Habakukkommentar[202].

Nur in der Grunddeutestruktur sind sich also 1QpHab und der Petirah-Midrasch gleich; ansonsten nimmt sich 1QpHab bei diesem Vergleich mit der Petirah als Midrasch noch embryonal aus. - Klarer wiederum ist die Parallelität in der Gesamtdeutestruktur zwischen der Petirah und der Pessach-Haggada: Diese hat zwar mit Daniel und 1QpHab das "Umlesen" von unvokalisierten Konsonantentexten gemein, aber darüber hinaus finden sich in dieser laufend Erklärungen mit Hilfe anderer Bibelverse, und wiederum dienen זה, זו und auch אלו als einleitende Formeln der Deutung zu einzelnen Worten[203], und dies in symbolisch-allegorischer Methodik. Die im allgemeinen feststellbare intensive Konzentration des 1QpHab auf den Text, m.a.W. der Mangel an symbolischer oder allegorischer Deutung spiegelt das unbedingte geschichtstheologische Forscherinteresse des qumranischen Auslegers wider, das er nur durch sein nicht unmethodisches Studium befriedigen konnte.

---

202 Gegen Silberman, Riddle 329. - Auch wenn זה im Pescher zu Psalm 107,12 "He humbled their heart: this is an humiliation" (vgl. Rabinowitz, Existence 52) eine Deuteformel darstellt, und auch wenn die Psalmen in Qumran für prophetisch gehalten wurden (Horgan, Pesharim 248, Anm. 78), kann bei dem fragmentarischen Material wohl kaum entschieden werden, ob es sich um partielle oder integrale Deutung handelt, d.h. ob זה hier tatsächlich ein Synonym für פשר darstellt. Auch müßte das prophetische Moment der Psalmen genau untersucht werden, so daß deren Deutung ein Pescher genannt werden könnte.

203 Die entsprechenden Passagen in der Pessach-Haggada könnten demnach, wie die Petirah, jünger sein als der 1QpHab.

7.7. Zusammenfassung

Trotz deutungsformaler Übereinstimmungen zwischen der gnostischen <u>Pistis Sophia</u> und 1QpHab ist die Übernahme des nach Carmignac fundamentalen Prinzips, nämlich die Vieldeutigkeit inspirierter Texte, vom Habakukkommentar durch die Pistis Sophia literaturgeschichtlich nicht möglich: Die aktualisierende Übertragung prophetischer Vision auf schon geschehene oder noch bevorstehende Geschichte kann nicht als <u>Denkakt</u> das Vorbild abgegeben haben für Gnosis, d.h. für Erkenntnisse, die sich auf Inhalte und Gehalte <u>außerhalb der Realwelt</u> beziehen. Somit kann die Pistis Sophia als Schriftdeutewerk nicht vom Pescher hergeleitet werden, wie auch das Umgekehrte unmöglich ist.
Das dem 1QpHab strukturgleiche Vers-für-Vers-Auslegen in der <u>Demotischen Chronik</u> darf nicht vergessen machen, daß

1. die aus dem AT stammenden Deuteeinleitungsformeln in 1QpHab ungleich komplizierter als in der Chronik sind,
2. die Deutungsstruktur nur entfernt verglichen werden kann,
3. die Allegoristik in der Chronik viel häufiger ist,
4. die Chronik ihr Deutungsobjekt nicht als kryptographierten Traum versteht, der in eschatologisch-apokalyptischer Manier auszulegen ist,
5. Mythologie und Zukunftsweissagung etwas anderes sind als Aktualisierung und Atomisierung,
6. Wortspiele in der Chronik offenbar nicht so häufig und differenziert anzutreffen sind wie in 1QpHab,
7. in der Chronik nicht deutlich wird, daß die Ergebnisse der Schriftauslegung als Offenbarung verstanden wurden.

Auch ist zu fragen, wieso eine so streng an der mosaischen Tora orientierte Gruppe wie die Qumrangemeinde sich literarische Formen und theologische Inhalte von außerhalb

Israels und ausgerechnet noch von Ägypten hätte aneignen sollen. Somit kann 1QpHab - und der Pescher allgemein - nicht aus Ägypten stammen.

Unter der wohl richtigen Voraussetzung, daß die Pescharim aus dem 1. vorchristlichen Jahrhundert stammen, also jünger sind als die Damaskusschrift, bietet 1QpHab eine konsequent und konzentriert betriebene Auslegungstechnik, die schon bekannt war und auch schon in CD (und 4Qflor) vereinzelt angewendet wurde. Dies gilt auch für die Sektenregel; 1QSb weist mit seinen haggadischen Zusätzen zu 1QS darauf hin, daß der gesamte qumranische Midrasch, wenn er vorweg so genannt werden kann, vorklassischer Natur ist.

Aus literargeschichtlichen und örtlichen Gründen liegt es näher, die Vers-für-Vers-Kommentierung des 1QpHab vom Targum abzuleiten. Dessen aramäische Kommentierung konnte vom Qumran-Kommentator wegen des "Sprach"-Vorteils der Gemeinde fallengelassen werden, d.h. 1QpHab - und der Pescher im allgemeinen - hat die Aufteilung des zu bearbeitenden Bibeltextes vom Targum äußerlich-formal übernommen, ohne dessen inhaltliches Arbeitsziel - Übersetzung mit gelegentlichem Kommentar - gänzlich zu übernehmen. M.a.W.: Der Pescher hat das inhaltlich sekundäre Arbeitsziel des Targums, den Kommentar, zum primären gemacht. Ist darüber hinaus der Targum der Vater von Midrasch und Pescher, müssen die beiden letzteren ihrerseits miteinander verwandt sein.

Literargenerisch ist deshalb der Habakukkommentar auch nicht vom Buch Daniel ableitbar; zudem ist dessen allegorische Ausdeutung von Träumen und Visionen in 1QpHab viel seltener und längst nicht so ausführlich anzutreffen. Aber die Ausnutzung der Doppeldeutigkeit unvokalisierter Texte unter Voranstellung des ursprünglich als Traumdeuteformel gemeinten דנה פשר-מלתא , was in 1QpHab übersetzt פשר הדבר

lautet, läßt auf bewußte Übernahme einer Deutetechnik schließen, die im Danielbuch auch bei einer Prophetendeutung angewandt wird (Jer 25, 11f. in Dan 9). Auch ist es wichtig, daß diese Passage in Dan 5 als apokalyptischer Midrasch klassifiziert werden konnte. Hier ist die Verwandtschaft zwischen Danielbuch und 1QpHab unübersehbar. - Dennoch bleiben deutliche Unterschiede bestehen: Der 1QpHab ist ein entwickeltes, begrenzt systematisches Schriftauslegungswerk, das Danielbuch will Geschichtstheologie bieten. Auch bei partieller Deckungsgleichheit, ja sogar bestehender teilweiser Übernahme von Auslegungsmethoden sind doch die Präferenzen in Auslegungsobjekten und -methodik bei beiden in Frage kommenden Schriften unterschiedlich: So weisen häufigeres Vorkommen der Allegoristik und des in Qumran gar nicht vorkommenden angelus interpres bei Daniel auf ein Verständnis von einer vorgängigen Offenbarung hin, wohingegen in Qumran die Ergebnisse solcher Auslegungen Offenbarungen sind.

Die Deutestruktur des 1QpHab und auch teilweise die Deuteeinleitungsformeln setzen sich in späteren, schon klassischen Midraschim fort wie auch die Anwendung rabbinisch-hermeneutischer Prinzipien und die Aktualisierung. Allerdings kommen in diesen klassischen Midraschim noch Bezüge zu anderen Lehrautoritäten und Heranziehen von weiteren, anderen Bibelversen hinzu; schließlich fehlt in diesen die radikalisierte Eschatologie, d.h. die Apokalyptik (als geistig-religiöse Bewegung) in besagter Aktualisierung.

SCHLUSS

8. Fazit: Die Gattung des 1QpHab - ein vorklassischer, weil apokalyptischer, haggadisch-exegetischer Midrasch

Beim Wort "Midrasch" wird verständlicherweise die gesamte rabbinische Geschichte von mündlicher und schriftlicher Bibelauslegung assoziiert, so daß seine terminologische Anwendung auf die qumranischen Pescharim schon immer mit Recht Gegner gefunden hat. In der Tat gemahnen die gerade oben aufgeführten Entwicklungen jüdischer Auslegungsliteratur bis hin zum klassischen Midrasch zur Vorsicht, den Pescher einfach als Midrasch zu verstehen und auch als solchen zu bezeichnen, fehlen doch noch im Pescher Mehrfachzitate von anderen Bibelstellen zu einem auszulegenden Vers, Anführungen von anderen Autoritäten der Bibelauslegung wie der Ausfall konsequent betriebener apokalyptischer Eschatologie[1]. Auch kommt noch eine weitere Schwierigkeit hinzu: "Among Midrashim, there is none which attempts the consistent application of a whole book to one set of historical events"[2]. - Die Problematik des Versuchs, die Gattung des Peschers überhaupt zu bestimmen, wird dadurch offenbar, daß die Forscher sich bislang nur an einem Kriterium orientiert haben, nämlich entweder an F o r m oder S t r u k t u r oder I n h a l t oder g e s c h i c h t l i c h e m R a h m e n ("setting") oder A u t o r s c h a f t[3]. In der Frage nun nach einer mög-

---

1 Nicht fehlt die Aktualisierung (contemporization) im Midrasch; gegen Silberman, Riddle 329; vgl. Wright, Midrash 125.

2 Rabin, Notes 148.

3 Brooke, Redefinition 483 - 503. Seitenzahlen oben entsprechend. Vgl. dort auch das Kapitel "Pesher in the history of Scholarship" 485 - 491 wie auch die Darstellung der Forschungsgeschichte zur Bestimmung der Pescher-Gattung bei Wright, Midrash 418 - 422.

lichen "Hierarchie" solcher Kriterien hält C. Brooke[4] zunächst fest: "that while it may often be the case that one factor ultimately determines the genre of a unit of literature, it may also be the case that rather than other factors being secondary, they may interact in a more complex way with such a determining factor so that it becomes impossible to order such factors hierarchically". Dafür stellt er lieber den sogenannten Primärfaktoren, wie den eben aufgezählten (Form, Struktur, Autorschaft oder historischer Rahmen), Sekundärfaktoren bzw. "innere" Faktoren zur Seite, die eine hauptsächlich stilistische Funktion haben. Den Unterschied zu den Primärfaktoren bestimmt Brooke darin, daß "one may begin to observe the difference in seeing primary factors as descriptive of and determinative of the end product of an author and secondary factors as categorizing the method used in attaining that product; thus these secondary factors may be apparent in the end product itself" (493). Sich auf Le Déauts Auffassung der exegetischen Methode als eines fundamentalen Midraschkriteriums stützend[5], zählt er deshalb die Verfahrensweise der Pescharim zu den Elementen ihrer Gattungsbestimmung. Weiterhin entscheidet sich Brooke für eine diachronische Behandlung anderer Texte zwecks Gattungsbestimmung einer bestimmten Schrift. Dieser diachronische Gesichtspunkt erlaubt die Feststellung: "there is some considerable agreement that the pesharim are in some way related to the history of textual interpretation represented in the Jewish tradition of dream interpretation" (494). Schon zuvor hatte Brooke dies als einen der wenigen Übereinstimmungspunkte innerhalb des Kreises der Pescher-Forscher festgestellt, mit der Erweiterung, daß die Pescharim von ihren Unter-

---

4 Brooke, ebda. 491 f.

5 Vgl. Le Déaut, A propos 273. - So angegeben bei Brooke, ebda. 493.

suchern auf jeden Fall zur apokalyptischen Literatur gerechnet werden (491). Für sein Unternehmen nun, den Pescher neu zu definieren, faßt Brooke zusammen: "it must be remembered especially that form and content may be inseparable primary factors, that secondary factors are involved and require discussion, and that the history of literary tradition cannot be ignored" (494).
Freilich müßten nun spätestens hier einige Fragen an Brooke gestellt werden, deren Antworten sein Vorverständnis hinsichtlich der Definitionsmöglichkeit eines literarischen Genus erhellen könnte. So müßten wir wissen, wie und woran zu erkennen ist, daß verschiedene Faktoren ein literarisches Genus bestimmen, vorausgesetzt, die Nachweisbarkeit dieser Interaktion verschiedener Faktoren ist literaturtheoretisch überhaupt erbracht. Zweitens bleibt Brookes Ausführung der hauptsächlich stilistisch wirksamen Sekundärfaktoren recht vage: Wenn diese hauptsächlich stilistisch wirksam sind, als was sind sie dann noch wirksam? Welches ist das Verhältnis zwischen besagter Stilarbeit und den "secondary factors as categorizing the method used in attaining that product (eines Autors)"? Oder sind sie als identisch zu verstehen? Auch wird nicht recht deutlich, warum sich Brooke für ein nichtstrukturalistisches diachronisches Verständnis literarischer Traditionen entscheidet: Daß in Genesis, Daniel und in den Pescharim Träume ausgelegt werden und deshalb - in diachronischer Sicht - eine literarische Tradition vorliegt, bringt wiederum Probleme mit sich: Zunächst müßte eine solche Tradition von Genesis bis Daniel nachgewiesen werden; sodann: Daß im Danielbuch Träume gedeutet werden, geht aus dem Danieltext expressis verbis hervor. Dagegen konnte durch die sprachgeschichtliche Analyse des Pescherbegriffs wie durch eine Untersuchung des Verständnisses der Prophetie im nachexilischen Judentum nachgewiesen werden, daß in den Pescharim Propheten-

visionen a l s Träume verstanden und gedeutet wurden[6]. Da also dieses Pescherverständnis als Prophetentraumdeutung nur implicite vorhanden ist, lassen sich die qumranischen Prophetenkommentare nicht einfach in eine Tradition zu Daniel stellen. M.a.W.: Die von Brooke für diesen Fall favorisierte Sichtweise, deren Favorisierung er hier nicht näher begründet, läßt nur vorsichtige und zu hinterfragende Schlüsse zu. Allerdings verabsolutiert er sie auch nicht: "the history of literary traditions cannot be ignored"[6a]. Wie steht es schließlich mit dem Verhältnis von Primär- und Sekundärfaktoren zu der Geschichte der literarischen Traditionen? Sind Form und Inhalt immer untrennbar innerhalb der Geschichte einer Gattung und in der aller Gattungen miteinander verbunden? Bleiben die Sekundärfaktoren immer sekundär?

Aber abgesehen von diesen Fragen, deren Beantwortung sicherlich eine Sonderbearbeitung erforderlich machen würde, liefert der Brookesche Ansatz eine Voraussetzung, die Beachtung verdient: die untrennbare, interaktionäre Verkoppelung von Form und Inhalt. Hatte W. Richter[7] noch der Form den Primat vor dem Inhalt gegeben mit der Begründung: "Die Form stellt das Bezugssystem des Inhalts dar, zeigt also die Grenzen, auf die sich die Aussage des Textes beschränkt", so hält Brooke dieses Verhältnis implicite für zeitweise umkehrbar, vorausgesetzt, Richter und Brooke meinen jeweils mit "Form" dasselbe. Jedenfalls muß es Brooke für möglich halten, daß der Inhalt durchaus die Form, d.h. das, worin sich der Inhalt darstellen soll, beeinflussen kann. Was nun Brooke mit "Form" als einem Primärfaktor näher meint, geht aus dem letzten Abschnitt seines Aufsatzes hervor, ein Abschnitt, der sich mit seiner Neu-Definition des Peschers befaßt: "Because we have noted that the con-

---

6 Vgl. oben Kapitel 6.2.3.4.2.3., auch 6.2.3.1.

6a Brooke, Redefinition 494.- Hervorhebung von mir.

7 Exegese 177

tent of pesher appears variable within the scope of there being biblical quotation and interpretation, it is consideration of that structural combination that we shall use to describe our primary factor, remembering all the while the ultimate inseparability of form and content" (497). Die strukturelle Kombination von Zitat und Deutung also dient zur Charakterisierung der Form als Primärfaktor, der dem Inhalt als zweitem Primärfaktor danebengehalten wird (vgl. 493). Zumindest bewegt sich Brookes Formbegriff bezüglich des Peschers in Richtung eines eigentlichen Strukturverständnisses, das er auch ausführlich an Beispielen qumranischer Literatur darlegt. Das heißt, die eschatologisch-apokalyptische Prophetenauslegung soll besagte Strukturtechnik beeinflussen können; es ist somit nicht nur diese Zitat-Auslegung-Kombination, welche die inhaltlichen Grenzen der Aussagen eschatologisch-apokalyptischer Prophetenauslegung absteckt. - Bevor untersucht werden soll, ob die von Brooke ausgewählten Beispiele dies bestätigen, vor allem, was die Gleichsetzung von Form und Inhalt als Primärfaktoren für die Pescher-Genus-Bestimmung hergibt, soll die Ergiebigkeit der Sekundärfaktoren für selbige Gattungsbestimmung anhand von Brookes Aufsatz geprüft werden.
Die Aufgabe besagter Sekundärfaktoren - als solche natürlich nicht im Bewußtsein des qumranischen Autors - ist nach Brooke, "that both God and the Teacher of Righteousness wanted both biblical text and interpretation to be understood and accepted by a particular audience" (494). Dazu dient beispielsweise die Anwendung der Gezerah Schawah in CD 7, 13 - 18: Die beiden Amos-Teilzitate והגליתי את סכות מלככם und והקימותי את סוכת דוד (Am 5, 26 und 9, 11), deren ersteres - nach Meinung des CD-Autors - die Rettung der Gottestreuen durch Flucht in den Norden voraussagt, sind durch סכות bzw. סוכת verbunden und erlauben deshalb ein allegorisches Verständnis der Hütte des Königs (סוכת המלך - CD 7, 16 f) als der Bücher des Gesetzes (ספרי התורה -

Z. 15), deren Studium Aufgabe eben der Gottestreuen ist.
- In der gleichen Stelle finden sich noch mehrere Sekundärfaktoren am Werk. Heißt es im massoretischen Text zu Beginn von Amos 5, 27 והגליתי אתכם , so hat nach Brooke der qumranische Autor אתכם als Notarikon aufgefaßt, und zwar für den in Amos vorangehenden Vers 26, der andererseits in CD 7, 14 f. dem והגליתי folgt: והגליתי את סכות מלככם ואת כיון צלמיכם. Außerdem ist das והגליתי אתכם מהלאה לדמשק "über Damaskus hinaus" in Amos 5, 27 in CD 7, 15 verändert worden zu מאהלי דמשק "von den Zelten Damaskus' weg", oder, wie Brooke in einer anderen Lesart übersetzt "von meinem Zelt nach Damaskus".
Schließlich sei, bevor auf ein Beispiel eines Sekundärfaktors in den Pescharim verwiesen wird, auf das Verfahren der Mehrfachlesung eines unpunktierten hebräisch-/aramäischen Wortes in 4Qflor 1, 10 - 13 aufmerksam gemacht, ein Verfahren, das wir schon im Danielbuch[7a] und in 1QpHab[7b] antrafen und das im rabbinischen Sprachgebrauch מעל genannt wird[8]. In 4Qflor 1, 11 wird 2. Sam. 7, 11 - 14 erklärt mit הואה צמח דויד. Als Bekräftigung dazu folgt nun Z. 12 ein Zitat von Amos 9, 11 והקימותי את סוכת דויד, wo eindeutig סוּכַּת "Hütte" gemeint ist; der Autor von 4Qflor liest aber סוֹכַת "Zweig", was eben die Auslegung "Sproß Davids" (צמח דויד) bestätigt: היאה סוכת דויד ("das der Zweig Davids": Z. 12)[9].
Auch für die Pescharim stellt Brooke Sekundärfaktoren fest (496). Dazu rechnet er midraschische Techniken, wie

---

7a Vgl. oben Kapitel 7.5.3.

7b Vgl. oben Kapitel 7.2.3.4.3.2., Brownlees 3. hermeneutisches Prinzip.

8 vgl. die entsprechenden Beispiele bei Silberman, Note 159.

9 Jedenfalls liest so Silberman, Note 158f. - Anders: Lohse, Texte 257.

wir sie hier schon in Gestalt Brownlees 13 rabbinisch-hermeneutischer Prinzipien kennengelernt haben, nämlich Allegoristik, dual reading, Spielen mit mehreren Bedeutungen eines Wortes, Wortaufteilung. Aus dem allgemeinen Konsens - Brooke führt dies nicht näher aus - hinsichtlich der Zugehörigkeit dieser Midraschtechniken sowohl zu rabbinischen wie zu qumranischen Quellen folgert Brooke: "the discerning of such devices alone cannot be the determining factor in any generic description of the pesharim" (496), was Silberman, in die gleiche Richtung gehend, auch schon festgestellt hatte: Die Anwendung midraschischer Exegese in den Pescharim stellen keine hermeneutischen, in Regeln gefaßte Techniken dar[10], sind also nicht, wenn Silberman korrekt verstanden wird, einem Pescher-Konstitutiv gleichzusetzen; erst recht sind sie nicht ein Pescher-Spezifikum. Zudem ist es bisweilen unmöglich, genau festzulegen, welche Midrasch-Technik gerade Anwendung findet[11]. Somit ist die Kennzeichnung der im Pescher angewendeten midraschischen Techniken als Sekundärfaktoren durchaus gerechtfertigt. Deswegen urteilt Brooke abschließend zu diesem Problemkreis: "Such a variety of possibilities allows no precision in the use of midrashic techniques for generic definition for we are far from knowing what limits were imposed on the use of such devices and therefore of knowing amongst other things whether the passage concerned could fall within the category of valid interpretation. And yet these characteristics remain functional in generic definition when considered alongside a primary factor" (497). - Als nächstes gilt es, der Effektivität der primär-faktoralen Strukturkombination von Zitat-Auslegung nachzuspüren, wobei der innerhalb die-

---

10 Silberman, Riddle 333.

11 Vgl. das von Brooke herangezogene Beispiel Brownlees, der für 1QpHab 7,3-5 gleich sechs Anwendungsmöglichkeiten midraschischer Techniken bereithält (Redefinition 497).

ser Kombination variable Inhalt des Peschers untrennbar von eben dieser Kombination ist, ja mit ihr interagiert[12]. – Als Beispiel sei Brookes Untersuchung von 1QpHab 12,1-10 übernommen. Zunächst wird Hab 2,17 in dieser Pescher-Passage zitiert:

כיא חמס לבנון יכסכה ושוד בהמות יחתה מדמי
אדם וחמס ארץ קריה וכול יושבי בה. (11, 16/12, 1)

Es folgt eine zweigeteilte Auslegung des Verses; ihr erster Teil bezieht sich auf den gottlosen Priester, womit der Habakukdeutung eine erste Ausrichtung gegeben wird:

פשר הדבר על כוהן הרשע (Z. 2)

Diese Deutungsrichtung wird näher begründet, zunächst mit der Heimzahlung am gottlosen Priester:

לשלם לו את גמולו אשר גמל על אביונים, (Z. 2f)

sowie mit der Erklärung von Libanon und Vieh als der Gemeinde:

כיא הלבנון הוא עצת היחד והבהמות המה פתאי יהודה (Z. 3f)

Schließlich wird die Heimzahlung am gottlosen Prieser selber begründet:

אשר ישופטנו אל לכלה כאשר זמם לכלות אביונים. (Z. 5f)

Der zweite Teil der Auslegung bezieht sich auf die Städte; zu diesem Zweck wird ein Teil des Zitats mit vorausgehender Einleitungsformel und nachfolgender Deuteformel wiederholt:

ואשר אמר מדמי קירה וחמס ארץ פשרו. (Z. 6f)

Sodann folgen zwei Städteidentifikationen, die jeweils näher erklärt werden:

הקריה היא ירושלם אשר פעל בה הכוהן
הרשע מעשי תועבות. יטמא את מקדש אל (Z. 7-9)

und: וחמס ארץ המה ערי יהודה אשר גזל הון אביוגים. (Z. 9f)

---

12 Brooke, Redefinition 492.

Wie bei anderen von ihm beigebrachten Beispielen zu 1QpHab[13] hebt Brooke die Basisstruktur <u>Zitat - Auslegung</u> hervor. Aber er bemerkt auch Unterschiedlichkeiten in der Auslegungstechnik, sowohl innerhalb des ersten größeren Interpretationsteiles, der gerade hier wiedergegeben wurde, als auch innerhalb der Gesamtdeutepassage. So sind die Deuteerklärungen zur vorangegangenen Deuteidentifikation mit dem gottlosen Priester in Form abhängiger Sätze gehalten, die unterschiedlich, nämlich mit לשלם, כיא und אשר beginnen. Nachdem aber ein Zitatteil noch einmal vom qumranischen Autor aufgegriffen worden ist (1QpHab 12, 6f), erfolgt die Auslegung dergestalt, daß die darin ausgesprochenen Städteidentifikationen als "Gleichungsmerkmal" ein Personalpronomen haben: הקריה <u>היא</u> ירושלם bzw. וחמס ארץ <u>המה</u> ערי יהודה. Wir hatten diese Art Deutung als symbolische bzw. allegorische gekennzeichnet[14]. Aber auch hinsichtlich des Deuteterminus פשר zeigen sich Differenzierungen: In 1QpHab 12,2 bezieht sich פשר הדבר auf den ganzen Vers 17 des 2. Kapitels von Habakuk. Wie darauf nochmals ein Teil dieses Zitats gesondert ausgelegt werden soll, wird wiederum der Terminus פשר verwendet, allerdings in der Form פשרו (1QpHab 12,7). Brookes Kommentar "It may be the case that the formulae in 1QpHab XII,2 (PŠR HDBR ^{c}L) and in XII,7 (PSRW) cover the whole of their respective interpretations" (501) trifft sich mit unseren Feststellungen - jedenfalls bewegt er sich in die gleiche Richtung -, daß der Deuteterminus פשר den integralen Ansatz zur Dechiffrierung des kryptographierten Prophetentraums bereitstellt, indem er den deuteintentionell spezifischen Bezugspunkt aus dem Zitat herausnimmt und damit die Auslegung ansetzt. Aber eine gewisse Reserve ist in der Fortführung des Zitats bei Brooke

---

13 Brooke, ebda. 499f.: 1QpHab 6, 8-12; 6, 2-5.

14 Vgl. dazu oben Kapitel 6.2.2.

gleichfalls angekündet: "but even allowing that that may be so, there is some variety in the handling of the biblical material in this section of 1QpHab" (ebda.). Brooke spricht nicht von einer subalternen Deutefunktion der identifizierenden Personalpronomina.
Aber letzteres fällt auch nicht so sehr ins Gewicht wie die entscheidende Frage, ob anhand dieses Beispiels die Untrennbarkeit von Form und Inhalt (494) nachgewiesen, d.h. die Bestimmung der Pescher-Gattung anhand zweier gleichrangiger Kriterien - und nicht nur eines, wie sonst üblich in der traditionellen Forschung - geleistet werden kann. Dazu müßte man aufweisen, daß nicht nur die Form, also die strukturelle Kombination Zitat - Deutung, den Inhalt bestimmt, d.h. die eschatologisch-apokalyptische Weltsicht des qumranischen Autors gleichermaßen die Abfolge dieser strukturellen Zitat-Deutekombination bewirkt.
In der Tat ist letzteres nachweisbar, allerdings nur mit Hilfe einer psychologisierenden Argumentation, die freilich ihrerseits schon in der Behauptung einer Wirkmächtigkeit des Inhalts auf die Form implicite vorhanden ist: der Ausleger unterbricht im Rahmen von 1QpHab 12, 1-10 nämlich seine Auslegung, um einen Teil des vorangestellten Zitats (1QpHab 12,1) noch einmal auszulegen (12, 6-10), so sehr ist ihm am rechten Verständnis von Hab 2,17 gelegen.
An diesem Beispiel nachgewiesen, hätte sich Brookes Ansatz als fruchtbar erwiesen. Freilich ist er nicht universal auf den Pescher anwendbar, denn längst nicht alle Passagen des 1QpHab werden teilweise doppelt ausgelegt. Dennoch hat er für die Stellen 1QpHab 5, 6f.; 6, 2-5; 7, 3ff.; 9, 2-7; 10, 1-5 und 12, 6-10 Punkte für sich gesammelt, so daß wenigstens herausgestellt ist, daß hinsichtlich der spezifischen Gattung des Peschers die Form alleine dem Inhalt gegenübergestellt kein ausreichendes Kriterium zur literarge-

nerischen Bestimmung sein kann[14a]. Schließlich stellt Brooke[15] auf dem Hintergrund der Zugehörigkeit des Qumranpeschers und insbesondere des 1QpHab mit seinen spezifischen Inhalten zur Literatur der Traum- und Visionsinterpretation R. Blochs Definition des klassischen Midrasch[16] bereit, eine vergleichende Charakterisierung, die hier, teilweise selbständig ergänzt, schematisch dargestellt werden soll:

	Klass. Midrasch	Pescher ('continu')
Ausgangspunkt	Schrift	Schrift (Propheten)
Inhalt	Schrifterklärung	Schrifterklärung
Inhaltsvermittlung (Stil)	eschatologisch-(messianische) Schriftaktualisierung	eschatologisch-apokalyptische Schriftaktualisierung
Ertrag (Ziel)	Homilie, Halacha, Haggada	Haggada
Methode	klassisch-rabbinische Exegese (Midoth, Verweise auf Auslegungsautoritäten, Heranziehung weiterer Bibelverse, Hinweis auf angewandte Auslegungsmethode), Atomisierung	vorklassische Exegese (keine Autoritäten, keine weiteren Bibelverse, kein Hinweis auf jeweils angewandte Methode), Atomisierung
Struktur	Vers-für-Vers Kommentierung[16a]	Vers-für-Vers Kommentierung

Dieses Schema verdeutlicht, daß die auffälligsten Unterschiede bei beiden Gattungen im Bereich der Inhaltsvermittlung (der 1QpHab aktualisiert den Propheten Habakuk eschatologisch-apokalyptisch) und der Auslegungsmethode liegen

---

14a Vgl. Wrights Aufzählung der Befürworter und Gegner der Einordnung des Peschers als eines Midraschs (Midrash 418ff).

15 Redefinition 501f.

16 Midrash 1265 - 1267.

16a Diese Vers-für-Vers Kommentierung trifft so nur für den haggadisch-exegetischen Midrasch zu (vgl. Weimar, Formen 137.142).

(der Pescher exegesiert noch vorklassisch). Das heißt, der Pescher weist noch zwei Merkmale sekundärfaktoraler Natur - um die Brookesche Terminologie beizubehalten - auf, die der klassische Midrasch aufgegeben hat. Daraus ergibt sich als erste wichtige Schlußfolgerung: Der Pescher ist k e i n k l a s s i s c h e r M i d r a s c h . Aufgrund der Übereinstimmungen aber in den wichtigsten Primärfaktoren mit dem klassischen Midrasch (Ausgangspunkt, Inhalt, Auslegungsstruktur) ist er wenigstens ein v o r - k l a s s i s c h e r M i d r a s c h : Was ihn vom klassischen Midrasch unterscheidet, ist nicht die Textstruktur und weniger die exegetische Methodik, sondern die eschatologisch-apokalyptische Inhaltsvermittlung[17], d.h. stilistisch-inhaltsmäßig ist der Pescher weiter vom klassischen Midrasch entfernt als textstrukturell. Hier würde Silbermans[18] Aussage - allerdings mit anderen, hier erstellten Voraussetzungen[19] - zutreffen: "This suggests, that the Midrashim are farther removed from Daniel than is the Pesher. It may well be that the latter lies athwart a line of development leading from the midrashic presuppositions already at work in Daniel to the formal structure of the Petirah".

Mit diesem unseren Wissen um den Pescher lassen sich auch die Argumente der Erforscher der qumranischen Prophetenkommentare im Für und Wider des Peschers als einem Midrasch

---

17 Dies hatte schon Roberts zu Zeiten der frühen Qumranforschung erkannt: "The Habacuc commentary ... is the prime example of interpretation according to the principles of apocalyptic exegesis" (Dead Sea Scrolls 78. Hervorhebung von mir).

18 Riddle 329. Hervorhebung von mir. - Daß die Pescharim eine Midraschform darstellen, bestätigt auch G. Porton, Midrash 128.

19 Dazu gehört vor allem die Anerkenntnis von Aktualisierung im klassischen Midrasch und der Funktionsunterschied zwischen den Deuteformeln פשׁר und זה (אלה, זו).

widerlegen oder korrigieren bzw. ergänzen oder bestätigen, denn die Frage: "Ist der Pescher ein Midrasch oder nicht?" war schon immer die falsche Alternative[20].

So müßte M. Burrows[21] darauf hingewiesen werden, daß der Midrasch nicht nur eine homiletisch-erbauliche Ausweitung eines biblischen Buches ist; die Haggada, die Homilie umfassend, vermag auch den Bibeltext zu aktualisieren, um die Gegenwart des auslegenden Autors von ihm her zu erklären. Eine solche Auslegungsabsicht hat nun auch der 1QpHab, weswegen er nicht nur einfach ein Kommentar im Sinne literarisch-theologischer Erklärungen ist. - J. L. Teicher[22] charakterisierte den Pescher richtig als apokalyptisches und deswegen nicht dem klassischen Midrasch zuzurechnendes Auslegungswerk, übersah aber die Gemeinsamkeiten mit dem klassischen Midrasch, hinsichtlich der Schrift als Ausgangspunkt der Schriftauslegung, des Ertrags, der teilweisen Methodengleichheit und der Struktur. - G. Vermes[23] mußte dahingehend korrigiert werden, daß der Pescher keine Paraphrase des biblischen Textes darstellt: Zuweilen setzt er den zu deutenden Text mit leichten Änderungen voraus, welche die nachfolgende Deutung stützen können[24]. Dadurch, daß Zitat und Deutung im Pescher klar unterscheidbar sind, hat dieser durchaus etwas mit dem klassischen Midrasch gemein. Die Deutungspassagen selbst enthalten zudem moralische und religiöse Geschichtslehren, wenn sie es nicht sogar sind. Daß sich eben die klassischen Midraschim a u c h an ex-

---

20 Vgl. im folgenden Wrights Auflistung in ders., Midrash 418ff.

21 Schriftrollen 174

22 The Dead Sea Scrolls - Documents of the Jewish-Christian Sect of Ebionites: JJS 2, 1951, 76

23 Commentaire 344f.

24 Rein äußerlich gesehen müssen sie es aber nicht, wie es im Falle der (wahrscheinlichen) dual readings ersichtlich ist.

egetischen Methoden, Aktualisierung und Atomisierung orientieren, und nicht nur "oft" bibeltextunabhängige literarische Entwicklungen darstellen, rückt sie gerade in die Nähe des Peschers[25]. - K. Elliger[26] hatte darin recht, daß die Pescherstruktur weniger detailliert und entwickelt ist als diejenige des klassischen Midrasch, nicht aber mit seiner hier und anderswo widerlegten Behauptung[27], die Pescherauslegung leite sich nicht wesentlich vom Bibeltext ab, sondern stünde in ihrer fixierten Tradition "neben dem Text". - C. Roth[28] übersah deutlich, daß der Pescher nicht nur biblische Prophezeiungen auf des Pescherautors Gegenwart anwendet, sondern daß gerade dadurch der biblische Text selbst wieder erhellt wird[29]. A. Dupont-Sommer[30] verkannte den Midrasch, wenn er ihn als ein rein literarisch-imaginäres Konstrukt definierte; ebenso übersah er seine Aktualisierungspraxis, weswegen er Pescher und Midrasch radikal voneinander trennte[31]. - Carmignac[32] war offenbar noch nicht bewußt, daß den biblischen Prophetentexten nach qumranischer Auffassung kein symbolischer, sondern ein den zukünftigen Geschichtsverlauf verborgen enthaltender eschatologischer Wert zukommt. - Daß I. Rabinowitz[33] kategorisch

---

25 Vgl. etwa Wrights Beispiel zu Bereshit Rabba 17,3 in ders., Midrash 125f.

26 Studien 163 - 164.

27 Vgl. oben Kapitel 6.2.3. bzw. Silberman. Riddle 324 - 335; vgl. auch Brownlee, Biblical Interpretation 54 - 76.

28 The Subject Matter of Exegesis: VT 10, 1960, 51 - 52.

29 Schwarz, Damaskusschrift 90.

30 Essene Writings 280 f. 310.

31 Daß auch der rabbinische Midrasch aktualisiert, hatte ja schon Wright, Midrash 456, nachgewiesen.

32 Les textes de Qumran, vol. II, Paris 1963, 46.

33 Pesher/Pittaron 231.

behauptete: "neither in method nor in form is Pesher any kind of midrash, as familiar to us from Rabbinic literature", stützte sich auf sein verengtes Verständnis von als "presaged reality" und mußte deshalb in die Irre führen. Als nächstes gilt es, die Argumente derer zu verfolgen und zu prüfen, die den Pescher eindeutig zum Midrasch zählen. W.H. Brownlee[34] klassifiziert die Exegese des 1QpHab als "wesenhaft midraschisch", wobei die Grundvoraussetzung für die rechte literargenerische Einordnung der "approach to the Biblical text" ist. - Hier müssen aber auch Parallelen grundsätzlicher Art hinsichtlich der literarischen Form beachtet werden, man vergleiche etwa Bereschith Rabba. - I. L. Seeligmann[35] und M. Delcor[36] heben die Aktualisierung der Pescharim hervor; R. Bloch[37] stellt der Aktualisierung noch den Gebrauch midraschischer Techniken im Pescher zur Seite; Silberman[38] faßt alle drei Genannten zusammen und weist ergänzend auf die midraschische Textstruktur hin. - A. Michel[39] hält den Pescher für einen Midrasch, weil der Autor die für ihn gegenwärtige Geschichte im Licht der älteren biblischen Geschehnisse auslegt. Dem geht die Transponierung der Vergangenheit in die Gegenwart voraus, womit

---

34 Biblical Interpretation 76.

35 Voraussetzungen 171, Anm. 1.

36 Essai sur le Midrash d'Habacuc, Paris 1951, 77. - Andererseits wendet sich Delcor eindeutig gegen eine Zuordnung des 1QpHab zur Midraschgattung: "les auteurs ont désigné à tort notre écrit sous le nom de Midrash d'Habacuc"; vgl. ders., Les Pesharim ou les Commentaires qumraniens, in: Art. Qumran, in: SDB 9, 1973 - 79, 905.

37 Midrash 1277.

38 Riddle 323 - 364.

39 Le Maître de Justice d'après les documents de la Mer Morte, la littérature apocryphe et rabbinique, Paris 1954.

der qumranische Autor aktualisierend arbeitet. Allerdings bezeichnet Michel[40] den Habakukpescher irrigerweise als allegorisch-historischen Midrasch, dessen hermeneutische Regeln nur selten deutlich wären. Als Regeln stricto sensu sind sie dies in der Tat nicht, aber die Anwendung rabbinisch-exegetischer Methoden ist überall in 1QpHab nachweisbar, und gerade die Allegorie ist spärlich nur vertreten. Zu seiner Einordnung des 1QpHab als einem Midrasch - welcher Art auch immer - war Michel[41] noch auf dem richtigen Wege als er schrieb: "Si par midrash on entend toute étude ou interprétation de la Bible (ce qui semble bien être le sens primitif du mot), il est certain que le pésher d'Habacuc peut être appelé ainsi". - J. T. Milik, J. M. Allegro und J. van der Ploeg sprechen von einem qumranspezifischen Midrasch (Milik[42]: "synonyme de commentaire"; Allegro[43]: eschatologische Midraschim"; van der Ploeg[44]: "midraš-pešer"). - F. Daumas[45] erkennt in den Pescharim echt midraschische Suche nach verborgenen Schriftbedeutungen. - W. R. Lane[46] schließlich spricht von "Midrasch" nur beim komplexen Peschertypus nach Art von 4Qflor, allerdings ebenfalls im qumranspezifischen Sinn wegen seiner messianischen und eschatologischen Ausrichtung. Die Begründung dieser Spezifizierung wurde aller-

40 Ebda. 28.

41 Ebda. 26.

42 Fragments d'un midrash de Michée dans les manuscrits de Qumran: RB 59, 1952, 413, Anm. 4.

43 Fragments of a Qumran Scroll of Eschatological Midrashim: JBL 78, 1958, 350.

44 Le rouleau; ders., Les manuscrits de Désert de Juda. Livres récents: BO 16, 1959, 163.

45 Littérature 204f.

46 New Commentary Structure 346.

dings schon zu Recht von Silberman[47] kritisiert: "While Lane is correct in defining 4Qflorilegium as a midrash, his suggestion that it might be distinguished from rabbinic midrash because of its messianic, eschatological orientation is irrelevant, for the same interest is found in some if not in all rabbinic midrashim".
Was Silberman nur selbst übersehen hatte, ist der kaum ins Gewicht fallende Gebrauch apokalyptischer Eschatologie in der rabbinischen Literatur[48] als unterscheidendes Kennzeichen zwischen Pescher und Midrasch. Hinzu kommt, daß die rabbinische Eschatologie nicht wie in Qumran und in der frühchristlichen Literatur von Krise und Bedrückung der letzten Tage geprägt ist[49]. Stattdessen hob Silberman[50] ja das angebliche Fehlen der Aktualisierung im Midrasch hervor. Aber mit seinen Beobachtungen der Aktualisierung, der midraschischen Auslegungstechniken wie der midraschischen Textstruktur im Pescher war er bis zu seiner Zeit der Lösung der Gattungsfrage noch am nächsten gekommen. Brownlee[51] vermochte schon 1951 mit einer neuen Formulierung aufzuwarten: "Midrasch Pescher". Dieser ist hinsichtlich der Exegese mit dem rabbinischen Midrasch verwandt, aber in Stil und Inhalt von ihm zu unterscheiden.
- Diese Thematik greift Brownlee[52] 1979 nochmals auf. Er bleibt dabei, daß der (Habakuk-)Pescher zunächst einmal wegen der in ihm angewandten exegetischen Techniken der Linie des Midrasch zuzurechnen ist und er, Brownlee, deswegen auch von "Midrash Pesher" spricht. Aber er betont

---

47 Riddle 329, Anm. 10.

48 Vgl. hierzu beispielsweise A. Saldarini, The Use of Apocalyptic in the Mishna and Tosephta: CBQ 39, 1977, 396 - 409.

49 Miller, Targum 52.

50 Riddle 329.

51 Habakkuk Midrash 179, Anm. 38.

52 Midrash Pesher 23 - 36.

auch die "charismatische Begabung des Auslegers", die ihn befähige, die "mysteries of the words of His (d.h. Gottes) servants the prophets" zu erkennen[53]. Hier zeigt sich, daß Brownlee nicht die Bedeutung von רזים als eschatologische Ratschlüsse erkannt hat und ebensowenig, daß die Aktualisierung das Kennzeichen des Midrasch ist. Höchst verdienstvoll ist aber zweifelsohne der Hinweis, daß sich Midrasch-Exegese und eschatologische Interpretation nicht ausschließen[54]. Es ist nämlich von daher nur ein Schritt, um zu schlußfolgern, daß dies dann auch für das Verhältnis von Midrasch-Exegese und Apokalyptik als radikalisierter/mythologisierter Eschatologie gilt. Wichtig ist auch Brownlees[55] Hinweis auf die unübersehbare strukturelle Verwandtschaft zwischen Pescher und Targum. - K. Stendhal[56] übernahm diese frühe Bezeichnung des Peschers von Brownlee, um den Pescher wegen seiner "realistischen Natur" dem Midrasch rabbinischer Provenienz an die Seite zu stellen, andererseits aber um ihn wegen seines sektiererischen Charakters eben von diesem abzurücken. - P. Grelot[57] sieht den Unterschied des Peschers zum Midrasch darin, daß er anders als Haggada und Halacha prophetische Schriften aktualisiert, womit deren Erfüllung in der jüngsten Vergangenheit und Gegenwart aufgezeigt wird und

53 Brownlee, ebda. 30.

54 Brownlee, ebda. 31.

55 Brownlee, ebda. 34. - Vgl. auch ders., Background 187

56 School 184.

57 L'interprétation catholique des livres saints, in: A. Robert/A. Feuillet (Hg.), Introduction à la Bible, Tournai 1957, 175.

zukünftiges Geschehen daraus abgeleitet werden soll[58]. - Einen höchst wichtigen Hinweis für die Bestimmung des (Habakuk-)Peschers als Midrasch gibt A. M. Habermann[59]: die Wurzeln פשׁר und פתר bezögen sich in alten Büchern nicht auf die Erklärung von Wörtern nach Art eines Kommentars, sondern auf die Erläuterung einer dunklen Stelle in einem Prophetenbuch.

Wright[60] selbst entscheidet sich dafür, daß der Pescher zum Midrasch-Genus gehört: "simply because the pesharim actualize biblical texts, make them meaningful for the sect, and show where the secrets are to be found in the Scriptures. The biblical text is the point of departure throughout the material and that for the sake of which the pesher exists, and that is sufficient to make it midrash. Moreover, the striking similarity in structure, method and

---

58 Daß die Pescharim prophetische Schriften auslegen, ist ein weiteres auffallendes Unterscheidungsmerkmal zum rabbinischen Midrasch, wiewohl auch z.B. Pesiqhten sich mit den Propheten befassen, die auch im Jalqut Shimʾoni behandelt werden; die Konzentration auf die Prophetenauslegung in den Pescharim wird vom qumranischen Selbstverständnis her klar: Im Lehrer der Gerechtigkeit ist die Prophetie nicht nur wieder erwacht und hat nicht nur ihre Erfüllung gefunden, vielmehr wird die klassische Prophetie jetzt erst richtig durch den Lehrer verstanden, und zwar gerade in den Pescharim. Diese durchlaufen in ihrem Auslegungsgang die ganze Aktualgeschichte, um die heilsgeschichtliche Stellung der Qumrangemeinde in ihr auszuloten und bestätigt zu finden, und deswegen ist der Pescher ein Midraschwerk, welches "attempts the consistent application of a whole book to one set of historical events" (zu Rabin, Note 148). Entscheidend für das Verständnis der Pescharim als vorklassischen Midraschim bleiben Schriftbehandlung und -aufteilung.

59 פרוש ענייץ סתום ולא פרוש מלים לאחד מספרי הנביאים. - ᶜEdah we-Eduth. Three Scrolls from the Judaean Desert: The Legacy of a Community. Edited with Vocalization, Introduction, Notes and Indices, Jerusalem 1952 (hebr.), 39. Hervorhebung von mir. - So angegeben und übersetzt, in: Chamberlain, Interpretation 125.

aim between the pesher and the petirah found in the later midrashim confirms the judgement that the pesher stands in the midrashic tradition".

Nachdem also die literarische Gattung des Peschers allgemein und des 1QpHab im besonderen mit seinen spezifischen eschatologisch-apokalyptischen Inhalten geklärt wäre, käme es jetzt noch darauf an, den Pescharim einen genauer qualifizierenden Namen zu geben. Die von Brownlee vorgeschlagene Version "midrash pesher" stellt den 1QpHab unter Umständen außerhalb der Haggada als sämtlichem nichtgesetzlichen Auslegungsmaterial und ist deswegen nicht gerechtfertigt, oder "midrash pesher" ist eine Tautologie[61]. Die Bezeichnung "Pescher" sagt nicht viel aus, wenn sie alleine genommen wird; sie erweckt wiederum nur alte irreführende bzw. vage Assoziationen wie "Midrasch", "politisches Pamphlet"[62], "Traumdeuteliteratur" oder "Prophetenauslegeschriften"; zudem geht aus ihr alleine nicht die wichtige Unterscheidung zwischen "pesher continu" und "discontinu" oder "thématique" hervor[63]. Zieht man all dies in Erwägung, könnte man durchaus dem Vorschlag Brookes folgen, die qumranischen Prophetenkommentare und damit den 1QpHab aufgrund ihrer Verbindung von strukturellen Primärfaktoren (Kombination Zitat - Deutung; Reziprozität Form - Inhalt) und methodischen Sekundärfaktoren (vorklassische rabbinische Exegese, Atomisierung, eschatologisch-apokalyptische Aktualisierung) als QUMRAN-MIDRASCH zu bezeichnen: "the Qumran commentaries (will) be seen as an example of early Jewish midrash because

---

60 Midrash 421.

61 So Brooke, Redefinition 502.

62 So M. Sukenik, Megillot genuzot, Jerusalem 1950, 86. - So angegeben bei Vermes, Commentaire 344.

63 Vgl. Brooke, Redefinition 502. - Gegen: Wright, Midrash 422.

of their structure and their method. So pesher as commonly understood is no more than a sub-genre, and it may well be preferable to drop the word and its associated complications that are too often forgotten, and to talk rather of Qumran Midrashim which contain 'fulfilment interpretation of prophecy' whilst insisting upon their connection with the midrashic traditions of dream interpretation"[64].

9. Zusammenfassung

Der 1QpHab - und damit auch die anderen qumranischen Prophetenkommentare ("Pescharim") - ist ein frühjüdischer Midrasch.

Er ist kein klassischer Midrasch; weder aktualisiert er eschatologisch-messianisch noch wendet er klassisch-jüdische exegetische Regeln (Verweis auf Lehrautoritäten, Hinzuziehen weiterer Bibelverse, deutliche Hinweise auf angewandte Methoden) an.

Gemein hat er mit dem späteren klassischen Midrasch: den Ausgang von der Schrift, die Schrifterklärung als Inhalt, die Schriftaktualisierung, Haggada als Ertrag, exegetische Textbearbeitung und Atomisierung, die Vers-für-Vers Kommentierung als Struktur.

Er unterscheidet sich vom späteren klassischen Midrasch durch Anwendung noch vorklassischer jüdisch-exegetischer

---

64 Brooke, ebda. 503. - Erste Hervorhebung von mir. - Die Bezeichnung 'Qumran Midrash' hatte Wright, Midrash 422, schon 1966 u.a. vorgeschlagen: "Perhaps the terms 'Qumran' or 'Essene' midrash could express the secondary differences", womit er midraschische Methode, Sekten-Spezifika und Inhalt meinte (Wright, ebda.).

Regeln[65] wie durch eine noch eschatologisch-apokalyptisch ausgerichtete Aktualisierung.

Er ist deswegen ein kombinatorischer, d.h. (vor)klassisch-jüdische Exegese mit apokalyptisch geprägter Aktualisierung verbindender, haggadisch-exegetischer Midrasch (oder anders formuliert: das Spezifikum des 1QpHab ist die Kombination vorklassischer Midraschtechniken mit apokalyptisch aktualisierender Prophetenauslegung).

1QpHab gehört somit zum Qumran-Midrasch (früher: "Pescharim"), der eine Untergattung der allgemeinen Midrasch-Gattung darstellt.

65 Vgl. oben Kapitel 6.2.3.4.3.2. (Brownlees 13 hermeneutische Prinzipien).

LITERATURVERZEICHNIS

1. HILFSMITTEL

JERUSALEMER BIBEL — Deutsche Ausgabe mit Erläuterungen, herausgegeben von D. ARENHOEVEL, A. DEISSLER, A. VÖGTLE, Freiburg-Basel-Wien [16]1981.

DAS ALTE TESTAMENT — Hebräisch-Deutsch, Biblia Hebraica mit deutscher Übersetzung, herausgegeben von R. KITTEL, revidierte Fassung der Übersetzung Martin LUTHERs (1964), Stuttgart [16]1974.

BAUER, H. - LEANDER, P. — Grammatik des Biblisch-Aramäischen (Halle 1927). Reprographischer Nachdruck. Hildesheim 1962.

BAUMGARTNER, W. - KOEHLER, L. — Hebräisches und aramäisches Lexikon zum Alten Testament, Lieferung I - III, Leiden [3]1967 - 1983 (= KBL[2]).

DALMAN, G. H. — Aramäisch-Neuhebräisches Handwörterbuch zu Targum, Talmud und Midrasch, Hildesheim 1967 (reprographischer Nachdruck der Ausgabe Göttingen 1938).

GESENIUS, W. — Hebräisches und Aramäisches Handwörterbuch, Berlin-Göttingen-Heidelberg [17]1962.

GESENIUS, W. - KAUTZSCH, E. - BERGSTRÄSSER, G. — Hebräische Grammatik, Hildesheim-Zürich-New York [28]1983.

JENNI, E. — Lehrbuch der hebräischen Sprache des Alten Testaments, Basel-Stuttgart 1978.

KUHN, K. G. — Konkordanz zu den Qumrantexten, Göttingen 196o.

ders. — Nachträge zur "Konkordanz zu den Qumrantexten": RQ 4, 1963-64, 163-234.

LEVI, J. Wörterbuch über die Talmudim und Midraschim, 4 Bde., Darmstadt [3]1924 = 1963.

LISOWSKY, G. Konkordanz zum hebräischen Alten Testament, Stuttgart [2]1958.

SCHNEIDER, W. Grammatik des Biblischen Hebräisch, München 1974.

SCHWERTNER, S. Internationales Abkürzungsverzeichnis für Theologie und Grenzgebiete, Berlin-New York 1974.

VOGT, E. Lexicon linguae aramaicae Veteris Testamenti, Roma 1971.

2. AUSSERQUMRANISCHE QUELLENTEXTE

BIBLIA SACRA — Einheitsübersetzung der Heiligen Schrift. Die Bibel. Psalmen und Neues Testament. Ökumenischer Text, herausgegeben im Auftrag der Bischöfe Deutschlands, Österreichs, der Schweiz, des Bischofs von Lüttich, des Bischofs von Bozen-Brixen u.a., Stuttgart 1980.

BIBLIA SACRA — Die Bibel. Die Heilige Schrift des Alten und Neuen Bundes. Deutsche Ausgabe mit den Erläuterungen der Jerusalemer Bibel. Herausgegeben von D. ARENHOEVEL, A. DEISSLER, A. VÖGTLE, Freiburg 1981.

CHARLES, R. H. (Hg.) — The Apocrypha and Pseudepigrapha of the Old Testament in English, Vol. I u. II, Oxford 1913.

CHARLESWORTH, J. H. (Hg.) — The Old Testament pseudepigrapha, Vol. I, New York 1983.

ELLIGER, K. - RUDOLPH, W. (Hg.) — Biblia Hebraica Stuttgartensia, Stuttgart 1967 - 77.

GOLDSCHMIDT, L. — Der Babylonische Talmud, Bd. I - XII, Berlin 1936.

KAUTZSCH, E. (Hg.) — Die Apokryphen und Pseudepigraphen des Alten Testaments, Bd. I u. II, Tübingen 1900.

KITTEL, R. (Hg.) — Biblia Hebraica, Stuttgart ^{14}1966.

NESTLE, E. - ALAND, K. — Novum Testamentum Graece, Stuttgart ^{26}1979.

RIESSLER, P. (Hg.) — Altjüdisches Schrifttum außerhalb der Bibel, Augsburg 1928.

ROHLFS, A. (Hg.) — Septuaginta, Bd. I u. II, Stuttgart 1935.

SPERBER, A. (Hg.) — The Bible in Aramaic, Bd. I-V, Leiden 1959 - 73.

ZIEGLER, J. (Hg.) — Salomon: Sapientia, Göttingen 1962.

ders. — Ecclesiasticus: Sapientia Jesu filii Sirach, Göttingen 1965.

3. TEXTAUSGABEN ZUM 1QPHAB UND ANDERER (QUMRAN)-SCHRIFTEN

BOCACCIO, P. - BERARDI, G. — Pšr Ḥbqwq. Interpretatio Habacuc, Fano [3]1955.

BROWNLEE, W. H. — The Text of Habakkuk in the Ancient Commentary from Qumran (JBL Monograph Series XI), Philadelphia 1959.

BURROWS, M. (Hg.) — The Dead Sea Scrolls of St. Mark's Monastery, Vol. I, The Isaiah Manuscript and the Habakkuk Commentary, New Haven [2]1950.

CANTERA ORTIZ DE URBINA, J. — El Comentario de Habacuc de Qumran (Textos y Estudios del Seminario Filologico Cardenal Cisneros 3), Madrid-Barcelona 1960.

GLATZER, N. N. (Hg.) — The Passover Haggadah with English Translation, Introduction and Commentary, New York 1969.

HABERMANN, A. M. — Megilloth Midbar Jehuda. The Scrolls from the Judean Desert, Jerusalem 1959.

HORGAN, M. P. — Pesharim: Qumran Interpretation of Biblical Books, Part. I: the Texts (CBQ Monograph Series 8), Washington 1979.

LOHSE, E. (Hg.) — Die Texte aus Qumran, Hebräisch und Deutsch, mit masoretischer Punktation, Übersetzung, Einführung und Anmerkungen, Darmstadt [3]1981.

4. WERKE ALLGEMEIN-UMFASSENDERER ART, KOMMENTARE, AUFSATZSAMMLUNGEN

ACKROYD, P. R. - EVANS, C. F.	The Cambridge History of the Bible, 3 vols., Cambridge 1970.
BAUER, H. - LEANDER, P.	Kurzgefaßte Biblisch-Aramäische Grammatik mit Texten und Glossar, Halle 1929.
BERLINER, A.	Targum Onkelos. Einleitung. Jerusalem 1968 (Facsimile reprint von Berlin 1884).
BRAUN, H.	Qumran und das Neue Testament, 2 Bde., Tübingen 1966.
BROWNLEE, W. H.	The Midrash Pesher of Habakkuk. Text, Translation, Exposition with an Introduction, Missoula (Montana) 1979.
BURROWS, M.	Die Schriftrollen vom Toten Meer, München 1960.
ders.	More Light on the Dead Sea Scrolls, New York 1958.
DELCOR, M.	Le Livre de Daniel, Paris 1971.
DEXINGER, F.	Das Buch Daniel und seine Probleme (SBS 36), Stuttgart 1969.
DUPONT-SOMMER, A.	Die essenischen Schriften vom Toten Meer, Paris 1959.
EISSFELDT, O.	Einleitung in das Alte Testament unter Einschluß der Apokryphen und Pseudepigraphen sowie der apokryphen- und pseudepigraphenartigen Qumranschriften, Tübingen [4]1976.

ELLIGER, K. — Studien zum Habakukkommentar vom Toten Meer (BHTh 15), Tübingen 1953.

FITZMYER, J. A. — A Wandering Aramean. Collected Aramaic Essays, Missoula (Montana) 1979.

FOHRER, G. u.a. — Einleitung in das Alte Testament, Heidelberg [12]1979.

ders. — Exegese des Alten Testaments. Einführung in die Methodik (UTB 267), Heidelberg [2]1976.

ders. — Geschichte Israels (UTB 708), Heidelberg 1977.

ders. — Das Alte Testament, 3 Teile, Gütersloh [2]1977.

Grözinger, K. E. u.a. (Hg.) Qumran (WdF CDX) Darmstadt 1981.

HARRIS, J. G. — The Qumran Commentary on Habakkuk, London 1966.

HERFORD, T. R. — Das pharisäische Judentum, Leipzig 1913.

HORGAN, M. P. — Pesharim: Qumran-Interpretations of Biblical Books (CBQ Monograph Series 8), Washington 1979.

KADUSHIN, M. — The Rabbinic Mind, New York-Toronto-London [2]1965.

KAISER, O. — Einleitung in das Alte Testament. Eine Einführung in ihre Ergebnisse und Probleme, Gütersloh [3]1975.

KOCH, K. — Das Buch Daniel (EdF 144), Darmstadt 1980.

LAUTERBACH, J. Z. — Mekilta de-Rabbi Ismael. A critical edition on the basis of the manuscripts and early editions with an english translation, introduction and notes, vol. I - III, Philadelphia 1933 - 35.

MAIER, J. — Die Texte vom Toten Meer, 2 Bde., München-Basel 1960.

ders. — Geschichte der jüdischen Religion. Von der Zeit Alexanders des Großen bis zur Aufklärung mit einem Ausblick auf das 19./20. Jahrhundert, Berlin-New York 1972.

ders. — Das Judentum. Von der biblischen Zeit bis zur Moderne, München 1973.

ders. - SCHREINER, H. (Hg.) — Literatur und Religion des Frühjudentums, Würzburg 1973.

ders. - SCHUBERT, K. — Die Qumran-Essener. Texte der Schriftrollen und Lebensbild der Gemeinde (UTB 224), München 1973.

MICHEL, O. — Der Brief an die Römer (KEK 4), Göttingen ^{14}1978.

NOTH, M. — Das zweite Buch Mose. Exodus (ATD 5), Göttingen 1961.

PLÖGER, O. — Das Buch Daniel (KAT 18), Gütersloh 1965.

RAD, G. v. — Theologie des Alten Testaments, Bd. I u. II, München I ^{8}1982; II ^{7}1980.

RENGSTORF, K. H. — Ḫirbet Qumrân und die Bibliothek vom Toten Meer (Studia Delitzschiana 5), Stuttgart 1960.

ROBINSON, Th. H. — Die Zwölf Kleinen Propheten (HAT 14), Tübingen 1936.

RUDOLPH, W.	Micha-Nahum-Habakuk-Zephanja (KAT 13,3), Gütersloh 1975.
SAFRAI, Sh.	Das jüdische Volk im Zeitalter des Zweiten Tempels, Neukirchen-Vluyn 1978.
SCHÄFER, P.	Studien zur Geschichte und Theologie des rabbinischen Judentums (AGJU 15), Leiden 1978.
SCHMITHALS, W.	Apokalyptik. Eine Einführung und Deutung, Göttingen 1973.
SCHUBERT, K.	Die Gemeinde vom Toten Meer. Ihre Entstehung und ihre Lehren. München-Basel 1958.
STEMBERGER, G.	Das klassische Judentum. Kultur und Geschichte der rabbinischen Zeit, München 1979.
ders.	Geschichte der jüdischen Literatur. Eine Einführung, München 1977.
STRACK, H. L.	Einleitung in Talmud und Midrasch, München ^{6}1976.
ders. - STEMBERGER, G.	Einleitung in Talmud und Midrasch, München ^{7}1982.
WILDBERGER, H.	Jesaia (BK X/2), Neukirchen-Vluyn 1978.
ZIMMERLI, W.	Ezechiel (BK XIII/1), Neukirchen-Vluyn 1969.

5. ZEITSCHRIFTEN-, FESTSCHRIFTEN- UND SAMMELBANDAUFSÄTZE; ARTIKEL

ALBRIGHT, W.F. — The Biblical Period, in: L. FINKELSTEIN (Hg.), The Jews. Their History, Culture and Religion, Vol. I, New York 1960, 3-69.

ALT, A. — Zur Menetekelinschrift: VT 4, 1954, 303 - 305.

BARRETT, C.K. — The Interpretation of the Old Testament in the New, in: ACKROYD/EVANS, Cambridge History, a.a.O., 337 - 411.

BLÄSER, P. — Schriftverwertung und Schrifterklärung im Rabbinentum und bei Paulus: ThQ 132, 1952, 152 - 169.

BLOCH, Ph. — Studien zur Aggadah: MGWJ 34, 1884, 166 - 184; 210 - 224; 257 - 269; 385 - 404.

BLOCH, R. — Art. Midrash, in: DBS, Bd. 5, Paris 1957, 1263 - 1281.

BORNKAMM, G. — Art. μυστήριον, in: ThWNT, Bd. IV, Stuttgart 1943, 809 - 835.

BROOKE, C. — Qumran Pesher: Toward the Redefinition of a Genre: RQ 10, 1979 - 81, 483 - 503.

BROWNLEE, W.H. — Biblical Interpretation Among the Dead Sea Scrolls: BA 14, 1951, 54 - 76.

ders. — The Habakkuk Midrash and the Targum of Jonathan: JJS 7, 1956, 169 - 186.

ders. The Background of Biblical Interpretation at Qumran, in: M. DELCOR (Hg.), Qumran. Sa piété, sa théologie et son milieu, Leuven 1978, 183 - 193.

BURGMANN, H. Gerichtsherr und Generalankläger: Jonathan und Simon: RQ 9, 1977 - 78, 3 - 72.

BUTLER, H. A. The Chronological Sequence of the Scrolls of Qumran Cave One: RQ 2, 1959 - 60, 533 - 539.

CARMIGNAC, J. Der Begriff "Eschatologie" in der Bibel und in Qumran, in: H. D. PREUSS (Hg.), Eschatologie im Alten Testament (WdF CDLXXX), Darmstadt 1978, 306 - 324.

ders. Le Document de Qumrân sur Melkisédeq: RQ 7, 1969 - 71, 343 - 378.

ders. Le Genre littéraire "pésher" dans la Pistis-Sophia: RQ 4, 1963 - 64, 497 - 522.

COLLINS, J. J. Jewish Apocalyptic Against its Hellenistic Background: BASOR 220, 1975, 27 - 36.

COPPENS, J. Le Mystère dans la Théologie Paulinienne et ses parallèles, in: A. DESCAMPS u.a., Littérature et Théologie pauliniennes (Recherches bibliques 5), Louvain 1960, 142 - 165.

DAUMAS, F. Littérature prophétique et exégétique égyptienne et commentaires esséniens, in: A la rencontre de Dieu: Mémorial Albert GELIN (Bibliothèque de la faculté catholique de théologie de Lyon 8), Le Puy 1961, 203 - 221.

DAVIES, W. D. 'Knowledge' in the Dead Sea Scrolls and Matthew 11, 25 - 30: HThR 46, 1953, 113 - 139.

DELCOR, M. Le Midrash d'Habacuc: RB 68, 1951, 521 - 548.

ders. Qumrân. Littérature essénienne, in: DBS 9, 1973 - 79, 828 - 960.

DIEZ-MACHO, A. El Texto biblico del Comentario de Habacuc de Qumran, in: H. GROSS/ F. MUSSNER (Hg.), Lex Tua Veritas (Festschrift für H. JUNKER), Trier 1961, 59 - 64.

DUPONT-SOMMER, A. Le Maître de Justice fut-il mis à mort?: VT 1, 1951, 220 - 215.

EISSFELDT, O. Die Menetekel-Inschrift und ihre Deutung: ZAW 63, 1951, 105 - 114.

EYBERS, I. H. Eksegese van die Ou Testament by Qumran en in die Nuwe Testament, in: Hermeneutica (Festschrift für E. P. GROENEWALD), Pretoria 1970, 35 - 56.

FINKEL, A. The Pesher of Dreams and Scriptures: RQ 4, 1963 - 64, 357 - 370.

FINKELSTEIN, L. The Oldest Midrash: Pre-Rabbinic Ideals and Teachings in the Passover Haggadah: HThR 31, 1938, 291 - 317.

FITZMYER, J. A. The Use of Old Testament Quotations in Qumran Literature and in the New Testament: NTS 7, 1960 - 61, 297 - 333.

ders. The First Century Targum of Job from Qumran, in: ders., A Wandering Aramean, a.a.O., 162 - 181.

ders. The Targum of Leviticus from Qumran Cave 4: Maarav 1, 1975, 5 - 23.

FLUSSER, D.

מלכות רומא בעיני בית חשמונאי ובראי האסיים
(The Kingdom of Rome in the Eyes of the Hasmoneans and as seen by the Essenes): Zion 48, 2, 1983, 149 - 176 (hebr. mit englischem summary).

GÄRTNER, B.

The Habakkuk Commentary (DSH) and the Gospel of Matthew: StTh 8, 1, 1955, 1 - 24.

GEIS, R. R.

Das Geschichtsbild des Talmud: Saec. 6, 1955, 119 - 124.

GERTNER, M.

Terms of Scriptural Interpretation: A Study in Hebrew Semantics: BSOAS 25, 1962, 1 - 27.

GESE, H.

Geschichtliches Denken im Alten Orient und im Alten Testament: ZThK 55, 1958, 127 - 145.

GNILKA, J.

Art. Mysterium, in: LThK, Bd. 7, Freiburg [2]1967, 227 - 229.

GORDON, R. P.

The Targum to the Minor Prophets and the Dead Sea Texts. Textual and Exegetical Notes: RQ 8, 1972 - 75, 425 - 429.

GREIG, J. C. G.

Gospel Messianism and the Qumran Use of Prophecy: K. Aland u.a. (Hg.), Studia Evangelica, Vol. I, Papers presented to the International Congress on "The Four Gospels in 1957" in Oxford 1957, Berlin-Ost 1959, 593 - 599.

GRÖZINGER, K.-E.

Midraschisch erweiterte Priestersegen in Qumran: FJB 2, 1974, 39 - 53.

HAMP, V.

(Jüdisch-)Aramäische Bibelübersetzungen, in: Art. Bibelübersetzungen, in: LThK 2, II, 384 - 386.

HORTON, F. L., Jr. Formulas of Introduction in the Qumran Literature: RQ 7, 1969 - 71, 505 - 514.

KAUFMANN, St. A. The Job Targum from Qumran: JAOS 93, 1973, 317 - 327.

KOENIG, J. L'activité herméneutique des scribes dans la transmission de l'A.T.: RHR 161, 1962, 141 - 174; 162, 1962, 1 - 43.

KÜMMEL, W. G. Art. Schriftauslegung: III. Im Urchristentum, in: RGG 3, V, 1517 - 1520.

LANE, W. R. A New Commentary Structure in 4QFlorilegium: JBL 78, 1959, 343 - 346.

LAUTERBACH, J. Z. Midrash and Mishnah. A Study in the Early History of the Halakha, in: ders., Rabbinic Essays, Cincinnati 1951, 163 - 256.

LE DEAUT, R. A propos d'une définition du midrash: Bib. 50, 1969, 395 - 413.

ders. Un phénomène spontané de l'hermeneutique juive: le targumisme: Bib. 52, 1971, 505 - 525.

LEHMANN, M. R. 1Q Genesis Apocryphon in the Light of Targumim and Midrashim: RQ 1, 1958 - 59, 249 - 263.

LEWITTES, M. The Nature and History of Jewish Law, in: L. D. Stitskin, Studies in Tora Judaism, o.O. 1969, 237 - 316.

LICHT, J. Die Lehre des Hymnenbuches, in: GRÖZINGER, Qumran, a.a.O., 276 - 311.

LOEWE, R. The 'Plain' Meaning of Scripture in Early Jewish Exegesis, in: J. G. WEISS (Hg.), Papers of the Institute of Jewish Studies, London, vol. I, Jerusalem 1964, 140 - 185.

LOWY, S. Some Aspects of Normative and Sectarian Interpretation of the Scriptures. The Contribution of the Judean Scrolls towards Systematization, in: J. McDONALD (Hg.), Dead Sea Scroll Studies 1969 (ALUOS VI), Leiden 1969, 98 - 163.

MAIER, J. Kontinuität und Neuanfang, in: MAIER/SCHREINER, Literatur, a.a.O., 1 - 18.

ders. NEUSNER, J., Die gesetzlichen Überlieferungen, in: MAIER/SCHREINER, Literatur, a.a.O., 57 - 72.

MILIK, J. T. Die Geschichte der Essener, in: GRÖZINGER, Qumran, a.a.O., 58 - 120.

ders. Turfan et Qumran. Livre des Gêants juif et manichêen, in: G. JEREMIAS u.a. (Hg.), Tradition und Glaube. Das frühe Christentum in seiner Umwelt. Festgabe für K. G. KUHN, Göttingen 1971, 117 - 127.

MILLER, M. P. Targum, Midrash and the Use of the Old Testament in the New Testament: JSJ 2, 1971, 29 - 82.

MÜLLER, K. Geschichte, Heilsgeschichte und Gesetz, in: MAIER/SCHREINER, Literatur, a.a.O., 73 - 105.

MURPHY-O'CONNOR, J. An Essene Missionary Document? CD II, 14 - VI, 1: RB 77, 1970, 200 - 229.

NEUSNER, J. The Meaning of Oral Torah. With Special Reference to Kelim and Ohalot, in: ders., Early Rabbinic Judaism. Historical Studies in Religion, Literature and Art (Studies in Judaism in Late Antiquity 13), Leiden 1975, 3 - 33.

ders. The Written Tradition in Pharisaism before 70, in: ders., Rabbinic Judaism, a.a.O., 90 - 99.

OSSWALD, E. Zur Hermeneutik des Habakukkommentars: ZAW 68, 1956, 243 - 56.

PLOOG, J. van der L'usage du parfait et de l'imparfait comme moyen de datation dans le commentaire de'Habacuc, in: Les Manuscrits de la Mer Morte. Colloque de Strasbourg (25./27.5.1955), Paris 1957, 25 - 35.

ders. Le Rouleau d'Habacuc de la Grotte de cAin Fesha: BiOr 8, 1951, 2 - 11.

ders. Bijbelverklaring te Qumran. Mededelingen der koninklijke Nederlandse Akademie van Wetenschapen, Afd. Letterkunde. - Nieuwe Reeks, Deel 23, Nr. 8, Amsterdam 1960, 3 - 25 (mit französischer Zusammenfassung).

PORTON, G. Midrash: Palestinian Jews and the Hebrew Bible in the Greco-Roman Period, in: H. TEMPORINI/W. HAASE, Aufstieg und Niedergang der Römischen Welt II, 19.2, Berlin-New York 1979, 103 - 138.

PLÖGER, O. "Siebzig Jahre", in: ders., Aus der Spätzeit des Alten Testaments, Göttingen 1971, 67 - 73.

RABIN, Ch. Notes on the Habakkuk Scroll and the Zadokite Fragments: VT 5, 1955, 148 - 162.

RABINOWITZ, I. The Authorship, Audience and Date of the Vaux Fragment of an unknown Word: JBL 71, 1953, 19 - 32.

ders. The Existence of a Hitherto Unknown Interpretation of Psalm 107 Among the Dead Sea Scrolls: BA 14, 1951, 50 - 52.

ders. "Pêsher/Pittârôn". Its Biblical Meaning and its Significance in the Qumran Literature: RQ 8, 1972 - 75, 219 - 232.

ders. The Second and the Third Columns of the Habakkuk Interpretation Scroll: JBL 69, 1950, 31 - 49.

ders. The Study of A Midrash: JQR 58, 1967 - 68, 143 - 161.

RIGAUX, B. Révélation des mystères et perfection à Qumran et dans le Nouveau Testament: NTS 4, 1958, 237 - 262.

RINGGREN, H. Some Observations on the Qumran Targum of Job: ASTI, Vol. I, 11, 1978, 119 - 126.

ROBERTS, B. J. The Dead Sea Scrolls and the Old Testament Scriptures: BJRL 38, 1953 - 54, 75 - 96.

ders. Some Observations on the Damascus Document and the Dead Sea Scrolls: BJRL 34, 1951 - 52, 366 - 387.

ROTH, C. The Era of the Habakkuk Commentary: VT 11, 1961, 451 - 455.

SCHÄFER, P. Das "Dogma" von der mündlichen Thora im rabbinischen Judentum, in: ders., Studien, a.a.O., 153 - 197.

ders. Der Götzendienst des Enosch. Zur Bildung und Entwicklung aggadischer Traditionen, in: ders., Studien, a.a.O., 134 - 152.

ders. Zur Geschichtsauffassung des rabbinischen Judentums, in: ders., Studien, a.a.O., 23 - 44.

SCHEDL, C. Daniels Botschaft und ihre Bedeutung: BiLe 5, 1964, 42 - 49.

SCHMIDT, H. W. Die deuteronomistische Redaktion des Amos-Buches. Zu theologischen Unterschieden zwischen dem Prophetenwort und seinem Sammler: ZAW 77, 1965, 185 - 188.

SCHOEPS, H. J. Beobachtungen zum Verständnis des Habakuk-Kommentars von Qumran: RQ 2, 1959 - 60, 75 - 80.

ders. Der Habakukkommentar von ᶜAin Feskha - ein Dokument der Hasmonäischen Spätzeit: ZAW 63, 1951, 249 - 258.

SCHREINER, J. Interpretation innerhalb der schriftlichen Überlieferung, in: MAIER/SCHREINER, Literatur, a.a.O., 19 - 30.

ders. Die apokalyptische Bewegung, in: MAIER/SCHREINER, Literatur, a.a.O., 214 - 253.

Seeligmann, I. L. Voraussetzungen der Midraschexegese: VT.S 1, 1953, 150 - 181.

ders. Rezension zu K. ELLIGER, Studien, a.a.O., in: Qirjath Sepher 30, 1955 - 56, 36-46 (hebr.).

SEGERT, S. Zur Habakuk-Rolle aus dem Funde vom Toten Meer: ArOr 21, 1953, 218 - 239; 1954, 99 - 113. 444 - 459; 23, 1955, 178 - 183. 364 - 373. 575 - 619.

SILBERMAN, L. H. Unriddling the Riddle. A Study in the Structure And Language of the Habakkuk Pesher (1QpHab): RQ 3, 1961 - 62, 323 - 364.

ders. A note on 4QFlorilegium: JBL 78, 1959, 158 - 159.

SLOMOVIC, E. Toward An Understanding of the Exegesis in the Dead Sea Scrolls: RQ 7, 1969 - 71, 3 - 15.

SMITH, M. The Dead Sea Sect in Relation to Ancient Judaism: NTS 7, 1960 - 61, 347 - 360.

SZÖRENYI, A. Das Buch Daniel, ein kanonisierter Pescher?: VT.S 15, 1965, 278 - 294.

TALMON, S. Yom Hakkippurim in the Habakkuk Scroll: Bib. 32, 1951, 549 - 563.

ders. Double Readings in the Massoretic Text: Textus 1, 1960, 144 - 184.

TREVER, J. C. The Qumran Covenanters and their Use of Scripture: Pers. 39, 1, 1958, 127 - 138.

VERMES, G. Bible and Midrash. Early Old Testament Exegesis, in: ACKROYD/EVANS, Cambridge History, a.a.O., Vol. I, 199 - 231.

ders. A propos des Commentaires bibliques découverts à Qumran: RHPR 35, 1955, 95 - 102.

ders. Le 'Commentaire d'Habacuc' et le Nouveau Testament: CSion 5, 1951, 347 - 359.

ders. Die Schriftauslegung in Qumran in ihrem historischen Rahmen, in: GRÖZINGER, Qumran, a.a.O., 185 - 200.

ders. "Car le Liban, c'est le conseil de la communauté", in: Mélanges bibliques rédigés en l'Honneur d'André ROBERT, Paris 1957, 316 - 325.

VOGT, E. Textumdeutungen im Buch Ezechiel, in: J. COPPENS, A. DESCAMPS, E. MOSSAUX (Hg.), Sacra Pagina. Miscellanea Biblica Congressus Internationalis Catholici De Re Biblica (BEThL 12 - 13) Gembloux 1959, 471 - 494.

WEIMAR, P. Formen frühjüdischer Literatur, in: MAIER/SCHREINER, Literatur, a.a.O., 123 - 162.

WESTERMANN, C. - ALBERTZ, R. Art. גלה glh aufdecken, in: E. JENNI (Hg.), THAT, Bd. I, München 1971, 418 - 426.

WIEDER, N. The Habakkuk Scroll and the Targum: JJS 4, 1953, 14 - 18.

WILLI-PLEIN, I. Das Geheimnis der Apokalyptik, VT 27, 1977, 62 - 81.

WINDFUHR, D. Der Apostel Paulus als Haggadist: ZAW 44, 1926, 327 - 330.

WRIGHT, A. G. The Literary Genre Midrash: CBQ 28, 1966, 105 - 138. 417 - 457.

YALON, H. הערות לשוניות לפשר חבקוק: Qirjath Sepher 27, 1951, 172 - 175.

ZEITLIN, S. Midrash: A Historical Study: JQR 44, 1953 - 54, 21 - 36.

ZOBEL, H.-J. Art. גלה, in: C. J. BOTTERWECK/ H. RINGGREN (Hg.), ThWAT, Bd. I, Stuttgart 1973, 1018 - 1031.

6. MONOGRAPHIEN

BETZ, O. — Offenbarung und Schriftforschung in der Qumransekte (WUNT 6), Tübingen 1960.

BRAUN, H. — Spätjüdisch-häretischer und frühchristlicher Radikalismus. Jesus von Nazareth und die essenische Qumransekte (Untersuchungen zur historischen Theologie 24), 2 Bde., Tübingen 1957.

BROOKE, G. — 4QFlorilegium in the Context of Early Jewish Exegetical Method, Claremont Graduate School, 1978.

BROWN, R. E. — The Semitic Background of the Term "Mystery" in the New Testament (Biblical Series 21), Philadelphia 1968.

BRUCE, F. F. — Biblical Exegesis in the Qumran Texts, London 1960.

CANCIK, H. — Grundzüge der hethitischen und alttestamentlichen Geschichtsschreibung, Wiesbaden 1976.

CHAMBERLAIN, J. V. — An Ancient Sectarian Interpretation of the Old Testament Prophets: A Study in the Qumran Scrolls and the Damaskus Fragments, Durham (North Carolina) 1955.

COLLINS, J. J. — The Apocalyptic Vision of the Book of Daniel (HSM 16), Missoula (Montana) 1977.

EHRLICH, E. L. — Der Traum im Alten Testament (BZAW 73), Berlin 1953.

ELLIS, E. E. — Paul's Use of the Old Testament, London 1957.

FITZMYER, J. A. The Genesis Apocryphon of Qumran Cave I. A Commentary, Rome 1966.

GERHARDSSON, B. Memory and Manuscript. Oral Tradition and Written Transmission in Rabbinic Judaism and Early Christianity, Kopenhagen 1964.

GLATZER, N. N. Untersuchungen zur Geschichtslehre der Tannaiten. Ein Beitrag zur Religionsgeschichte, Berlin 1933.

ders. The Passover Haggadah, with English Translation, Introduction and Commentary, New York 1969.

GOLDSCHMIDT, E. D. The Passover Haggadah. Its Sources and History, Jerusalem 1960.

HAMMILL, L. Biblical Interpretation in the Apocrypha and Pseudepigrapha, doct. diss., Chicago 1950.

HEINEMANN, I. Altjüdische Allegoristik, Breslau 1936.

JEREMIAS, J. Der Lehrer der Gerechtigkeit (StUNT 2), Göttingen 1973.

LE DEAUT, R. La nuit pascale. Essai sur la signification de la Pâque juive à partir du Targum d'Exode XII, 42, Rome 1963.

MERTENS, A. Das Buch Daniel im Lichte der Texte vom Toten Meer (SBM 12), Stuttgart 1971.

MOWINCKEL, S. Studien zu dem Buche Ezra-Nehemia, Oslo 1965.

NÖTSCHER, F. Zur theologischen Terminologie der Qumrantexte (BBB 10), Bonn 1956.

OPPENHEIM, L. — The Interpretation of Dreams in the Ancient Near East. With a Translation of an Assyrian Dream Book, Philadelphia 1956.

PATTE, D. — Early Jewish Hermeneutic in Palestine, Missoula (Montana) 1975.

POUILLY, J. — Le règle de la communauté de Qumran. Son évolution littéraire (CRB 17), Paris 1976.

RICHTER, W. — Exegese als Literaturwissenschaft. Entwurf einer alttestamentlichen Literaturtheorie und Methodologie, Göttingen 1971.

SCHLECHTER, S. - TAYLOR, Ch. — The Wisdom of Ben Sira. Portions of the Book Ecclesiasticus, Amsterdam 1979 (reprint der Cambridge-Ausgabe 1899 & 1896).

SCHULTE, H. — Die Entstehung der Geschichtsschreibung im Alten Israel (BZAW 128), Berlin-New York 1972.

SCHWARZ, O. J. R. — Der erste Teil der Damaskusschrift und das Alte Testament, theol. Diss., Lichtland/Diest 1965.

SEELIGMANN, J. L. — The Septuagint Version of Isaiah, Leiden 1948.

SOKOLOFF, M. — The Targum To Job From Qumran XI, Ramat Gan 1974.

STENDAHL, K. — The School of St. Matthew, Upsalla 1954.

VERMES, G. — Scripture and Tradition in Judaism. Haggadic Studies, Leiden [2]1973.

WIEDER, N. — The Judean Scrolls and Karaism, London 1962.